国家重点基础研究发展规划[973]项目(G1999043601)资助

分布式水文模型

(荷) M. B. ABBOTT   (丹) J. C. REFSGAARD   编

郝芳华   王　玲   等译

黄河水利出版社

内 容 提 要

　　本书共分 14 章,系统阐述了分布式水文模型的基本原理及其在生产实践中的应用。主要内容包括:水文模型的术语、建立与分类,水文模型的建立、校准和验证,分布式物理模型和陆地水文循环,多组分反应输移模型、土壤侵蚀模型,农业化学物质污染模型,气象雷达降水数据及其在水文模型中的应用,遥感在水文模型中的应用,地质模拟,GIS 和数据库在分布式模型中的应用,工程案例研究等。本书可供从事水文水资源管理、研究的技术人员以及大专院校相关专业的师生阅读参考。

图书在版编目(CIP)数据

　　分布式水文模型/(荷)阿博特(Abbott, M. B.),
(丹)雷夫斯加德(Refsgaard, J. C.)编;郝芳华,
王玲等译—郑州:黄河水利出版社, 2003.12
　　书名原文:Distributed Hydrological Modelling
　　ISBN 7-80621-719-3

　　Ⅰ.分… 　Ⅱ.①阿… ②雷… ③郝… 　Ⅲ.水文—
模型 　Ⅳ.P33

　　中国版本图书馆 CIP 数据核字(2003)第 126649 号

出　版　社:黄河水利出版社
　　　　地址:河南省郑州市金水路 11 号　　邮政编码:450003
发行单位:黄河水利出版社
　　　　发行部电话及传真:0371—6022620
　　　　E-mail:yrcp@public.zz.ha.cn
承印单位:黄河水利委员会印刷厂
开本:787 mm×1 092 mm　1/16
印张:12
字数:277 千字　　　　　　　　　　　印数:1—1 000
版次:2003 年 12 月第 1 版　　　　　　印次:2003 年 12 月第 1 次印刷

书号:ISBN 7-80621-719-3/P·27　　　　　　定价:29.00 元
著作权合同登记号:图字 16-2003-111

序

　　由荷兰 Dr. M. B. Abbott 和丹麦 Dr. J. C. Refsgaard 两位水文学家编写的《分布式水文模型》(Distributed Hydrological Modelling)一书，是一部综述性的著作。"分布式水文模型"用于小尺度水文过程的模拟已有 20 多年的历史，其中具有代表性的分布式水文模型之一是 SHE 模型，目前也有一些水文学者应用这种分布式水文模型于流域的研究，但是尚不够广泛。国内有关分布式水文模型的研究起步较晚，仅是近些年才刚刚兴起，尚处于联系中国实际进行开发的阶段。国家重点基础研究规划始于 1997 年 3 月，故称为"973"项目。1999 年 10 月国家科技部批准了"黄河流域水资源演变与可再生性维持机理"研究项目(简称黄河 973 项目)，开展了比较系统的分布式水文模型的研究。本书的翻译为黄河 973 项目提供了重要参考。经作者 Dr. M. B. Abbott 与 Dr. J. C. Refsgaard 的同意和授权，现翻译出版，以供广大水文水资源领域的科技人员参考。

　　传统的水文模型种类很多，但绝大多数模型均属集总式的水文模型，不能很好地反映水文水资源要素在空间上的变化。这种变化不仅是来自自然条件本身空间变异性(如气象气候、地质地貌和土壤植被等)的影响，而且来自经济社会发展(工农业用水、城市化与土地覆盖利用等)的人类活动的影响，后者在空间上也是不均匀的。在这种情况下，为了识别这种空间变化的影响，过去的集总式水文模型则转向分割较大的流域为更小的流域(如流域的支流流域)的模拟方法，这种方法可以视为是一种半分布式的水文模型；而完全分布式的水文模型则是具有更高分辨率的网格式模型，它能更好地反映水文水资源形成演化的空间变异的影响，深化对流域水文水资源的物理过程的研究。

　　"分布式水文模型"之所以成为当前水文水资源研究的热点，在于它具有更多的模拟功能，能够把单一水量变化的模拟推向更加广泛的水文水资源生态环境问题的模拟，大大拓宽模拟领域，如地表水与地下水计算、水资源数量和质量的联合评价、非点源污染、土壤侵蚀与水土流失、洪水预报预警、土地覆盖与土地利用影响、生态需水、水生生物与生态系统修复、农业灌溉与城市工业用水，以及通过网格式的尺度转换与大气环流模式耦合，计算与预测全球变化对水文水资源的影响，从而纳入全球变化研究的前沿。由此可见分布式水文模型理论上的基础性和应用上的广泛性。

　　与采用基于经验与黑箱方法的集总式水文模型相比较，分布式水文模型在理论上的深化与应用上的广阔前景显示了它的优越性。但是，理论上的深化却带来了应用上的难度，主要是理论上所需要的资料与数据众多，而且要求精度很高，往往超出了目前常规水文要素观测的内容与精度，同时大量参数的累积误差往往会降低模拟精度。这是当前分布式水文模型的一个难题，也限制了分布式水文模型的广泛应用。目前，将系统水文学方法与物理水文学方法结合的分布式水文模型，也是一个值得探索的途径。但是，必须指出，科学技术的发展只有克服所遇到的问题才能创新，攻破难题采用适应性(指资料限制)方法，灵活地运用分布式水文模型的理论框架与概念，发展水文水资源模拟应是当务之急。本书的出版不仅为黄河 973 项目的研究提供了借鉴，而且也为广大读者提供很好的参考。

　　该书的翻译出版，有助于水文水资源模拟技术的进一步发展，能活跃同行们的学术思想，增进交流，推动科技进步，以期提高我国水文水资源的整体研究水平。应译者之约，撰写了上述短文，是为序。

中国科学院院士　刘昌明

2003 年 6 月 10 日

序　言

对于模型开发者和其他专业人员而言，尽可能分析用户遇到的困难，在此基础上设计解决方案并付诸实践是他们的首要任务。分布式水文模型正是这样一种解决问题的方法。它在大量数据和知识验证的基础上，保证经济可行的前提下，对水文循环过程中遇到的问题进行分析，同时设计并执行补救措施。建立分布式水文模型的目的在于充分利用地图、地质、卫星、水文、农作物资料或植被、洪水和干旱的历史记录及任何有记录的资料，并将这些资料与气象学、植物生理学、土壤物理学、沉积物输移及其他相关的知识结合起来综合应用。当然，仅有资料和数据不一定能够解决问题，但是我们会致力于此种方式，尽最大的努力做得更好。

为什么要建立模型，尤其是要建立分布式水文模型呢？答案在于"我们能做什么"。由于我们所处的外部世界在空间上是分布的，在时间上是连续的，收集的资料也相应地具有这样的特性，而我们所掌握的大部分知识是关于这些时空上相互关联的数据在时间和空间上的数量变化。因此，为了能够更好地理解外部世界，我们需要一种在空间上是分布的、时间上是连续的并伴随相应过程描述的概念表达。另外，相应的分析、设计以及措施也必须以空间上分布、时间上连续的方式进行描述。从方法和思想精简的角度来讲，该表述必须是符号的形式，尤其是现代，这种符号表述要能为计算机所接受。由于这些符号表述要为我们提供更高层次的符号以引导我们的分析、设计及措施，这就必须建立相应的模型。因此，在该领域研究中建立空间上分布、时间上连续的模型是十分必要的。

既然分布式水文模型如此重要，自然会有这样的疑问：为什么分布式水文模型有这么大的潜能，却很少应用于解决水文环境的各种问题呢？模型应用的数量和深度好像与对模型所提供结果的广泛需求不成比例。当然，应用模型的组织或个人通常会提出数据不足、过程理解不充分、过于复杂或其他一些原因，其实很久以来，这些原因在极大程度上一直作为各种困难的托词。这类模型系统 20 多年来应用的经验表明："科学"和"技术"上的原因掩盖了具有社会根源的政治制度和管理上的困难。作为水文信息学核心部分的水文模拟是一种社会技术活动，建立分布式水文模型所遇到的困难最主要是来自社会(包括制度和管理)方面的，这些困难包括制度和管理结构、组织和协作模式等方面。

对于阻碍应用分布式水文模型的制度进行分析，使我们更深刻地理解了产生这种阻碍的根源。简言之，目前几乎没有一家机构可以独立提供满足分布式水文模型对数据和水文学知识的要求。此外，与这种负面影响相应，很少有合适的制度上的安排，以使提供水文数据和知识的组织间进行合作来改变这种情况。因此，从这些机构中的个人或小组看来，确实是"没有足够的数据"，"对过程的理解还不够"。同样，一个确定性模型在组织或协作体中出现必要地改变时，常常会带来"不必要的麻烦"。在这样一个商业压力不断增加的社会，很少有企业会承认他们没有足够的数据或不能动用足够的知识，因此就提出了数据不足、理解不充分或其他类似的科学或技术上的问题。有这样一些事实很容易被忽视：对于综合性的应用来说(包括水库扩建、化学品泄漏后的土壤修复、垃圾填埋场迁移、引入新的取水政策等)，分布式水文模型将会大大降低干扰因素所影响的不确定性程度；而无论有什么样的数据和知识，应用分布式水文模型代表了在一定数据和知识投入水平下，我们所能做到的最好程度。如果我们再考虑这种研究正朝着以最经济的方式减少由不确定性所增加的数据和知识投资的方向发展，那么分布式水文模型的应用就应该予以进一步地强调。

在这种情况下，鼓励推广分布式水文模型应用的办法必须从社会技术的经验中寻求。这也清楚地表明，大多数好像是"社会"的问题可以通过恰当的技术发展及其在社会中的应用来解决。因此，这类模型的未来发展就在于详细地制定适当的技术发展策略，应包括技术自身和模型在社会中应用两个方面。同时，应注意将分布式水文模型与具有实时控制、自学习能力的决策支持系统和环境结合起来：一方面(输入)，这种结合有利于找到获取水文学之外的相关数据和知识，并将其融合在系统和环境适应性对象中；另一方面(输出)，这种结合有利于相关的地理信息系统模型与其他控制管理工具的进一步结合。由于这种技术目前已经在水文相关领域有相当深入的研究和应用(如城市排水系统实时监测控制和海岸水环境管理等)，将其应用于水文学研究会相对容易些。随着第一个此类系统走向成熟，我们期望分布式水文模型能够摆脱长久以来限制其发展的社会制度的束缚，迎来发展的全盛时期。

M. B. Abbott

J. C. Refsgaard

目　录

第1章 分布式水文模型在水资源管理中的作用

1.1 水资源管理现状

"淡水缺乏和不合理利用日益严重地威胁着人类的可持续发展和环境保护。今后几十年里，如果人类仍然不能有效利用和管理水土资源，人类的健康、社会福利、食品安全、工业发展及人类赖以生存的生态系统将处于危急的边缘"(ICWE，1992)。摆在水利学家和水资源管理者面前的现实和未来的挑战，正像都柏林宣言(ICWE，1992)引言中所描述的那样。该宣言即《水资源可持续发展都柏林宣言》，是在国际水与环境会议(即ICWE，1992 年里约热内卢环境发展大会，UNCED 的筹备会议之一)上，由来自 114 个国家的政府派出的专家和 80 个国际组织、政府间组织及非政府组织的与会代表共同协商起草的。

自埃及、巴比伦、波斯等古文明出现四千多年以来，水资源和给水技术就在人类社会发展中起着重要的作用。然而近几十年中，随着人口的快速增长和工业的迅猛发展，世界各地的水土资源都面临着巨大的压力。由于生活、工业、农业、娱乐业等行业用水量的增长以及地表水和地下水的污染，水资源成为一种日渐匮乏的自然资源。

可利用的水资源对人类的生存、经济和环境的发展是非常重要的，然而水资源管理却没有可持续高效的管理方式。在 ICWE 和 UNCED 会议上，水资源管理经验成为讨论的焦点。会议还就改善未来水资源管理方法的基本原则达成一致。世界银行组织也在1993 年的报告中强调了三个水资源管理方面值得注意的问题：

(1)分散的政府投资和部门管理，没能充分考虑有关机构、部门和管辖单位之间的互相牵制，互相影响。

(2)过分依赖政府调节，忽视了市场、金融和公众参与的作用。同时对一些企业或个人也不能有效地提供服务。

(3)政府投资及法规忽视了对水质、卫生条件和环境的考虑。

采用一种综合的体制，把水资源作为一种商品对待，将以前的分散管理和传达机制有机地结合起来，更多地依靠价格体系，充分发挥公众参与的作用，是世界银行新政策的中心内容。

这种水资源管理的新方法需要多学科专家(经济学家、水力学家、生态学家、管理者、工程师等)的共同努力，并在规划管理中将这些学科有机综合。由于以前这些学科之间的联系很少，所以这将是我们面临的一个重大挑战。此外，解决水资源问题，提出新的管理方法需要基于严谨的科学原则和高效的水资源管理工具。这种完善的技术工具的主要特点在于，它必须在很大程度上比现有的工具更能体现水资源的整体性以及水资源管理中所涉及的不同学科间的合作，对水分循环的陆地阶段、水质、水量和生态要有完整的描述，并针对不同层次的决策者，提供集成水文、生态、经济和管理等方面信息的信息系统。

分布式水文模型的作用如上所述。在本章的后面以及本书的其他章节我们会看到，分布式水文模型的一些基本要素中包含了上述特征。因此，尽管分布式水文模型还很不完善，但它对于水资源管理是重要的和必须的工具。

在 1.2 节，我们简要地回顾了目前水资源的有关问题和发展趋势。1.3 节介绍辅助分析和解决这些问题的一些现有的水文模型。1.4 节讨论了分布式水文模型在水资源管理中应用的限制因素。

1.2　水资源存在的主要问题及发展趋势

1.2.1　水资源开发的影响

1940 年，全球总用水量约为 1 万亿 m³，到 1960 年用水量翻了一番，1990 年翻了两番(Clarke，1991)。如果全球用水量再翻一番的话，世界上绝大多数国家将面临水危机。中国、印度等国家的发展表明，如果再不提高水的利用率，水危机会在 2010 年提前到来。

水资源的过度开发利用已经导致地下水和地表水水位下降，有的甚至是永久性下降，从而限制了可利用水资源的质量和数量。持续过度的水资源开发利用和由此而引起的水资源在量和质以及可开采量上的改变，均会对当地的生物群落产生不可恢复的影响。例如：1986 年，尼罗河出现了历史上第一次断流，就是由于干旱和灌溉区扩大的综合影响加快了水的蒸散损失。另外的典型例子是科罗拉多河(Carrier, 1991)和咸海，这两者都是由于上游地区水资源的过度开发而导致水量锐减。

除了使水位下降，地下水过度开采还会产生其他不利影响，例如海水入侵、地面沉降以及由于流量减少和地质化学条件的改变而使水中污染物的浓度增高。地面沉降的典型例子是泰国首都曼谷，由于城市供水对地下水的过度开采导致地面沉降。世界上有些地区地面以每年 10cm 的速度下降，这样很容易导致严重的洪涝灾害(BMA，1986)。

1.2.2　农业灌溉

灌溉的目的是使降雨量波动很大的地区能保证稳定的粮食产量，在不适合耕作的季节也能够种植庄稼。灌溉水主要取自河流、水库和地下水。另外，对那些在干旱季节只靠地表水不能满足灌溉的地区，往往同时开采地表水和地下水。

20 世纪 80 年代中期，全球需要灌溉的耕地面积达 2.2 亿 hm²，占总耕地面积的 15%，而其农产品占总产量的 30% ~ 40%(世界粮农组织 FAO，1990)。世界上已开采的水资源中 70%用于农业灌溉，然而现在许多灌溉系统很不合理，低效的管理、运行和维护引发出大量的环境问题。在某些灌溉系统中，60%的水在输送途中"流失"。因此，通过提高灌溉效率保护水资源的潜力是巨大的。

排水设施简陋或是根本没有排水设施的土地，过度灌溉会导致更大的环境问题，表现为地下水位上升、土地淹没、土壤盐渍化，最终导致农作物减产。曾经一度繁荣的美索不达米亚、斯里兰卡等地就是由于土壤盐渍化而导致衰落的。今天，印度河、尼罗河、底格里斯河、幼发拉底河等流域，以及其他干旱半干旱地区，土壤盐渍化的现象很普遍。根据 FAO 1990 年调查，世界上约有 15% 的灌溉区属严重盐渍化区，还有 30% 的地区有一定程度的盐渍化。

1.2.3　水土流失和土地退化

水土流失和土地退化也是一个世界性问题。水土流失使有营养价值的表层土壤流失，同时给下游带来淤积和污染问题。例如，在欧洲地中海的丘陵地区农业用地和北欧地区砂土和壤土的流失率达 10～100 $t/(hm^2 \cdot a)$ (Morgan，1992)，而为了保护土地资源、控制污染，土壤的最大允许流失率是 1 $t/(hm^2 \cdot a)$ (Evans，1981)。

在一些发展中国家，人口与家畜数量的增长导致过度放牧、森林火灾、耕地过度开发和森林退化等生态环境问题，从而加速了土地退化。在干旱和半干旱地区，这种土地退化被称为沙漠化。根据 1990 年 FAO 调查发现，有几乎 75% 的高产水田受到沙漠化的影响，而约有 60% 的农业人口(2.8 亿)居住在这些地区。对高海拔地区水土保持的重要性认识不清或不予考虑，不仅会影响本地区，还会使低海拔地区遭受洪涝和水库泥沙淤积等危害，甚至造成更严重的后果。据统计，在热带地区的发展中国家，约有 16 亿 hm^2 的高山丘陵地区土地严重退化，约有 20% 的人口受到影响(Danida，1988)。

1.2.4　地表水和地下水污染

直到几十年前，水质问题对我们来说还并不重要，除非是在那些有盐渍化现象的干旱地区。随着人口增长、城市化和工业化的发展，导致需水激增和水体污染，从而在许多地区用水受到水质而不是水量的限制。

地表水污染的主要问题是病原体污染、有机物污染、重金属污染、农药污染、水体酸化和富营养化(世界卫生组织 WHO，1991)。过去由于含水层相对难于接近，对其缺乏可靠的信息，使人们过低估计了非饱和区和含水层污染的范围和严重程度。近二十年来，地下水污染已经成为一些工业国家主要的问题。例如在丹麦，99% 的用水取自地下水。15 年前，地下水还很少被污染；而现在的监测表明，10 000 个地下水取水点都存在污染，这些污染主要是由于垃圾填埋、油轮泄漏、化学物品堆放的原因造成的。为了保护地下水资源，丹麦政府每年要花 4 亿 DKK(约 0.7 亿美元)用于地下水水质监测和修复。另外，由于农业活动引起的氮污染和农药污染也是一类严重的水体污染。如果将来要减少这两种污染造成的影响，必须进行广泛而重大的农业生产变革。

1.2.5　洪涝和干旱

在 1960 年到 1980 年之间，由自然灾害造成的经济损失翻了三番(ICWE，1992)，由洪涝和干旱造成的人口死亡和损失在所有自然灾害中居于首位(Rodda,1995)。尽管水库、堤坝等防洪设施不断加强，许多国家由于洪涝灾害造成的损失仍在增长。随着土地压力的增加，尤其是在洪泛平原，人们更加意识到大型水库等水利调节设施产生的潜在的负面生态效应，使其未来的洪水破坏性更大。近年来(1993~1995年)，密西西比河和莱茵河等大陆性河流发生了重大的洪涝灾害，这两条河流一向都被认为是控制得好的，洪涝发生的原因可能是气候变化或土地利用变化引起的水情变化，或是两者同时都有影响。

1.2.6 水生生态系统

水是地球环境的重要组成部分，是多种生物的家园，也是人类赖以生存和发展的物质基础。然而，河流、湖泊等水体的破坏使许多水生生态系统的生产力下降，并影响到渔业、农业和牧业的发展，使依赖这些产业生存的农村处于崩溃的边缘。另外，各种污染使问题更加恶化，导致供水能力降低，水处理费用增加，水生生物群落受到破坏，更谈不上水上娱乐活动了(ICWE，1992)。例如，20世纪湿地破坏以惊人的速度发展(以前，湿地曾被错误地认为是荒地)。正是由于这个原因，在美国，到20世纪70年代中期，已有54%的原始湿地被破坏(Tiner，1984)，欧洲的一些国家也有类似比例的湿地遭到破坏(Adams，1986；Dugan，1993)。

1.2.7 气候变化

现在，人们普遍认为在未来的几十年里，由于人为原因，尤其是大气中二氧化碳浓度的增加，全球气候将发生重大的变化。气候变化将严重影响到全球的水文循环，以及与之相关的水资源管理系统。因此，世界上有的地方将变得干旱缺水，而另外一些地方却洪涝成灾。

1.3 水资源管理模型应用前沿

目前，有许多人就水文模型及其在水资源研究中的应用进行了回顾和总结，如Stanbury(1986)、Bowles和O'Connel（1988）、De Coursey（1988）、Mangold和Tsang（1991）以及Feddes（1988）等。但是现有的模型评论大多偏重于科学和技术方面，很少有关注模型实际应用的现状问题。在一篇为欧共体委员会准备的文章中(SAST，1992)，不仅阐述了现有水文模型的科学和技术特点，同时对模型实际应用现状也进行了回顾(见表1-1)。对于模型的每一个应用领域，表1-1都给出了其从无到有的质量现状评价以及实际应用中的主要限制因素。不同模型的技术问题在不同的应用领域差别很大。多种模型的最新发展现状也在表1-1中列出，并在1.3.1~1.3.9节中给出了更为详细的叙述。

1.3.1 水资源评价

水资源评价是对水质、水量和水资源的可获得性进行评价，并在此基础上对水资源的管理、控制和可持续发展进行评价。完善的水资源评价不仅需要完整的水文资料，还要有适当的水文模型。对于地表水和地下水，分别对应有水量平衡模型和二维地下水模型；对于地表水和地下水存在相互转换的情况，则需要综合性更强的模型，如流域分布式物理模型。

总之，无论哪种模型都有很丰富的模型代码和应用实例，但是水资源评价还需要更好更完善的模型，这方面的主要限制因素通常是行政管理上的。另外，诸如加强用户之间的合作以及提高计算机辅助参数估计等技术革新对水资源管理模型也是相当重要的。

表 1-1　水文模型对各种问题的应用现状

类　型	应用现状				
	科学依据	科学验证	有效性检验	实际应用	应用限制因素
水资源评价					
•地下水	充分	充分	充分	部分地区专业应用	行政管理
•地表水	很充分	很充分	充分	部分地区专业应用	行政管理
农业灌溉	充分	充分	部分可行	有限的	技术/行政管理
水土流失	一般	一般	有限的	无	科学基础
地表水污染	充分	充分	充分	几个案例	行政管理
地下水污染					
•点源污染	充分	充分	部分可行	部分地区专业应用	技术/行政管理
•非点源污染	一般	一般	有限的	部分地区专业应用	
水环境预测					
•河流/水位	很充分	很充分	充分	多数地区专业应用	无
•地表水水质	充分	充分	充分	多数地区专业应用	数据/行政管理
•地下水头/水位	很充分	很充分	部分可行	有限的	数据/技术
•地下水水质	一般	一般	无	无	科学基础
土地利用变化的					
•影响	充分	一般	有限的	有限的	科学基础
•流量	一般	一般	有限的	无	科学基础
•水质					
水生生态系统	一般	一般	有限的	有限的	科学基础/技术
气候变化的影响					
•流量	充分	充分	有限的	有限的	科学基础
•水质	一般	一般	无	无	科学基础

注： 1. 在科学依据中，"一般"是指其科学依据必须考虑进一步的提高；"充分"是指其科学依据还要有一些提高和改进；"很充分"是指目前尚无明显有提高的需要。

2. 在科学验证中，"一般"是指其科学依据必须要进一步的检验；"充分"是指其科学依据还要些检验；"很充分"是指目前尚无明显有检验的需要。

3. 在有效性检验中，"无"是尚无成功的试验验证，急需通过试验验证；"有限的"是指目前只有一些验证的案例，还需要更多的试验验证；"部分可行"是指一些案例已经经过试验成功的验证，但还需要进一步的验证；"充分"是指已经有很多成功的检验，目前尚无进一步验证的需要。

4. 在实际应用中，"无"是目前尚无实际可操作的应用；"有限的"是指目前只有很少的已经证明实际可操作的应用实例；"几个案例"是指有一些已证明实际可操作的应用实例；"部分地区专业应用"是指在某些地区已经成为标准的专业工具；"多数地区专业应用"是指在全世界很多地区已经成为标准的专业工具。

5. 在应用限制因素中，"数据"是指数据的获取是主要的限制因素；"科学基础"是指缺乏科学依据是其应用的主要限制因素；"技术"是指为使已经得到证明的方法获得更广泛的应用而需要的技术推广；"行政管理"是指管理的守旧或缺乏经济刺激是主要的限制因素。

1.3.2 农业灌溉

从水文学角度而言,目前的大多数农业灌溉技术水平很低。因此,通过现代科学技术提高灌溉效率对经济和环境发展产生的影响将会是巨大的,但是在这方面的研究不多。

现代化的农业灌溉包括以下几个要点:

(1)现代化的数据收集技术:探测器、数据实时传送、遥感获取空间信息等。

(2)能充分描述研究区域土壤湿度和地下水空间分布状况的水文模型,水体流动和存储的空间分布以及河网系统的动力学模拟。Lohani 等首先作了这方面的研究(1993)。

(3)管理水库及其他水利调控设施需要的最优化技术。

模型发展有着较充分的科学依据,然而由于行政管理和传统工程两者之间缺乏验证、协调以及用户友好技术解决方案的合作,使得问题更加复杂。

1.3.3 土壤侵蚀

水土保持方面的技术水平也很低,流域侵蚀量估计方法中应用最广泛的仍然是"通用土壤流失方程(USLE)"(Wischneier 和 Smith,1965),该经验方程起初是用于手工计算的,非常简单。现在有许多土壤侵蚀模型,但是对于大规模的广泛应用来说,还需在过程描述方面做更多的研究。

1.3.4 地表水污染

由于科学技术的原因,地表水水质模型的发展现状相对好一些,并且模型的应用也比较广泛。

1.3.5 地下水污染

地下水污染研究的主要问题是要获得详细的水文地质资料,包括三维空间描述以及决定污染物迁移扩散的水力学参数的空间变化(见第 10 章)。总体上,地下水流运动和污染物输移模型技术取得的进展要好于在数据获取方面的进展(见第 4 章)。

地下水水质方面,仍需在过程辨识、有机与无机的相关参数估计及其关系等进行研究(见第 5 章)。对于农药化肥施用造成的非点源污染,其在根系区的作用过程和机理还需进一步研究,尤其要考虑如耕作方式等农业管理技术的重要影响(见第 7 章)。

1.3.6 实时预测

结合实时监测资料的水文模型已经成为洪水预报的标准工具。目前,结合河流水动力学的降雨—径流模型是这方面的典型代表,而不是更可靠、更精确但也更为复杂的分布式物理模型。在地表水水质和地下水预测中,实时预测系统有着充分的科学和技术依据。在这一应用领域中,传统的管理仍是限制模型发展的主要因素。

1.3.7 土地利用变化的影响

土地利用变化对水质和水量的影响也是很重要的。例如,城市化和森林退化对洪涝和干旱的影响、耕作方式和其他农业生产活动对水土流失和地下水水质的影响，都是目前许多地区在水资源管理方面存在的主要问题 (见第6章和第7章)。因此，应用现有模型解决这些问题是非常有效的，限制模型在该领域广泛应用的主要因素是缺少在过程描述和参数估计方面的基本知识。

1.3.8　水生生态系统

因为生态系统本身的作用过程很复杂，资料获取很难，所以以前的湿地和水生生态系统模型都是利用很简单的水文模型，并且到现在为止，即使最先进的水文模型也不能为生态系统模型的建立提供详细的资料。因此，目前对综合复杂的水生生态系统很少应用模型研究。建立用于管理具有预测能力的水生生态系统模型的一个前提条件就是要充分利用先进的分布式物理模型。一个典型的洪泛区模型的例子由 Sorensen 等人给出(见第12章)。

目前这类模型主要的局限性在于科学和技术本身，这些局限性可通过卡尔曼滤波、神经网络和遗传(基因)算法等方法来解决，当然要在该领域得到进一步发展则需要更先进的生态学模型。

1.3.9　气候变化的影响

预测由气候变化产生的水文效应大概是水文学所遇到的最难解决的问题。在合理的精度范围内，用现代的科学技术可以测算降雨量、蒸发量、温度的特定变化对河川径流量、土壤湿度、地下水补给的影响，而且还可以建立许多简单的模型来模拟气候变化的某一方面。然而，气候变化可导致植被类型、农业活动等一系列变化，这些将对水资源产生重大的影响。因此，在这方面还需要进一步研究。

目前，气候模型的一个主要缺点在于对地表过程的描述过于简单，尤其是土壤湿度及其空间变化，而它们在很大程度上控制着土壤和大气的物质交换。分布式水文模型可以很好地解决这方面的问题，但由于缺乏多学科的相互协作而没能广泛应用。

1.3.10　人类活动的影响

长期以来，由于土地利用方式的改变和水利调控设施的建造，人们对江河流域的水利改造保持着浓厚的兴趣，其历史之久长，完全可以用"水利考古学"一词来形容。目前，有必要通过风险评价、保险和投资计划、政府立法等，对洪涝灾害进行预测和实施修复。

1.4　讨　论

1.4.1　建立分布式水文模型的必要性

从1.3节可以明显看出，对先进的分布式模型的需求在不断增长。传统的水文模型对于水资源评价和洪涝干旱预测的一般问题是很适用的，但是新问题的出现需要更先进的解决手段。值得注意的是，上述多种领域对分布式模型的需求反映了一种趋势，即对预测人为因素产生自然影响的需求。因此，将分布式模型作为一种管理工具的需求在不断增长。

目前，在分布式模型和传统模型作用和能力对比的讨论中，焦点集中在降雨—径流模型。然而，我们应意识到分布式模型所面临的挑战和潜在能力远远不只局限于此，而在于其他更为困难的领域。

1.4.2 分布式水文模型应用的限制因素

基于计算机的水文模型研究工作开展已有 30 多年，但是正如 Klemens(1988)在有关水文学科学传统的讨论中指出：传统的确定型水文模型，诸如 Scaranento 模型，是在科学上不完善的技术工具。Klemens 还就这类模型预测的可靠性提出了疑问。另外，Abbott(1972)在这类水文模型的研究中也发现，其预测价值不大。最早提出分布式流域模型的是 Freeze 和 Harlan(1969)。在 Freeze 工作精神的鼓舞下，1976 年，有三个欧洲组织开始了此类水文模型(Systeme Hydrologique European，简称 SHE)的研究工作。此后又出现了许多分布式模型。

不过，尽管分布式水文模型已有 20 多年的发展历史，但是迄今的应用还只是其潜力的很少一部分。例如，1978 年，在 SHE 模型建立之后，欧共体的一项市场调查表明，这类模型的应用将赢得 210 亿欧洲货币单位的市场。在这种情况下，有两个版本的 SHE 模型出现，即 MIKE SHE 模型和 SHETRAN 模型，但其应用却远远低于开发者的设计范围。到 1994 年底，在世界范围内只有不到 60 个组织加入。这当然是有原因的，通过我们过去 20 多年对 SHE 模型的开发和应用，下面给出引起这种低调发展的主要原因和限制因素。

1.4.2.1 资料收集

充分应用分布式模型的一个前提条件就是要收集大量的资料，这些资料包括详细的自然环境空间信息——地质、土壤、植被等，以及人为影响因素——地下水提取、农业活动和污染物排放等。

在许多案例研究中这些相关的信息资料都不存在，有的虽然存在却因为缺少合适的计算机数据库而不容易获取。此外，这些模型还会引发一些管理问题，因为除了传统的水文气象资料，分布式水文模型还需要其他方面的资料，如农业、土壤科学、地质勘探等。以前收集的数据，很少能够满足分布式水文模型的要求。分布式模型还要能够对这些数据进行处理。因此，大多数分布式模型的原代码能处理不同级别的资料，也是许多资料(地形测量资料、植被图等)引入决策过程的惟一手段。

多年来，人们期望通过遥感技术获取分布式水文模型的空间信息，但是除了卫星推断积雪分布资料和土地类型/植被图外，遥感信息的有效利用率并不高。如 De Troch 等(见第 9 章)所述，近几年来随着新的卫星发射成功，人们期望大规模遥感信息与分布式水文模型的结合或许会有重大突破。

获取资料手段的另一项重大发展是 GIS 技术的应用，GIS 技术非常适合于与分布式水文模型相结合(见第 11 章)。

1.4.2.2 缺乏对水文学的理解

随着新模型的引入和过程描述的研究，在水文学理解方面又出现了新的问题，尤其是关于将小尺度上流量、水质和输移过程的描述放大到较大的区域上，在本书的一些章节中对此有所强调。这些问题一方面限制了分布式水文模型的应用，另一方面，这类模型的存在和应用使我们重新审视这些问题，从而提高了我们对水文学的认识。

1.4.2.3 水文和水利工程的传统

分布式物理模型(例如 SHE 模型)与其他水文模型相比在复杂性上有了重大的突破。它应用了许多水文学家并不熟知的计算水力学方面的知识。尽管随着第四代模型(MIKE SHE 模型)的发展，数值算法问题得以解决，但同时也发现了新的问题——很少有专业的工程师或管理者能够熟知自然界本身水文过程的复杂性。因为在模拟过程中，自然过程本身的复杂性使模型具有一定的局限性，这种困难恰恰是由水文学本身所造成的。因此，大多数专家都不能对自然过程给出一个完整的解释。土壤学家、植物学家、水文地质学家等对整个模型通常只有片面的理解，在大多情况下，各组织或部门都不可能拥有各个领域的所有专家学者，不能充分发挥分布式水文模型的潜能，从而也就不能证明其经济可行性。

1.4.2.4 技术问题

为了使模拟技术在专业领域得到广泛应用，水利工程的经验表明第四代模拟技术是基础。此外，为使模拟技术在实际应用中充分发挥作用，基于水文信息学的第五代模型也是必不可少的。第四代和第五代模型更确切的定义将在第 2 章中由 Refsgaard 给出。目前第四代分布式水文模型还很少，第五代还处于试验阶段。2 000 多个使用第四代水文模型的组织的经验表明，这种情况在不久的将来会有所改善。

1.4.3 水文信息学的作用

为使现有的或将来最先进的模型在专家和管理者中得到更好和更广泛地应用，将水文模型和新的水文信息学技术结合是必要的。这些新的水文信息学技术主要包括以下几点，也可参考 Babovic 和 Minns 的研究成果(见第 14 章)。

(1)开放的模拟系统标准。为使模拟技术更加广泛地使用，定义普通用户接口和模型接口的标准是非常必要的，这样几个不同的模型就可以很容易地耦合在一起来实现一个具体的应用。例如，有了这样的标准，水文模型就可以不改变程序的原代码，而与水土流失模型及河流泥沙沉积输移模型耦合在一起，这些模型是由不同实验室开发的，但它们彼此是完全兼容的。这些标准还要使模型与各种通用软件(如各种数据库和 GIS 等)相互兼容。

(2)逻辑性的模拟技术。逻辑性的模拟技术的应用，即数值模拟和逻辑程序的结合，要像在水力学上那样得以充分发展，并在水文学的知识工程方面发挥其应有的作用。

(3)知识库系统。应在水资源管理的各个领域广泛应用知识库系统，因此计算机辅助下的知识工程或获取工具也应得到广泛的应用。

(4)系统校准。依靠现有资料和水文学家经验的水文模型校准方法需要进一步发展，这将不可避免地涉及反演模拟过程的许多要素，而且要引入和结合许多专家系统。

(5)最优化方法。在水文学里，要像在水力学中那样能够将先进的模型与上面提到的水文信息学工具相结合并寻求最优化。

(6)决策方法。用于水资源控制和管理的水文模拟系统，其决策方法要进一步发展。在现阶段，水文模型要和在其他领域中已经建立的新体系与模式(如面向对象、面向行为等)有机地结合在一起。

上述是《虚拟水文环境》对第五代水文模拟研究进行的总结，第五代水文模型的外部特征可归纳为：

对大多数数据源及 GIS 有标准接口，操作者可得到具体的数据；图形接口；兼容性和可替代性；要应用模型校准、最优化方法、决策系统等，能使其他领域的专家(农业学家、生态学家、气象学家等)很容易地得到所需的水文资料。

国际水资源会议(都柏林)和联合国环境与发展会议(里约热内卢)宣言呼吁摒弃传统的方法，制定更为有效的水资源管理策略。Matthews 在有关世界银行新政策的描述中指出：应用水文信息学实施都柏林和里约热内卢宣言的需求是非常明显的。

第 2 章 水文模型的术语、建立与分类

2.1 引 言

所有的水文模型都是真实世界的概化。目前的模型包括物理模型(如实体模型)、电子虚拟模型以及数学模型等几类，前两种在过去是非常重要的手段，而数学模型是目前最简单、应用最广泛、发展速度最快的模型。本书主要介绍的就是数学模型。

本书介绍的模拟模型主要是相对于优化模型而言的。2.2 节主要讲的是建立水文模型的方法和一些专业术语，对建模过程与建模方法相关的要素给予了必要的描述。此外，还引入了更适用于水文信息学的术语，用于水文信息学应用这类基于知识信息系统的过程模型。

对用户来说，水文模型主要由两部分组成，即水文学核心知识和技术外壳。水文学的核心是指基于水文学知识的各种定义、过程描述等。技术外壳是指程序开发、用户接口、前后期处理工具等。这两部分是同等重要的，分别在 2.3 节和 2.5 节给予介绍。2.4 节介绍了水文参数的空间变异性问题以及不同模型解决这类问题采用的方法。

2.2 基本术语和方法

2.2.1 基本概念

目前在水文学中尚没有普遍被接受的术语，下面给出了水文模拟、水文信息学以及本书所用到的常用术语的定义。

自然系统(natural system)：这里的自然系统指的是自然界的水文循环或是我们根据需要所假设的水文循环的一部分。自然系统这一概念的出现是社会环境、历史发展、语言学以及其他学科发展等共同作用的结果。这种概念化的过程假设其在目前水文学的各种实践中是一致的。因此，如果将计算机科学的语言纳入水文信息学中，我们也应假设存在"一个论述域(universe of discourse)"，即在这一论述域中，计算机科学和水文信息学具有一致性。

水文模型(hydrology model)：水文模型是自然系统的抽象。从水文信息学的角度来讲，水文模型是符号的综合体，并作为一个综合的符号供人们使用。因此，水文模型可以说是自然系统或其部分的符号化。

数学模型(mathematical model)：数学模型是为模拟自然系统而形成的一系列数学表达式和逻辑语句的综合。从水文信息学的角度来讲，数学模型是用数学语言将自然现象符号化。

模拟(simulation)：模拟是水文模型对自然系统(natural system)的动态描述，也可看成

是对自然系统行为的模仿。水文信息学中的"虚拟的世界(virtual worlds)"是通过一系列的图像，或是静态的图解方式，可以反映我们的"时间意识(time consciensness)"，也就是对我们通常所说的"自然界"的反映，但这有时可能是一种歪曲的反映。

子模型、算法、组件(submodel，routine，component)：这些是复杂水文模型的组成部分，如融雪模拟模型就是水文循环陆地阶段的子模型。按照计算机科学的一般说法，在水文信息学中，对象(an object)指的是我们能够想到的任何物体或过程，行为(an agent)就是指一个对象根据信息获取了知识，使其能够为其他对象使用或使用其他对象。

参数(parameter)：参数是指在数学模型中数学表达式和逻辑语句中的常量。参数不随时间而改变。

变量(variable)：变量是随时间和空间而改变的，可以是一系列的模型输入或输出，也可以描述为模型的各子模型状态。在水文信息学中，变量是事件发生动态变化的指示。

确定性模型(deterministic model)：两套完全相同的输入通过确定性模型，在相同条件下必定产生相同的结果。确定性模型的内部程序无随机过程存在。

随机模型(stochastic model)：其随机性至少有一个子模型具有随机的特性，这在模型的输入上表现并不明显，是隐含的。在随机模型作用下，即使相同的输入，在外界看来相同的条件下，往往也会产生不同的结果。随机模型的概念也可以扩展，以致包括输入也具有随机性的模型。

流域(catchment)：流域是水流产生的物理空间，也是我们所关心的焦点。因此，流域是水文学论述域所指向的对象。

集总模型(lumped model)：将整个流域(catchment)作为一个整体进行研究。在集总模型中变量和参数通常采用平均值，这样整个流域就可简化为一个对象来处理。

分布式模型(distributed model)充分考虑了在变量和参数中空间变异性。

物理过程(physical process)是我们基于经验知识在脑海中对外部发生事件所进行的描述。

黑箱模型(经验模型)(black box 或 empirical model)：不考虑流域物理过程，模型的建立基于输入和输出时间序列的分析。

概念模型(conceptual model)：也称为灰箱模型，结合流域观测与试验数据，以物理过程为基础而建立的模型。在概念模型中，具有物理基础的结构和方程与半经验方程是结合在一起的。由于物理意义的不明确，参数和变量值难以通过实测数据获取。因此，输入输出时间序列的一致性对参数的估计、验证是非常必要的。通常，概念模型是集总模型。

物理模型(physically based model)：用最基本的水力学三大方程，即质量、动量和能量方程描述自然系统的模型。对于流域物理模型，在应用中要充分考虑各变量和参数的空间变异性。这类模型也称为白箱模型，由一系列含有各种参数的偏微分、微分方程组成，这些参数原则上具有明确的物理意义，并可通过具体试验进行估计。

模型和模型系统在技术上是截然不同的。所谓"模型"是指为特定流域服务的水文模型；而模型系统一般是指一组软件包，在不改变其程序的条件下，可以用同一组基础方程(允许参数值改变)为不同的流域建立不同的模型。模型代码(model code)通常与模型系统是同义的。

因此，本书中所提到的大多数模型是通过模型系统建立的。严格来讲，由于模型与模型系统这种技术上的区别不完全被水文学界认可，所以本书也没有严格区分。

2.2.2 关于模型可信度的一般术语

随着水文模型在数量和种类上的发展，出现了一系列关于模型验证的问题。因此，复杂模型的可信度问题被提到水文模型发展的议程上来。目前使用的关于模型检验方面的名词有很多，常用的如概念模型、计算机模型、检验(verification)、验证(validation)、应用范围、精确度等已由 Schlesinger 等给出(1979)，其他人也就沿用下来，很少有改动。Oreskes 等(1994)声明，从哲学的角度看，自然系统数值模拟的验证在理论上是不可行的，这是因为自然系统总是开放的，模型模拟结果也不具有惟一性。因此，从这个角度来讲，模型只能被证明(confirm)。

下面的有关术语是参照目前水文信息学中的通常用法，在 Schlesinger(1979)提出的术语的基础上得出的，其主要内容及相互关系如图 2-1 所示。

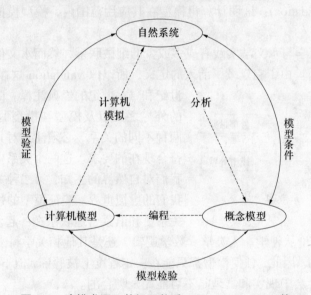

图 2-1 建模术语及其相互关系(1979，Schlesinger 等)

Schlesinger 对一些术语的定义似乎最适用于目前水文学的思想，而水文信息学对这些术语进行了更具普遍意义的定义。

现实(reality)：指的是自然系统，在这里可理解为水分循环或其部分过程。对水文信息学(和哲学及神学一样)，现实和真理是一致的。因此，"现实是我们给外界和内界接触面的名称，而真理体现的是外界和内界的惟一性"(Abbott，1994)。这里的外界指的是我们对外面世界的感知，内界指的是我们的知识，包括知觉的认识。

概念模型(conceptual model)：用于描述现实的语言、方程、联系及自然规律等，是外界和内界交界面的符号描述。

概念模型的应用范围(domain of intended application of a conceptual model)：概念模型

与现实相一致所需要的条件。这在水文信息学中有不同的含义。在水文信息学中，"现实"是动态的，因此概念模型的应用范围由模型的使用者所确定的。

概念模型的可信度(level of agreement of the conceptual model)：概念模型与现实的一致性与模型的应用范围和建立目的一致，这种一致性通常用性能准则的有关术语来表达，即采用数学模型表示的符号世界与我们所感知的自然界的一致性。

模型的合理性(model qualification)：关于概念模型在其应用范围内，提供可接受精度结果的评价。

计算机模型(computerised model)：可以执行概念模型的计算机程序。

模型检验(model verification)：对计算机模型可以在一定范围和精确度条件下对概念模型进行真实描述的证明。

计算机模型的应用范围(domain of applicability of computerized model)：经过验证的模型的适用条件。

精度(range of accuracy)：在模型应用规定范围内，计算机模型与现实的一致性。由于计算水力学的引入，计算机模型的精度也被称作其"性能外壳"(performance envelope)。

模型验证(validation)：证明计算机模型在其应用范围内，模型模拟结果具有一定的精度。

尽管水文信息学与水文学实践有或多或少的细微联系，然而水文信息学却经历着一个完全不同的轨道。由于它延续了前人的定义，所以像 validation 这样的词还是沿用 12

图2-2 示意图

世纪和 13 世纪的经典注释。由于在我们和我们的外界之间以及模型和模型的外界之间存在着两种不同的关系，必须注意对其修改这种注释以符合现在的要求。这两个关系中，第一种关系是我们对自然界的感知，第二种关系是模型呈现给我们的虚拟世界。验证模型的过程就是使这两种关系更和谐紧密地联系在一起。见图 2-2。

众所周知，无论从神学、人类学、数学逻辑，还是其他相关学科来讲，这种验证的过程都是无止境的。因此，任何模型都只能在一定程度上被验证，但不可能被绝对验证，也就是说在人类社会中现实和真理是不可能完全吻合的。

认证说明(certification documentation)：提供模型的可信度和应用等方面的信息。至少应包括以下几个基本内容：①建立模型的目的；②关于概念模型和相应计算机模型的语言和分析性描述；③模型的应用范围和精度；④验证模型及其合理性试验的描述，并对其适用性进行讨论。

模型认证(model certification)：为模型使用者接受的，可以作为计算机模型可以有效地用于具体应用的充分证明。

计算机模拟(computer simulation)：运行已经过验证和认证的计算机模型，以获取对现实更深刻的认识，以计算机科学的语言学来讲，就是改变用户对现实的认识。

根据上面的定义，不应将概念模型和经典水文模型中的概念如"集总概念"降雨—径流模型等混淆(见 2.2.1 节及 2.3 节)。在实际应用中，并不是每一个案例都要编写计算机应用程序，大多数情况下，是有一个通用的软件包支持的。因此，区别模型系统和模型的概念是非常重要的(见 2.2.1 节及 2.5 节)。

在本文中，模型系统是可以自验证的。模型系统的验证包括将模型数值解与解析解或其他数值解相比较。模型验证是确保求解数学模型中方程的计算机程序的模拟结果在给定的误差范围内。同样，如果一个模型的精度和预测能力在可接受的范围内，则该模型是合理的。不过应注意，模型的合理性是指模型的现场检验的合理性，这一点不要和通用模型系统的一般性检验相混淆，因为后者在原则上是不可能的。

2.2.3 建模原则 (modeling protocol)

在使用水文模型时，对于本书中提到的有关模型，使用者不仅要有全面的水文学知识，对于建模也要有一定的经验，并且在应用模型时要严格按照特定步骤进行。这种组成水文学模型应用的一系列步骤，就是通常所指的建模原则。

原则上，建模原则应该是灵活的，适用的，即使形式化后，也应该是易改变的。建模原则将 2.2.2 节中有关的术语和方法移植到水文学建模。下面的建模原则引自 Aderson 和 Woessner，但在某些步骤上作了必要的修订。

建模原则可以用图 2-3 表示，并在下文中逐步加以描述。图 2-1 和 2.2.2 节中的有关水文学术语，在每一步后面用括号加以说明。

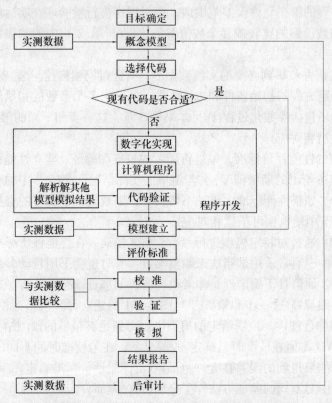

图 2-3 水文模型的应用步骤－建模原则(修改自 Amderson 和 Woessner(1992))

(1)明确建模目的。例如，对指定的流域进行降水－径流模拟，预测由于土地利用的改变而引起的径流变化，以及污染物的迁移变化。这一步中最关键的是要明确提出模型输出预期的精度。一旦确立了明确的目标，那么解决具体问题要用哪种模型系统就很明显了。当然，研究的结果可能会出现其他结果或需要用到其他工具，因此在项目进行中，随时都可能有再回到这一步的必要(与2.2.2节中定义的确定的模型应用范围相对应)。

(2)根据具体问题的目的，分析数据，建立概念模型。在建立地下水模型时，要考察当地的地质条件，以便确立模型中涉及的地质条件的复杂程度：如在地表水和地下水综合模型中，考虑对非饱和区中毛细现象和滞流现象的模拟，这一点是很重要的，在模型中要明确。换句话说，概念模型包括了开发人员对流域关键水文过程的认识，并为满足建模目的，对其进行相应的简化和确立数学模型的精确范围(这一步和图2-1中对现实分析的基础上准备概念模型相对应)。

(3)选择合适的计算机模型。原则上，根据特定的目的需要特定的计算机程序，而实际上，通常在现有的通用模型系统中选择模型代码，来构建所需的计算机模型。不过在这种情况下，要确保所选代码的适用性，这一点是极为重要的(2.2.2节中没有明确地考虑在已有代码的前提下选取合适的程序这一步骤，但2.2.2节中的编程即是建立一个新的程序的意思)。

(4)对于给定的概念模型，如果没有合适的程序，则要新建。计算机程序包括用数值算法求解数学模型方程的计算机代码。计算机程序在这里与通用模型系统是一个意思。为使概念模型方程的解在允许误差范围内，要对程序进行检验。在实际应用中，程序检验包括解析解和数值解的比较或多个数值解的比较(与图2-1中的编程和模型验证相对应)。

(5)在选定代码并收集到必要的实测数据后，要进行模型构建。这一步包括根据流域的空间特征，确定方程的初始条件和边界条件，并给出各个参数的初始值。在分布式模型中，模型构建还包括参数化过程(详见本书第3章，这一步和下面的第(7)步，与图2-1中建立计算机模型相对应)。

(6)确定模型的性能评价标准，以进行随后的校准和验证。建立性能评价标准时，要充分考虑第(1)步中给出的期望精度，并与流域的实际情况和第(5)步中的有关资料所能达到的精度相结合。如果性能标准太高，不切实际，则或是收集更多的资料，或是重新修订标准(与2.2.2节中使模型可信度相对应)。

(7)模型校准。通过对特定模型进行参数调整，使误差在性能评价标准规定精度范围内。在实际应用中，通常采用试错法来调整参数，有时也会采用自动参数估计方法。在模型参数估计中，评价其不确定性是非常重要的，如进行敏感性分析。这些校准技术将在第3章进行详细解释(这一步和第(5)步与图2-1中的建立计算机模型相对应)。

(8)验证模型的合理性。证明给定的模型可以得到足够精确的预测结果，也就是说，在不改变参数值(这些值在校准时已确定)的情况下，在与校准时间不同的时段再次应用校准后的模型，如果得到的误差在允许范围内(由性能评价标准确定)，则说明该模型是合理的，第3章中对不同的验证方法作了介绍(无对应部分)。

(9)模型模拟。通过模拟进行预测通常是模型应用的目的，由于存在参数值的不确定性以及流域条件的改变，应进行灵敏度分析，以检验不确定性对预测结果的影响(与图

2-1 中计算机模拟相对应)。

(10)结果报告。随着信息技术的发展，模拟结果可用动态彩色图片来表示。另外，在有的情况下，最终模型可以交给用户，以便其能够每日进行操作(无对应)。

(11)后审计。后审计是对适用于特定地点的模型进行附加的验证。后审计通常是在模型完成几年后进行的，有关地下水模型的后审计可参见 Konikow(1985)、Alley 和 Emery(1986)以及 Konikow 和 Person(1985)(无对应)。

2.3 水文过程分类

2.3.1 分类

以前，许多科学家对水文模型进行了分类，参见 Fleming(1975)和 Woolhiser(1973)。图 2-4 所示的分类适用于目前的水文模拟模型。分类的原则不仅要适用于流域模型，还要适用于像地下水模型这样的单过程模型。不过，这里所采用的分类十分粗略，许多模型不能确切地说属于某一类。

水文模型的两个经典类型是确定性模型和随机模型。在 20 世纪 60～70 年代，这两种不同的基本分类分别在多少有些独立的两个水文学学派中发展起来。然而，近几年来，两者之间的联系日渐密切，已形成一种随机—确定耦合模型，为解决一些水文学基本问题提供了一个非常有用的框架，如考虑空间变异性(尺度问题)和模型不确定性评价等问题。

2.3.2 确定性模型

根据模型对所研究地区的描述是集总的还是分布式的，确定性模型可进一步分为经验模型、概念模型和物理模型。由于大多数概念模型是集总的，大多数物理模型是分布式的。因此，确定性模型的三种主要类型分别是经验模型(黑箱模型)、集总概念模型(灰箱模型)、分布式物理模型(白箱模型)，如图 2-4 所示。

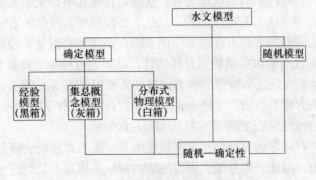

图 2-4 根据过程描述的水文模型分类

2.3.2.1 经验模型(黑箱模型)

黑箱模型是经验模型，其数学方程是通过对模型的输入输出时间序列进行统计分析得到的。黑箱模型根据其起源不同可分为三大类，即经验水文法、水文统计法和水文信息法。

经验水文法。水文学中最著名的黑箱模型是单位线模型，该模型应用了单位线原理，参见 Sherman(1932)和 Nash(1959)。现在，经验水文法在综合模型中也有应用，如单位线通常用于流量过程线，而在降水－径流概念模型中常用线性水库来模拟地下水系统。

水文统计法。在基础统计学理论的支持下，水文学中的传统统计学方法已得到很大的发展，这种方法比上面提到的经验水文方法在数学上要进步得多。

水文统计学中的重要的方法之一是线性回归和相关性模型。线性回归和相关方法是确定不同数据集之间函数关系的标准统计学方法。相关系数和标准偏差是检验这种函数关系拟合好坏的标准，按照严格的统计方法进行参数估计可验证所选模型的合理性。线性回归相关模型即通常所说的"变换函数模型"，可将输入时间序列转换为输出时间序列。通常有以下几种方法：

(1)自回归综合滑动平均模型(ARIMA)(Box 和 Jenking,1970)，在地表水水文学中应用较为广泛，主要用于建立降雨量和出流量之间的函数关系。

(2)约束线性系统模型(CLS)(Todini 和 Wallis,1977)，在不同阈值区间，具有不同线性回归关系的有效性，其总函数是一个非线性模型。

(3)径流站相关方法(例如，世界气象组织 WMO，1994)，以前是大河(例如印度河、孟加拉河)洪水预报的主要模型。

(4)前期降水指标模型(API)(例如 WMO，1994)，模型中考虑与径流相关的降水量、降水历时、前期降水量以及季节性径流等因子。

基于水文信息学的方法。目前在水文信息学新出现的"转换函数模型"方法，一类是神经网络理论技术，另一类是遗传算法技术，这两种方法在降水－径流模型试验中获得成功，但在实际应用中还没有得到足够的验证。然而，这种方法的潜力是巨大的，极有可能取代统计学方法。因此，本书第 14 章在这方面给予了介绍。

2.3.2.2 集总概念模型

集总概念模型主要用于降水－径流模拟。集总概念模型具有不同互相关联的存储单元，它们分别代表流域内不同的物理要素。这种运行模式类似记账方法，可以连续计算存储系统的湿度(含水量)。在集总模型中，由于参数和变量都取流域的平均值，因此描述单个土柱中水文过程的方程不能直接使用。所以说这种模型是半经验的，但有一定的物理基础，模型参数不能由实测数据直接估计，必须通过校准才能获得。

Stanford 模型系统是这类模型的典型代表，其结构如图 2-5 所示。关于降水－径流模拟系统的集总概念模型有很多，Fleming(1975)就曾对 19 种不同的模型系统作过描述，对大量模型系统进行更复杂更新描述的是 Singh(1995)。

如果一个水文时间序列对模型校准来说足够长，那么集总概念模型对于降水－径流过程模拟尤为适用。因此，集总概念模型的应用领域包括基于长期降水量记录来延长流量过程线，通过实时降水－径流模拟预测径流量。尽管这类模型的基本结构和功能近十年来没有什么重大的改进，但其中许多代码都经历了综合的技术发展(见 2.4 节)，实际用途广泛，拥有大量的用户。

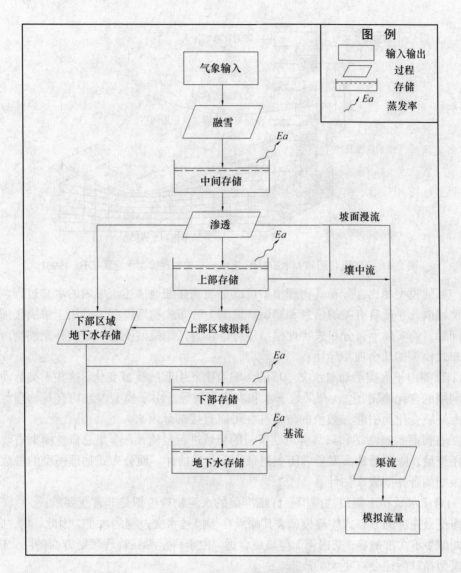

图 2-5　Stanford 模型结构

2.3.2.3　分布式物理模型

　　分布式物理模型的主要运行模式如图 2-6 所示。与集总概念模型相比，分布式物理模型不考虑流域内一些蓄水单元之间的水量交换，其水量和能量流动都是直接通过连续控制方程计算得出的。例如，用于坡面漫流和明渠流的圣维南(Saint Venant)方程组、用于非饱和区水流运动的理查兹(Richards)方程，以及用于地下水的 Boussinesq 方程。分布式物理模型用于单水文过程模拟已有二十几年的历史，几乎所有的地下水模型和非饱和带水流模型都属于该类。Freeze 和 Harlan(1969)第一次尝试将分布式物理模型用于流域尺度。目前，几个通用的流域分布式物理模型包括 SHE(Abbott 等，1986)、MIKE SHE(Refsgaad 和 Storm，1995)、IHDM(Beven 等，1987) 和 THALES(Grayson 等，1992)。

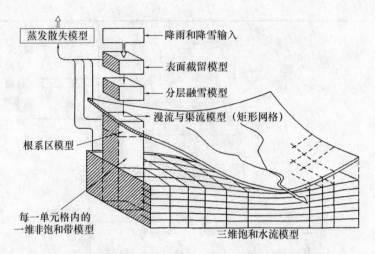

图 2-6　流域概化图和 MIKE SHE 三维分布式物理模型示意图(DHI, 1993)

与其他模型相比，分布式物理模型可以更准确详细地描述流域内的水文过程，获得研究流域内几乎所有有关的信息和知识。原则上分布式物理模型可以用于解决任何一种水文问题，而实际上，分布式物理模型还可以作为其他模型不适用时的补充模型。下面是分布式模型的几个典型应用：

(1)预测由于人类活动对水文循环的影响及由此引起的流域变化，这些人类活动包括土地利用的变化(城市化)、开采地下水和农田灌溉等。由于模型参数均有其物理意义，所以由流域变化而引起参数值的改变往往可以直接估计出来。

(2)在没有控制测站和只具有短期资料的流域进行径流预测，集总概念模型需要长时间的径流量、降雨量和蒸发量的历史记录用于参数估计，而分布式物理模型的参数可以根据短期的野外调查来估计。

(3)对于水质和土壤侵蚀模拟，详细准确的水流物理模拟是非常重要的。

即使最先进的分布式物理模型，其缺点在于描述水文过程的水平。因此，用"白箱"这个词似乎不太准确，"灰白箱"应该更合适。由于科学界在物理理解方面的巨大进步，该类模型在日后还会有更大的改进。

2.3.3　随机时间序列模型

随机时间序列模型适用于和时间相关的事件序列。传统地，随机模型源于对历史记录的时间序列分析。随机模型通常用于生成与历史记录具有相同统计特性的假设事件序列。利用统计特性的相似性生成合成序列的技术称为"蒙特卡洛方法"。这些生成的数据序列可以用于设计变量及其不确定性分析，例如估计水库的蓄水要求。随机时间序列模拟系统的详细描述见 Salas(1992)。

在水文过程的描述方面，经典随机模型与 2.3.2.1 节中描述的经验、黑箱模型类似。因此，随机时间序列模型实际上是由包含在综合随机方法外壳里的简单确定性内核(黑箱模型)组成。

2.3.4 确定—随机耦合模型

一方面，作为水文过程的一个重要的部分，包括水文参数和变量的时间和空间变异性，现在都可以用确定性模拟模型来描述。另一方面，可得到的参数值和输入变量总是不完整的，这种不完整性是水文模拟不确定性的重要原因。

正是由于这种两重性，才出现了一些基于随机—确定耦合方法的模型。这类模型主要由原则上同等重要的两部分组成，即随机性的框架和包含其中的确定性内核。与 2.3.3 节中所讲的随机性模拟模型相比，这里的确定性内核由更复杂的模型组成，或是集总概念模型，或是分布式物理模型。

下面是确定—随机耦合模型的几个例子。

2.3.4.1 空间状态方程——卡尔曼滤波

最初由线性系统统计控制理论发展起来的状态空间理论和卡尔曼滤波技术是强有力的数学工具，该理论后来也用于理解非线性系统，现在被广泛地应用于水文学。

模型中的主要变量是以其均值和标准偏差表示的随机变量。输入变量(降水数据)一般用均值(实际记录值)和标准方差(不确定成分)表示。这样可以计算输入数据的不确定性如何通过模型放大，并引起模型状态变量和输出结果的不确定。

现在卡尔曼滤波方程和降水—径流集总概念模型已在许多模型中联合使用，例如在 Sacramento(Kitanidis 和 Bras，1978; Georgakakos 等，1988)和 NAM(Refsgaard 等，1983; Storm 等，1988)等系统中。

2.3.4.2 参数值的空间变化和随机偏微分方程

即使是在很小尺度内，地下水水力参数也会表现出很大的空间变化性。因此，对所有细节给出准确完整的确定性描述是不现实的。在多数情况下，详细的水流过程并不是人们所感兴趣的，更为重要的是空间异质性对整个流域水流形态的影响。解决这种问题的一个有效的方法是，用已知统计学特性(概率分布、平均偏差、标准方差、空间自相关)的随机变量表示水力学参数。由于采用了这种方法，使原方程变成了随机偏微分方程，该方程要比解一般的确定性偏微分方程要难得多。下面是两种解随机偏微分方程的方法：

(1)蒙特卡洛技术。用不同的参数域多次运行确定性模型，最后对多次运行的结果进行统计学分析。该方法的优点在于可以保留确定性模型,其缺点在于对 CPU 的要求很高。该方法的经典例子是地下水模型(Smith 和 Freeze，1979a，b)和降雨—径流模型(Freeze，1980)。Zhang 等(1993)将蒙特卡洛技术用于分析模型参数和降雨量的不确定性对模型的不确定影响，以及这些不确定性对模拟溶质在土壤中输移采样要求。

(2)随机偏微分方程的简化与求解。这通常需要完美的数学方法，而且在基础问题的研究中，已证明是非常有用的。这种方法对有许多限制条件(如数据输入的范围，问题的尺度)情况下实际应用较少。这种方法主要应用于以研究为目的的非饱和带地下水输移研究中，参见 Gellar(1986)和 Dagan(1986)。Jesen 和 mantoglou(1992)应用随机理论模拟了一个试验小区。该理论随后被用于 MIKE SHE 模型，并应用于解决流域尺度的问题 (Sonnengorg 等，1994)。

确定—随机耦合方法可以看做是 2.3.2 节中确定性模型的扩展,确定模型的模拟结果原则上是每一模型变量只具有一个时间序列，而确定—随机耦合模型对每个变量预测的时间序列都给出不确定范围(例如平均值和标准方差)。这样它就能够将输入变量的内在不确定性或参数空间变异性的影响转化为输出变量的概率描述。更加综合地考虑模型结构和过程不确定性的是 BEVEN 和 Binley(1992)介绍的方法——GLUE。

2.4　水文参数空间变异性模拟

在自然界，水文参数具有很大的空间变异性。详细的野外试验表明，在传统上被认为是"均一"单元，且属于同一土壤类型的小尺度田块内，其水力传导率的变化范围可以达到几个数量级。集总模型和分布式模型主要的区别在于其处理这种空间变异性的方法不同。下面我们以 Stanford 和 MIKE SHE 为集总概念模型和分布式物理模型为代表，介绍其考虑流域内非饱和带下渗过程的不同。

对 Srtanford 模型而言，在模型的下渗方程中用一个简单的方法假设下渗能力的空间变异性，将主要土壤参数的空间变异性暗含其中。这样坡面漫流的产生机制就像计算集水面积方法一样了。

在 MIKE SHE 模型中，下渗计算是以 Richards 方程为基础的，Richards 方程理论上对单域多孔介质水流(single-domain porous media flow)是有效的。在分布式模型中，流域被分割成很多单一的网格，下渗方程被应用在这些"非饱和土柱"，且不同的土壤水力参数不同。因此，在分布式模型中，空间变异性是通过模型参数值的变化表示出来的。原则上，不同土柱的模型参数是不同的，实际上对于同一土壤类型的网格，通常规定有相同的参数值，而在同一网格内总是有确定性方法无法计算的变异性。因此，MIKE SHE 模型并不是将所有的空间变化考虑在内，除非土壤组之间的变异性明显大于其组内的变异性(而通常不是这样的)。结果是流域内坡面漫流的产生在理论上变成了一个大量"开/关"过程，实际上，这种影响往往被其他主要的过程掩盖，或是可以通过校准来弥补。

综上所述，即使在比较完善的物理模型中，水文参数的空间变异性也不会得到充分的考虑。2.3.4.2 节中的确定—随机耦合模型是考虑得比较全面的一类模型。

TOPMODEL(Beven，1986)模型采用了另一种方法。这里土壤特性的空间变异性在过程方程中考虑，TOPMODEL 不属于 2.3 节中模型分类中的任何一类，但可以说是半分布—半物理的模型系统。TOPMODEL 与传统的集总概念模型相比，其最大的优点在于考虑了参数的空间变异性，直接使用了诸如地形学和河渠系统的空间数据以及水文学变量的半分布计算。

2.5　基于技术水平的分类

根据不同时代模型系统的技术水平，Abbott 等(1991)将模型系统分类如下：

(1)第一代——计算机化公式。第一代计算机模型可追溯到 20 世纪 50 年代，计算机的引入主要是用来作数值计算，这样可以通过应用一些最简单数值方法使人工计算更容易更快速。那时曾有一个流行的说法，就是计算机只是"超级滑尺"而已。

(2)第二代——"一次性"数值模型。第二代模型产生于 20 世纪 60 年代，以解决某一具体的问题为主要目的，这类模型大多是由大学或研究所开发、使用和构建。这类模型往往只局限于为某一特定地理区域开发代码的人员使用，对于其他人和其他相似的问题则不适用。第二代模型要求使用者具有丰富的计算机技能(包括硬件和软件)及相关的数值技术。

(3)第三代——通用的数值模型系统。第三代模型系统可以用同一计算机程序解决不同的问题，它在 20 世纪 70 年代出现于水文信息学。水文学中第一个分布式物理模型出现于 20 世纪 80 年代初，而较为简单集总概念模型出现于 60 年代。这些系统通常为计算机经验丰富的专家使用，同时也要求使用者具有一些数值方法方面的基础知识。第三代模型是基于大型计算机的，但现在大多可以在 PC 机上运行。这种方法如今大部分已为第四代模型所取代。

(4)第四代——界面友好的商业软件。第四代软件产品往往为工程和科学专业人员使用用。与第三代模型的不同点在于：①以 PC 机或工作站为基础；②基于菜单的交互界面，有在线帮助；③提供错误信息提示，对明显的数据输入错误有自动检查的功能；④强大的图形处理设备——跟踪仪、打印机、绘图仪；⑤有广泛安装基础，系统有更加完备的说明且验证更加广泛；⑥易安装，易移植；⑦更广的流通范围。

因此，这类模型系统不需要使用者有丰富的计算机系统和数值技术方面的知识，但仍需要有建模经验，第四代模型系统出现于 20 世纪 80 年代中期。

(5)第五代——智能模型系统。这类模型是为非专业技术人员开发的。包括数值稳定性监测和诊断工具、标准 CAD 和数据库系统界面、用于决策的知识系统。它在水文信息学中通常被用作诊断与实时控制系统和管理支持系统(例如 Abbott, 1991；IAHR, 1994；Verwey 等，1994)。

目前，只有少数第四代模型在应用中，第五代模型除了用于城市排水系统的实时控制系统(如 Gustafsson 等，1993)外，还处于试验阶段。图 2-7 给出了 DHI 河流模型系统 (MIKE 11)的发展过程。为使模拟技术在专业领域(而不仅仅在模拟专家中)得到广泛传播，经验表明，第四代模型是必需的。另外，为使模拟技术在实际应用中发挥其潜能，第五代模型系统也是必需的。

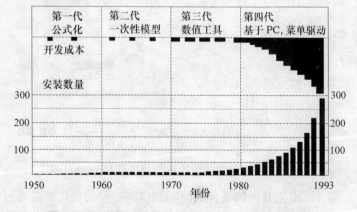

图 2-7　DHI 的河流模型系统 MAKE 11 的发展历史

第3章 水文模型的建立、校准和验证

3.1 引 言

本书第 2 章主要定义水文模型的有关术语以及模型建立和应用的步骤。本章中将详细介绍模型建立原则中的一些要素，尤其是关于分布式水文模型。

3.2 节对水文模拟中误差的来源进行了概述，3.3 节介绍了模型的精度标准，3.4 节是模型建立的步骤(包括参数化)，3.5 节回顾了模型校准的步骤，3.6 节讨论模型的验证，3.7 节是关于通用模型系统的可靠性问题。

3.2 水文模拟不确定性的原因

3.2.1 确定性模型的概念

确定性数学模型的概念如图 3-1 所示。图的左边是物理系统，在本例中是一个流域；右边是数学模型，即物理系统的符号表示。在自然系统进行观测和模型模拟的过程中都会带来一定的误差。

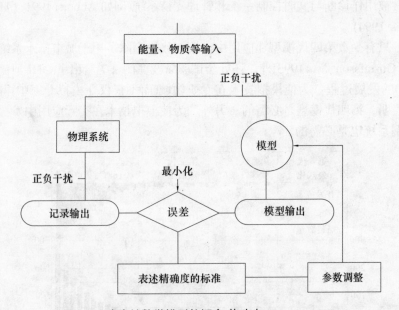

图 3-1 确定性数学模型的概念(修改自 Fleming, 1975)

对模型输入流、输出流及内部条件的时间和空间变异的量化，是通过对分散地点的实测数据得到的。但是，仅有这些数据既不能为我们提供流域内部条件的完全描绘，也不能帮助我们了解流域及其周围环境的物质、能量等的交换。第一是因为水流及状态变量的时空变化是不易全面测量的，第二是因为测量本身就包含误差。因此，模型要用到一个在一定程度上包含样本误差的近似数据集。另外，通过定义可知，物理系统接受实际的数据，并对这些实际的输入做出反应，然而这种反应本身就包含不确定性。

当水文模型用于模拟物理系统的行为时，输出结果受近似的输入数据影响。为测试模型的精度，通常用模拟结果与实测数据作比较，然而实测数据也有不确定性。通过调整模型中的参数值，使模拟和实测变量之间达到令人满意的拟合程度，可得到期望的模型精度。参数调整的过程就是模型校准的过程。

3.2.2 不确定性因素的来源

历史记录资料和模拟结果的差异主要是因为以下 4 种不确定性因素：

(1)降水、温度和蒸发等输入数据的随机或系统误差。这些数据通常用来代表流域内时间和空间的输入条件。

(2)河流水位、地下水水头、回灌等历史记录资料的随机或系统误差。这些资料通常用来和模拟结果作比较。

(3)非最优参数值产生的误差。

(4)不完整或有偏差的模型结构产生的误差。

尽管模拟结果和实测数据的误差是由上面 4 个因素联合作用的结果，但误差来源(3)可通过校准过程来使其最小化。(1)和(2)是测量误差，通常称为"本底噪声"，是影响一致性的最大决定因素，模型结构或参数值的改变也不会减小这类误差。因此，校准过程的目标就是减少误差来源(3)，直至与(1)、(2)比较，其产生误差可以忽略。

在校准过程中，明确区分不同误差来源是非常重要的，这样就不会对一种误差来源进行调整以弥补另一种误差源的影响，如通过参数调整来弥补数据本身的误差。此外，虽然通过校准可以得到很好的模拟结果，但这一结果可能是不可靠的。还有一点也是非常重要的，那就是建模者要识别到所选模拟方法的局限性，不要仅因为概念描述在模型代码中易于数学表达，就试图对物理系统强加一种概念性描述。

3.3 拟合度和精度标准

在校准过程中，对模拟结果和实测数据进行比较时要用到不同的精度评价标准。因此，我们定义了评价每一套模型参数拟合度的目标函数，进而估计可得到模型输出结果和实测值之间最大拟合度的参数值。然而，由于误差来源复杂，选择适当的标准也就相应地变得很复杂。要根据模拟的目标(如模拟洪峰还是枯季径流)以及可得到的检验模型输出信息(如地下水水位、土壤湿度、河流水分交换及水位)来确定。

一个标准不会完全适合所有的变量,并且对一个变量也不能总是用一个静态的标准。因此,就出现了各种各样的标准。Green 和 Stephenson(1986)对这一问题作了详细的探讨,并根据模拟的目的、模拟条件等因素列出了 21 种标准用于单个事件的模拟。Aitken(1973)则讨论了长期连续模拟的系统误差的检测标准。

通过对一种标准的优化即可校准模型是可能的。然而，基于单个标准"盲目"优化的校准可能产生不符合实际物理意义的参数值，这些参数如果应用于其他时间段，可能模拟结果非常糟糕。Green 和 Stephen(1986)指出，采用一个标准对于估计计算机模拟和实际观测的流量过程线之间的拟合度是不完整的，对于多目标水文模拟来说更是如此。同时，应注意"标准"是用于度量模型变量的估值正确与否，而不是衡量所模拟的水文过程是否正确。因此，在校准过程中，数值标准具有指导作用。

最后，需要强调比较模拟与观测流量过程线等图形的优点。尽管采用图形比较法使模型分析变得越来越主观，但却为模型功能提供了一个综合的指标，与简单统计方法比较，其结果将更加容易理解，并提供更多的有用的信息。图 3-2 是对径流数据的数值和图形比较评价的联合使用。图中流量过程线的误差系数(EI)是模拟日流量和观测日流量的过程线的数值比较(完全一致时 $EI=1$)。$R2$ 指的是 Nash–Sutcliffe 系数(Nash 和 Sutcliffe，1970)，它基于月流量的观测和模拟结果。

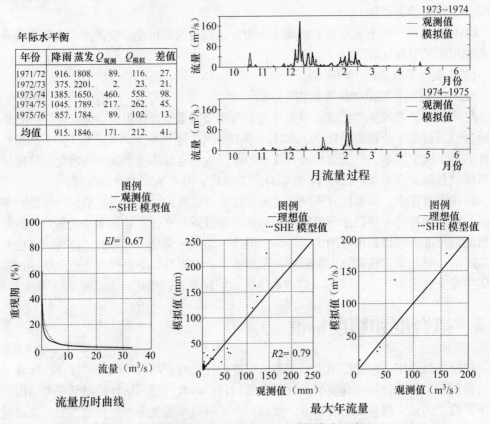

图 3-2　MIKE SHE 模拟津巴布韦的 Lundi 流域的校验测试(DHI，1993)

3.4　模型建立

模型建立是一个准备数据的过程，包括以正确的形式将数据存储为模型要求的输入数据文件。因此，模型的第一次运行可看做是随后模型校准的第一步。

对于概念集总模型或其他相似类型的模型，其中的经验方程组只需要很少的几个参数值。因此，模型的参数估计通常不能由流域特性直接得出，而必须通过模型校准来获得。这样模型所需的数据很少，而且数据的准备通常只是建立包含气象输入数据的时间序列和相应的控制数据的时间序列，如河流流量等，这通常不需要花太多时间。

对于分布式物理模型而言，数据准备阶段则复杂得多，通常需要一个综合的工作方案。一个完全分布式物理模型的参数只能根据实测数据估计。因此，理论上，如果有足够的实测数据则可以不需要校准；但在实际应用中，分布式物理模型的应用尺度使得参数不能直接确定，所以需要校准。在校准阶段，允许的参数变化范围与经验或集总概念模型中参数值范围相比要小得多。

分布式水文模型以离散栅格的形式来体现流域特征和输入数据的空间变化。为了提供更详尽的信息，其空间分辨率往往要求有数以千计的栅格，每个栅格都有一个或多个参数。栅格间的参数值原则上是不尽相同的，但这样往往既不可行也不合适。相反地，可以采用一个能够反映出实测数据重要和系统变化的特定参数，如对单一土壤类型、植被类型或地质层的特性采用代表性参数来表示。这种确定参数值空间分布的过程可称之为参数化过程，这一过程可以有效地减少需要校准的参数的自由度。

在印度一流域建立的 SHE 模型(Refsgaard、Jain 等，1992)中就用到了上述参数化方法。Kolar 流域面积 820 km^2，通过参数化，分为 3 种土壤类型，10 种土地利用/土壤深度类型。对不同的土壤类型分类，校准的参数为非饱和带的水力传导率(每一种土壤类型的传导性由于土地利用类型的不同又分为三类，因而共有 9 个参数值)；对于土地利用类型/土壤深度分类，校准参数包括土壤深度(10 种)和 4 种土地利用类型的 Strictler 漫流系数(4个参数)；此外，还有 3 个参数需要校准，即饱和带的水力传导率、一个经验系数和地表滞留系数，这 3 个参数在整个流域尺度是一致的。这 26 个参数不能只靠实测数据来确定，而必须通过校准修正，但是通过校准得到的参数值的物理意义可以根据实测数据进行评价。

地下水和地表水联合模型参数化方法的实例，参见 Resfgaard 等(1994)在丹麦奥尔胡斯(Aarhus)附近一个 800 km^2 流域建立的模型所采用的方法。

严格的参数化过程对于避免模型校准和验证出现方法上的问题是很关键的。下面是参数化过程应注意的几个重要的问题：

(1)对参数进行分类(如根据土壤类型、植被类型、气候带、地质层等)，在这些分类中，参数在客观上的联系相对紧密。这样不同分类的参数值可在最大程度上根据实测数据获得。

(2)应该明确哪些参数可以由实测数据直接确定，哪些还需要进一步校准。对于要校准的参数在物理意义上的可接受范围也应给予估计。

(3)不论是理论上还是在实际应用中，实际校准参数的数量应尽可能少。这一点可以通过固定参数的空间分布模式，只校准修正其绝对值来实现。

3.5　校准方法

在校准过程中，需要确定那些不能由实测数据直接得出的参数值。原则上，主要有以下三种不同的校准方法：①手动试错法；②自动参数优化法；③两种方法相结合。

在 3.5.1 节中描述了这三种不同的方法及其优缺点。在集总概念模型和分布式物理模型中具体应用情况见 3.5.2 节和 3.5.3 节。

3.5.1　手动试错法和自动参数优化法的优、缺点

3.5.1.1　手动试错法
手动试错法是通过大量的模拟运行，进行参数估计的方法。该方法是目前应用最为广泛的方法，也十分被人们认可，尤其是对于复杂的模型。对模拟结果的图形显示是手动试错法的前提。

3.5.1.2　自动参数优化法
自动参数优化即运用数值算法找出给定数值目标函数的极值。自动参数优化的目的是通过对尽可能多的参数之间的排列组合的模拟，以获得最优的结果(根据精度的评价标准判断)。

与手动试错法相比，自动参数优化法的优点是：

(1)大部分工作由计算机完成，速度快。

(2)自动最优化比手动试错法(在很大程度上依靠水文过程线的可视化观测和水力学家的主观判断)更为客观。

自动参数优化法的缺点包括：

(1)优化的标准只能是基于单变量的单一数值标准。如 3.3 节所述，选择一个合适的标准是很复杂的，具有很大的主观性。

(2)如果模型含有很多参数，优化的结果可能是局部而不是全局最优。

(3)大多数算法假设模型参数是互相独立的，这种假设通常是不合理的。

(4)自动参数优化法无法区分 3.2 节中提到的各种误差源。因此，自动参数优化法通过参数调整弥补数据误差，造成参数物理意义的不明确。当用于不同于校准阶段的其他时段的模拟时，模拟结果很差。

从纯技术角度考虑(Todini，1988)，利用目标函数优化模型参数而采用一些基于残差分析的概率统计方法，如最小二乘法、线性或非线性回归、最大似然法等，则意味着完全忽略了模型的物理特性。换句话说，自动优化不是强调模型结构的内在知识，而是强调统计分析本身所固有的不确定性。

3.5.1.3　反复试验和自动参数优化的结合
两种方法可以结合使用。例如，在参数调整的开始阶段采用试错法粗略地估计参数的大致范围，然后采用自动优化方法在此参数值范围内进行更精细的调整。采用相反的步骤也是可以的：先用自动优化方法对重要的参数值进行敏感分析，然后再用试错法进行校准。两种方法的联合使用是卓见成效的，但其实际应用还不广泛。

3.5.2　概念集总模型的校准

对于降雨—径流概念模型的校准，应用最为广泛的方法仍然是试错法。这些模型比较简单，容易操作，但在模型校准时需要使用者有丰富的经验。一个有经验的水文学家，

往往使用水文过程曲线图，通过 5 ~ 15 次的试验比较即可校准参数。

在过去的 20 年里，基于传统的数值算法，建立适当的自动参数估计是许多学者的研究重点。20 世纪 70 年代盛行的一种算法是 Rosenbrock 法(Rosenbrock，1960)。关于不同优化算法的比较及对自动优化中一些问题的讨论可参见 Gupta 和 Sorooshian(1985)及 Sorooshian 等(1993)的报告。

近年来又出现一种基于专家系统的方法。所谓专家系统，可以定义为一个计算机程序，这一计算机程序可以根据预先输入的相关知识确定一级的逻辑预测框架，并以专家水平运行。这种方法的思想是由有经验的使用者告诉计算机，在反复试验过程中如何决定在下一步调整哪一个参数。基于规则的专家系统的例子可参见 Azevedo(1993)。20 世纪 70 年代自动参数优化在实际中得到广泛尝试，但由于一些问题的出现(见 3.5.1 节)，目前其应用并不广泛。

3.5.3 分布式物理模型的校准

在过去十年里开展了在地下水模型(反演模型)中建立和测试自动参数优化的综合研究，其实例可参见 Keidser 和 Rosbjerg(1991)。建立了包括适用于二维的水流问题反演方法的计算机程序，但其在实际中应用并不多。关于溶质输移和三维模型的反演方法还处于试验阶段。

对于诸如 MIKE SHE(用于模拟流域过程及其动力学作用)等分布式水文流域模型系统，没找到合适的优化方法，实际上还没有达到研究阶段。在如此复杂的模型中应用自动参数优化方法还存在许多问题。其中一个重要的方面就是建立多目标函数，而且该函数要包括许多方面，如流量、土壤湿度和地下水水位等，甚至还可能需要流域内某些点的参数值。

在其他领域(如气象学、海洋学)，反演方法研究的巨大投入或许会为其在水文学中的应用提供一些借鉴。当然，将来在完善分布式水文模型实践方面，反演方法是目前最有前途的工具之一。

3.6 模型验证

3.6.1 引言

如果一个模型含有大量的参数，常常可以找到多个使短期模拟结果与实测数据之间拟和得较好的参数值组合，即使在模型结构不太合适或水文系统概念理解不是很正确的情况下这也是可能的。但是这种拟合并不意味着已找到一套正确参数值，这是因为没有考虑参数的物理意义，而是单纯依靠数值曲线拟合得到的。这也可以通过下面的事实来证明，即由不同的人校准相同的模型，通过不同的参数组合也可以得到几乎完全相同的校准结果。

为证明校准后模型的实用性，必须用不同于校准的数据来进行验证(Stephenson 和 Freeze，1974)。Klemes(1986)也曾说过：模拟模型的验证即是研究其在多大程度上执行了其特别赋予的使命。

根据本书第 2 章的内容，模型验证即证明特定的模型可得出符合特定性能标准精度要求的模拟结果。3.6.2 节给出了模型验证的一般过程，3.6.3 节讲的是集总和分布式模型所需要的不同的验证方法。

3.6.2 系统验证方案的建立

Klemes 于 1986 年提出了一种水文模型系统验证的等级方案。该方案之所以被称为等级的，是因为对模拟目的及相应验证的复杂程度进行了等级划分。该方案最初是为降雨—径流模型而设计的，但其方法可以更广泛的应用。Klemes 对用有控制测站和无控制测站流域进行了区分，同时，他也对流域条件(气候、土地利用、地下水开采等)是静态的还是非静态的情况加以区别。

据此对典型的模型验证进行了归类，共为 4 类：

(1)分样本验证。模型的校准需要 3~5 年的数据，模型的验证需要不同于校准时段的同样长时间的数据。

(2)差别分样本验证。模型校准的数据是流域变化前的，通过模型参数的调整来描述这种变化，并采用变化后的数据资料对模型进行验证。

(3)替代流域验证。对于不能对模型进行直接校准的情况，可以利用其他相似流域的资料。因此，模型验证还要包括确证有资料流域和待验证流域的相似性，并依次初步校准、模型移植、调整参数以反映待验证模型的实际情况，最后进行验证。

(4)替代流域和差别分样本验证。该情况还是由于模型得不到直接的校准，而要利用其他流域的资料。这样校准就要包括其他相关流域的初步校准、向待验证流域移植模型、选择两套参数分别代表流域变化前和变化后、两个阶段的后期验证。

3.6.2.1 分样本验证

分样本验证是一种经典的验证方法，适用于有足够长的时间序列资料(包括校准和验证期)的流域，并且流域条件变化不大。

将得到的资料分为两部分，一部分用于校准，另一部分就用于验证，反之亦然。校准和验证的过程都应该得出合理的结果。

分样本验证的主要问题在于不是所有的数据都用来校准，因此被分成不同部分的数据要有足够的时间长度以充分支持校准。另一方面，如果两个分样本都得出合理的结果，则模型的最终校准才能充分利用所有的数据。

3.6.2.2 替代流域验证

该验证适用于资料缺乏流域的校准。例如，如果要对无控制测站流域 Z 进行径流预测，则要在该区域内选择与流域 Z 相似的两个有控制测站的流域 X 和 Y。模型应在 X 上校准，在 Y 上验证，反之亦然。只有当两个验证结果都是合理的且相似时，模型在 Z 的模拟才具有一定的可靠性。

3.6.2.3 差别分样本验证

这种验证方法适用于以下情景：使用一个模型在一个有控制测站的流域模拟径流、地下水位和其他变量，而流域的条件有较大变化的情况。根据具体的模拟研究目的，这种验证方法有几种不同的变体。

如果模拟的目的是研究气候变化的影响，这种验证方法可以采用以下的形式。首先，要在历史记录中选出两个感兴趣气候参数不同的时间段，如一个时间段的降雨量较大，而另一个的降雨量较小，如果模型用来模拟湿润环境下的河道径流，那么该模型应该采用干燥期的降雨数据进行校准。然后，采用湿润期的数据对其进行验证。

相似的验证方法的变体可以根据不同的目的来定义，如预测土地利用变化、地下水抽取和其他一些变化的影响等。总之，模型应该具有在所考虑的变化机制下运行的能力。

3.6.2.4 替代流域—差别分样本验证

该验证是水文模型所要通过的最难的一关，因为该验证方法主要应用于以下情况：没有资料用于校准和应用模型进行变化环境的预测等。

3.6.3 集总模型和分布式模型的不同验证要求

集总模型和分布式模型的验证步骤基本上是一致的，但是由于模型结构、运行模式、应用目的等的不同，分布式模型用到的验证要求要复杂得多。比较模拟结果和流域出口断面流量的传统验证方法仍然是许多实际案例的惟一选择。然而，Rosse(1994)强调指出这种方法不适用于分布式模型。其不同点见表 3-1，表 3-1 清楚地说明了对于多标准、多尺度验证标准的需求。

表 3-1 分布式水文模型验证的多标准和多尺度需求

	概念集总模型	分布式物理模型
输　出	单要素： *径流量 => 单一变量	多要素： *径流量 *地表水水位 *地下水水位 *土壤湿度 => 多变量
有效标准 (除去怎样选择统计标准的问题)	实测<=>模拟 *径流量，单处 => 单一标准	实测<=>模拟 *径流量，多处 *水位，多处 *地下水头，多处 *土壤湿度，多处 => 多标准
典型模型应用	降雨—径流 *稳态条件 *存在校准数据	降雨—径流，非饱和带，地下水，后续水质模型基础，人类活动的影响 *非稳态条件(有时) *校准数据不一定存在
有效性检验	通常分样本检验就能满足 => 已得到成功应用	需要多种复杂检验： *差别分样本检验 *替代流域检验 => 需要严格精确的方法论
模拟尺度	模型：小流域尺度 实测数据：小流域尺度 => 单尺度	模型：依赖于离散程度 实测数据：多种不同尺度 => 多尺度

表 3-1 说明，由于对分布式模型的预期目标和输出结果要求更高，其标准的要求也就更严格。如果验证的目的仅仅是为了预测流量，则对单一出口(例如流域出口)的验证是足够的，但对于流域内部径流情况的描述是不充分的。

对单一出口而言，总的水量可能是平衡的，但蒸发量估算可能偏低，从而使径流情况的描述不充分或部分流域的地下水位的预测不符合实际。

基本上，对于每个输出变量都应进行有效性检验。对空间分布预测而言，需要多点的校准和验证。流域各子系统行为预测需要多变量的检验。

本质上讲，一个好的标准要能使每个预测的输出变量得到满足。空间分布预测需要多处的校准/验证，如果需要对流域子系统行为进行预测，则需要多变量的检查。Styczen和 Storm (1995)认为，需要对"流量和地下水位校准，以保证用以估计硝酸盐渗漏量的地下水排泄率的正确模拟"。

Storm 和 Punthakey(1995)曾应用 MIKE SHE 模型对某灌溉区地下水位变化进行模拟。用于校准的地下水资料很完备，但缺少排水资料。尽管该模型可以用来估算出从地面渗入的地下水，但却不能准确模拟地下水系统的实际水流。

3.7 通用模型系统的可靠性

根据本书第 2 章定义的术语，模型系统原则上是不可能被验证的。作为充分验证的替代，我们定义模型有效性程度为给定模型系统的可靠性。模型系统的有效性程度可用基于该模拟系统建立和运行的所有模型的成功验证的综合来表示，得到成功验证的模型的数量越多，模型系统可靠性越强。

从最浅显的角度来看，存在一种假设，即模型系统实际是在模型运行经验的基础上改进的，即模型系统在其市场中发挥作用，遵循市场的需求，并从市场中学习经验。从这个角度来看，模型系统的发展不可能直接产生最终的、完美的产品，它只不过是一个进化的适应过程。这样，模型系统虽然是间接的产品，但也是在不断演变的，且其演变遵循一个过程。这一发展的基本原则是由 Floyd 提出的(1987)。

第4章 分布式物理模型和陆地水文循环

4.1 引 言

分布式水文物理模型是在分析和解决水资源多目标决策管理中出现的水文学问题的过程中发展起来的。这些问题在类型和尺度上或许会有所不同,但它们都有一个共同点,即为了通过模拟得到一个有用的结果,需要充分考虑状态变量在时间和空间上的变化以及对流域内水流过程的实际描述。

完全分布式物理模型已成功地应用于单个水文循环过程。该类模型的两个典型代表为:模拟土壤剖面土壤湿度状况的土壤水模型(如基于理查兹一维方程)和模拟含水层中地下水流和水位的地下水模型。当用于流域整体描述时,偏向理论角度的研究人员对完全分布式物理模型的有效性和适用性持不同的观点,其争论主要在于:用于描述水流过程的模型空间分辨率只适用于小尺度研究,而对于流域尺度,模型考虑的空间变化与实际条件相比过于粗糙,因此模拟结果的可信度令人怀疑。

对于分布式物理模型的定义是什么、在什么情况下以及如何来使用它,有着许多理论和哲学意义上的讨论(如 Refsgaard 等,1995b)。水资源专家认识到对于他们所关心的水文问题应引入空间分布的方式,并且需要一种可以尽可能反映流域实际情况的概念化方法。

地下水模型的发展历程可以证明这一点,这些被认为是"具有物理基础"的地下水模型在过去 25 年里,在世界范围内被成功地应用于数以千计的工程项目中。尽管这些模型在应用时只是包含了许多关于水文地质和地下水方面粗略的描述(如把三维水流问题看做是二维的),但它们为与地下水规划、管理和保护相关的决策提供了有用的信息。

在使用传统地下水模型时,遇到的一个典型问题就是怎样定义边界条件,例如地下水排泄的时空方式、河流沟渠等的水量交换、地下水水位较浅地区的准确的动力学条件等。只有在这些条件下,各水文过程的结合(如地表水和地下水)才变得重要起来。

本章对分布式物理模型的概念和应用作简单的介绍。在这里,我们将以 MIKE SHE 模型为例,对分布式物理模型加以介绍,并对其他类型的分布式模型进行总结和讨论。下面将简要介绍 MIKE SHE 模型的水文模拟过程以及在不同的水资源管理项目中应用该模型的一些经验。

4.2 MIKE SHE 水文模型

尽管 SHE 模型的发展已有 20 多年,但 MIKE SHE 模型系统(SHE 模型的进一步发展(Resfgaard 和 Storm,1995))在今天仍然是可用于实际工程项目的少有的几个流域模型系统之一,MIKE SHE 模型被归为完全分布式物理模型。也有其他许多该类模型的研究开发，但大多数仍处于研究阶段，例如 IHDM(Beven，1985；Calver，1988；Beven 和 Binley，1992)和 SWAGSIM(Prathapar，1995)。尽管以 MIKE SHE 为代表的该类模型存在一定的局限性和有效性问题，但这类模型系统在近些年许多已获得成功应用。

MIKE SHE 模型的开发基于已普遍接受的关于地表水、地下水和溶质物理过程的理论，提供了一种严格的方法，以替代降水—径流概念集总模型，如 Standford 模型(Crawford 和 Linsley，1996)、NAM 模型(Nielsen 和 Hansen，1973)等。但是现在 MIKE SHE 模型在水资源和环境问题中的使用主要是克服使用传统的地下水模型所遇到的上面已经提到的一些困难。实际上，模型开发人员希望改善传统地下水模型系统以吸收 MIKE SHE 模型的优点。

根据作者在各种数据可利用条件下，在不同尺度流域应用 MIKE SHE 的经验，基于物理基础的描述为研究一系列不同时空尺度水资源问题提供了一个优秀的框架结构。大多数的过程描述虽然在理论上只对小尺度问题完全有效，但可以为对区域尺度问题研究提供一个合理的概念框架。

尽管注意到几乎所有的自然系统都展现出一种人们难以描述(模型或实地测量都不可以)的空间异质性是很重要的，但模型对于基本过程的描述还是很有效的，令人满意。但是，模型建立者还是要在报告中对模型应用中近似问题，用概化、校准的准确度和预测等方式给予充分说明，并对模型的局限性和模型结果的可靠性给予合理的建议。

4.3　径流过程

与最初的 SHE 模型相比，对于地表水和地下水系统的描述变化很小(Abbott 等，1986a，b)。鉴于国际合作及其自身发展的需要，该模型系统应建立模块化结构，主要包括 6 个独立的基于过程的模块，其中每个模块用于描述一个主要的水文循环过程。分离开来，这些模块可以分别描述水文循环的各过程；综合起来，它们也可以描述整个水文循环的陆地阶段(如图 4-1 所示)。

这种模块化的结构目前已成为水文模型系统的一个重要的特征，这是因为许多研究只要使用其中的一部分即可。这可能与数据的可得性、时间范畴和研究目标等不支持完整的过程研究有关。

在模型的初始验证和随后的应用中，对于一些过程的描述已经进行了修改以提高数值计算的效率，并吸收了对新的水流特征的描述(如 fractured flow)(Brettman 等，1993)。但是，该模型系统发展的一个重要方面是致力于研究一个友好的用户界面，既能使用户方便地处理数据和分析结果，又提高使模型的可移植性(虽然有的人认为可移植性好可能导致模型的误用)(Grayson，1992)。

开发 MIKE SHE 模型最初的目标是基于物理概念，以一定的详细程度来描述给定流域整个陆地水文循环过程。模型中用到的方程大多数是著名的机理性方程，这些方程对不同的水文循环过程以适宜的尺度进行了描述，并且方程需要的参数可以通过实测资料获取。

MIKE SHE 和其他分布式物理模型的水流过程包括融雪、截留、蒸发、坡面漫流、

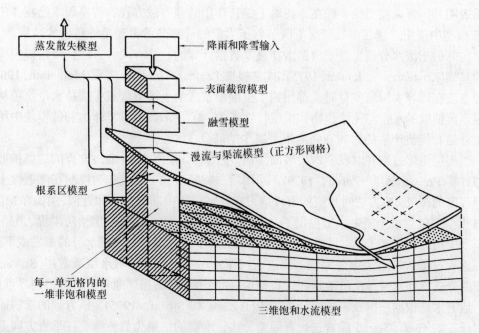

图 4-1   MIKE SHE 模型的水流部分示意图

河道径流、非饱和带竖流和地下水流。在 MIKE SHE 模型中，单个过程的运行步长与其本身的时间尺度一致。例如，如果以适合地下水流过程的天或者周作为计算的时间步长，非饱和流不能符合实际地描述根系区的下渗过程和湿锋运动。然而，由于分布式模型计算的需要，应尽可能采用大时间尺度，而且这往往受到实际水文条件的限制。

下面是关于个别过程的简单描述，更详细地介绍请参考 Resfsgaard 和 Storm(1995)。

在地表、河流、非饱和带及饱和带的水力压头、水流和水的存储的变化，以网格的形式模拟。所有输入数据和流域特性的空间变化，模型使用者均可以空间分辨率的形式来描述。

非饱和带水流运动通常用一维理查兹方程描述，并在垂直方向上以有限差分方法求解(如图 4-2 所示)(Jensen，1983)。在 SWATRE(Feddes，1988)等其他用到理查兹方程的非饱和带模型中也有类似的方法。在 MIKE SHE 模型中，其解法更为复杂，即通过估算饱和带和非饱和带滞留水的交换量，对浅层地下水水位作相应的调整(Storm，1991)。非饱和流的模拟在大多数模型应用中都是很重要的一部分，包括地下水排泄量、蒸腾量、地表水和地下水交换以及污染物的迁移转化等。

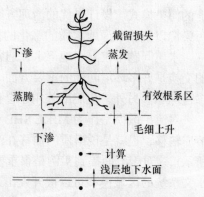

图 4-2   非饱和带节点划分示意图

理查兹方程在不同流域尺度的应用颇有争议，而且在许多情况下，理查兹方程并不是必需的。例如，SWAGSIM(Prathapar 等，1995)在计算非饱和带问题时采用分析方法，结果表明其运算速度更快。现在，忽略毛细管作用的理查兹方程的替换版本已在 MIKE SHE 模型中使用，这在多数情况下既节省了大量的计算又可得到足够精确的结果。

实际的土壤水分蒸发量是根据潜在蒸发数据计算的。共有两种方法，或是以经验公式为基础(Kristensen 和 Jensen，1975)，或是根据 Penman-Monteith 方程(Monteinth，1965)。两种方法在计算实际蒸发时，都用到了土壤根系区的土壤湿度或土壤持水量。可从土壤根系区抽取的水量与土壤作物和土壤特性有关。截留量/蒸发量是非饱和带模块中用以决定补给和漫流产生的时间和强度不可缺少的部分。

当表层土壤过饱和时就会产生坡面漫流。漫流演算根据 St.Venant 方程的二维扩散波近似计算(Preissman 和 Zaoui，1979)。净雨量、截留量和下渗量作为控制在渗透性土壤干湿程度的源/汇。该方法对片流的条件假设在流域应用中非常粗略和近似，例如在 MIKE SHE 模型中仅为水土流失模型提供了一个框架结构。地面凹陷和阻碍物(防洪堤、道路等)在模型中用滞留量来表示，只要在一定的水位之下，滞留水量只考虑水分的蒸发或下渗。

地表过量的水通常作为旁侧入流进入河流水系。明渠和河道水流通常用 St.Venant 方程的分支或环状一维扩散波近似进行模拟。模型中河流的描述通常是沿网格边界近似。

地下水是根据三维控制方程计算的(Refsgaard 和 Storm，1995)。该方程的求解通常是用修正的 Guass-Seidel 隐含迭代有限差分法，求得的结果为数值解。在垂直方向上的空间分辨率可以根据三维河网或是准三维流(有时是二维的)的地质分层来获得。河流的补给或交换在河网计算单元中都有发生，整体的描述有助于对河流和河道水位动态变化的综合理解，这也是传统地下水模型(如 MODFLOW)所缺少的。

4.4 溶质输移过程

SHE 模型从最初的发展开始，就对水质方面的研究给予了更多的重视，尤其是对有供水用途的地下水。垃圾场、工业污染和农田污染物质的渗漏，严重影响了地下水水质。因此，需要建立模型以协助对受污染地区的监测和治理。污染物输移模型是预测将来可能的污染模式、设计最优的治理方案以及建立水质监测网络的重要模型。研究确定新的污染源以防止水源地水质的恶化的模型也是一个很重要的研究领域。

水质问题不仅限于地下水，通常也与土壤和接受调水的河流有关。地表水和地下水的交换是许多环境问题的重要方面。例如，河流水质较差，供水规划中就要考虑河岸的渗透问题。另外，化肥的施用也会使地下水和接受调水的河流受到严重的影响。

对流扩散模型作为 MIKE SHE 模型的附加模型，可以描述模型中所有水流过程中的溶质输移，也就是说溶质的输移在流域的整个水文循环过程中都可以进行模拟(如图 4-3 所示)。这对于上面提到实例是很重要的，同时也为地下水管理等提供了一个有力的工具。水文系统的区域模型可以被开发出来，并作为更为详细的包括溶质输移的局部模型。

从微观角度来讲，溶质在多孔介质中的输移主要包括三个过程：对流、分子扩散和弥散。对流是指溶质随水流(其流速即为 MIKE SHE 水流模型中计算用到的流速)一起运动。这种对流扩散的模拟结果在水流描述中具有很大程度上的不确定性和误差。分子扩散指的是溶质分子由于其运动学特性在水中的扩散，扩散通量通常和浓度梯度有关。弥散是指由于速度场的微观变化而引起的溶质分子扩散，通常不能在模型中通过空间分辨率表示。

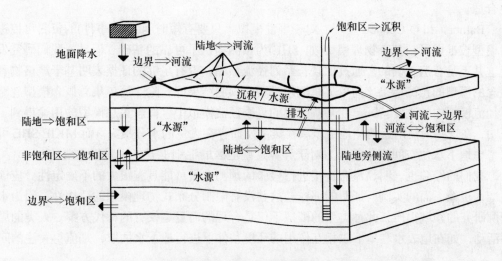

图 4-3　MIKE SHE 模型输移过程示意图

　　MIKE SHE 模型中不同模块中采用的控制方程与溶质输移模型中采用的方程类似。它们都是以对流—扩散方程(ADE)为基础的(Bear 和 Verruijt，1987)。数值方程之间的差别主要在维数、扩散系数和所采用的数值解法。

　　由于地下水输移模型包括了三维形式对流扩散方程的解法——质点跟踪解法和以双孔介质的形式模拟的选择，因此受到了高度的重视。在地下水模块的弥散方程包括各向同性和关于竖轴对称的各向异性等条件的选择(Bear 和 Verruijt，1987)。ADE 方程采用 QUICKEST 法来解，非饱和带溶质输移通常用一维方程。

　　地表水溶质输移通常用 ADE 的二维形式计算。雨水中的溶质、非饱和带与地下水的水分和溶质的交换是计算中的源/汇。池塘或水库的水分蒸发可导致溶质浓度的升高，并考虑如果浓度超过一定的限度会产生沉淀或在稀释时的再度溶解。ADE 通常也用 QIUICKEST 法求解。

　　对于河道模块的溶质输移，通常将 ADE 简化为一维方程。经由坡面侧向入流、基流和泄漏损失也被看做是源/汇，方程的求解通常用修正的 Lax 法。

4.5　应用类型

　　Abbott(1986a,b)等探讨在某些领域的应用中，与传统的集总或半分布式概念模型相比，分布式物理模型为我们提供了一种更好的方法。下面对其中一些实例进行介绍。在其他一些领域，对如土地利用改变的影响预测、无控制测站流域的径流预测等仍需要进一步证明。事实上，上述关于采用点尺度的实测数据直接估计模型参数以及我们将流域条件改变与模型参数值改变之间的联系能力等观点过于乐观。

　　Refsgaard 等指出，对于有控制测站和无控制测站流域的径流模拟，分布式物理模型

(如 MIKE SHE)并不见得比简单的集总概念模型(如 NAM)优越。在无控制测站流域,物理模型可以缩小误差范围,但考虑到模型建立时的复杂工作,简单的集总概念模型应该更合适。

Bathurst 和 O'Connell 发现,对于事件模拟,只要有短时间(单一事件)的资料可以进行模型校准即可,基于物理模型(如 SHE)为预测提供了可靠的基础。但是,我们研究发现这并不是普遍正确的。通过比较长系列径流预测,没有足够的证据表明基于严格物理概念的模型的预测结果比简单集总概念模型的预测结果好,除非简单集总概念模型忽略了径流模拟中的重要特征。在某些河流的夏季径流模拟中,概念集总模型的用途得到了证明,在这些河流附近的洼地由于潜在蒸散发而存在大量的水分损失。而 MKIE SHE 可以考虑地下水位空间变化的能力对于计算这些地区的毛细上升作用是很重要的。

我们的经验也表明,没有直接进行检验的预测变量可能具有很大的不确定性。应该强调,正像下面的实例所证明的那样,这并没有限制分布式物理模型的适用性,因为水资源研究的领域很广,此种类型的模拟不仅是合理的而且是仅有的替代方案。人类的局部活动,如在地表水和地下水相互作用的环境条件下进行地下水抽取,是值得关注的问题。

大量的模型应用实例证明,像 MIKE SHE 这样的模型系统对于水资源问题的广泛性来讲,是一个合适的研究工具。这些应用实例同时也表明,很多研究集中在地下水系统,而选用 MIKE SHE 模型好处在于将地下水和地表水系统的结合。此外,MIKE SHE 还在其他很多方面得到应用,其中主要是在工程项目中的应用。

早期的 MIKE SHE 应用主要集中在径流预测(Jain 等,1992;Refsgaard 等,1992)。模型的应用是技术转让项目的一部分,并且提供在中尺度流域(达 5 000 km²)模拟中的重要运行经验。总的来说,可利用的资料较少,主要从文献中获取,但是作为工程项目的一部分,可以通过野外实测研究来获取数据以提高模型精度和可靠性。

现在许多研究都在关注地下水开发及其对地下水位和河流环境的影响(Refsgaard 等,1994)。这些模型通常涉及多层的地下水蓄水系统,通常要考虑多层地下水之间的相互作用。这些项目提供了一个管理地下水保护地表水环境的框架结构。其中有些研究,需要恰当确定地下水取水点。而在更广泛的环境影响评价中,区域模型在某些实例中可以为更为详细的局部模型提供边界条件,以预测废物堆积对供水井污染的威胁等。Styczen 和 Storm(1993,1995)介绍了一种将 MIKE SHE 与农业非点源污染结合的方法。

近来,MIKE SHE 模型已被应用到农业灌溉和盐分浓度的规划和管理的项目中。Mudgeway 和 Nathan(1993)花费了 3 个多月的时间,在澳大利亚维多利亚的 Tragowel 平原上面积为 8.9hm² 的灌溉海湾地区,采用该模型模拟了浅层地下水和地表水之间水分和盐分的输移过程,并对该模型的排水量、地下水位、土壤湿度和盐分浓度进行了检验。最终,该模型被应用于研究加深排水渠深度对盐分排放量的影响。

Storm 等 1996 年采用更长的时间(18 个月)序列的观测,重复了该模拟试验。该模型通过排水量(2 个站点)、地下水位(5 个测压计)和土壤湿度(8 个采样点)的实测数据进行了校准。模拟实践展示一个很有趣的现象,如果只对所选的状态变量(如排水量或地下水位)进行校准,即使拥有用于进行参数估计的综合资料,则也可能导致对其他状态变量(如土壤湿度)的不正确预测。

在一个类似区域尺度(大约 2 700 km²)的研究中，Storm 和 Punthakey 用 MIKE SHE 对澳大利亚 Wakool 灌溉区(WID)的水土资源管理规划项目中提出的多种选择方案进行了评价。像澳大利亚其他半干旱区的大型灌溉区一样，WID 也处于一种浅层地下水盐度增加的状态。MIKE SHE 模型对 WID 复杂的水文系统进行了完整的描述(涉及地表水、给排水系统以及地下含水层之间水量交换的时空变化)。需要进行分析的选择方案具有 30 年的时间跨度，并包括一些情景(主要集中在地下水系统，如排水系统的扩展和给水管路渗漏点的密封；地下水系统，浅层和深层地下含水层，地下水开采方案)的方案设想。

图 4-4(a) ~ (c)给出了估计的浅水位区发展的两个方案，一个是所谓的"无计划"方案，即不采取任何人为的附加措施；一个方案是在浅层含水层区设置了 48 个取水点。

Refsgaard 等(1995a)应用 MIKE SHE 模型评价一个用于治理严重的含氯有机溶剂污染的 pump-and-treat 系统的有效性。结果表明，该系统并不能很好地改善地下含水层的状况，不能阻止污染源对下游 2 km 处的污染。该结论导致整治的 pumping 系统关闭，并建立了一个监测系统以确保将来调水受水地的合理状态。

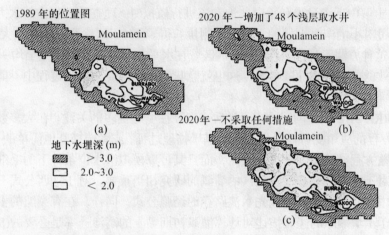

图 4-4 20 年浅层地下水位区域变化(两种预测方案比较)

4.6 分布式物理模型应用中存在的问题

目前所开展的大多数流域研究中，采用可以声称是基于物理过程的(这与模型系统是基于物理过程的定义是不同的)足够详细的空间分辨率是不可能的。事实上，早期的应用研究表明网格尺度的选择涉及参数的集总程度，这并不是新的经验，而是为许多地下水模拟研究人员在实际工作中所认识。研究人员已成功应用了由抽水试验获取的渗透和存储系数。很明显，这些参数值是对实际含水层条件的概化，但是许多专业研究人员发现应用地下水模型对于不同类型的水资源问题的解决很有帮助。

作者认为，采用空间分辨率的形式对流域特征空间变化进行描述，可以对实际条件提供很好的表达，可以考虑研究区内地下水补给方式的空间变化等。在实际应用中，流域特征的空间变化信息通常由地形图、土壤和土地利用类型以及解译地理信息系统数据，并结合不同地图单元的代表性来获取。

由上述信息所获取的参数值知识初始估计，在随后的校准过程中会对其进行修正，以使状态变量与不同地点的实测数据拟合。某一特定模型最终的参数具有主观性，并且与以下几个因素有关：包括模型建立者对流域特征和水流过程的认识、空间分辨率的选用以及模拟与实测变量的拟合程度等。

应该强调的是，有一些基本的尺度问题，这些问题在分布式模型的应用中需要进行仔细的考虑，尤其是在考虑地表和地下水之间相互作用的情况下。我们在一些领域所遇到的尺度问题包括：

(1)地下含水层和河流水系的水量交换。由于这里的流量采用达西定理，即根据河流水位与其附近网格中的地下水头之间的水力坡度求得，因此流速和地下水位的变化就依赖于所采用的空间分辨率。这是在诸如模拟退水过程线等应用中很重要的一个方面。

(2)在河网密集的流域，要想完整地再现整个流域系统(其中许多河流是季节性的)通常是不可能的。在这种情况下，为正确地模拟主要河流的水文过程曲线的响应，往往需要进一步详细考虑网格尺度在不同地形中的变化。

(3)在对土壤中下渗过程和垂向非饱和流进行模拟时，理查兹方程中的水力学参数可在实验室通过对小的未受干扰的土壤样本测量获得。而对于网格覆盖面积较大的流域(例如 25 hm^2)，这种方法不具代表性，除非该区域在水平方向上的状况是完全均一的。因此，难以获取有效的或有代表性的参数，这也就意味着土壤湿度在模拟过程中不能直接得到验证。

在对 MIKE SHE 模型的讨论中，最后一点往往引起更多的关注。在大多数流域模拟中，理查兹方程的应用变得概念化而不是基于物理过程，或者选择其他简单的替代方法。然而，理查兹方程能够较好地描述水流，而且其可以模拟潜水位条件下的毛细上升作用的能力使其对于涉及湿地和浅水位区的灌溉的研究相当重要。对于达西公式不适用的情况下，模拟中往往采用到描述优先水流路径的经验公式。同样，在有裂隙的土壤中的下渗模拟，对于土壤裂隙的经验描述对计算灌溉初期黏土的高渗透率是必要的(Storm 等，1996)。

如果采用了具有代表性的参数值，模型结果的确定性则依赖于用以比较模拟与实测的具有时空变化特征数据的可得性。这对于地下水模拟尤其如此。因此，地下水模型参数(传导率和渗透率等)通常由不同点位实测水头数据校准获取。

对于区域尺度流域的研究，因为难以得到实测的土壤湿度资料，模型性能的评价通常基于对河道径流量和地下水位的比较。即使进行土壤湿度的比较，也需要了解野外实地的具体特性。

通常认为分布式模型需要大量的数据资料，也就是说，分布式模型的建立及其校准很耗费时间。事实上，一些短期筛选评价项目已经采用 MIKE SHE 完成，例如与废弃物处理相关的污染风险研究。在这些研究中，关于水文地质的资料很少。模型的应用就是基于现有的地质资料，用以得到和提高对废物处理厂附近的水流方式了解。此外，模型也可以用来识别哪些地方的现有资料比较缺乏,并为建立合理的监测规划项目提供支持。

另一个关于完全分布式模型的争论是参数过多引起的风险。当然，这种风险总是存在的。但是，一般的经验是，如果缺少描述流域空间特征变化的资料，通过调整大量的参数以拟合模拟和实测水文过程线是很不值得的，而且也很耗费时间。在这种情况下，很少有参数在校准过程中得到修正，同时结果的可靠性也具有很强的主观性。

4.7 小 结

MIKE SHE 在大量的水资源项目中应用的最新经验表明，完全分布式物理模型是评价不同类型的水资源规划和管理问题的重要工具。虽然有这样的疑问，即模型中的所有的控制方程并不都是适用于其所应用的尺度，但它们提供了重要的研究不同尺度问题的灵活方法。

MIKE SHE不仅在小尺度研究工作中有所应用(在这一尺度模型方程是直接有效的)，同时在大尺度流域项目中也得到应用(在这一尺度模型对某些过程进行了概念化并引入了集总)。在大尺度研究中，模型校准采用的方法与地下水研究中的方法一致。在这种类型模型的应用中，识别已建立模型在概念化、校准和预测阶段中所采用不同假设的局限性，是十分重要的。

第 5 章　多组分反应输移模型

5.1　引　言

地下输移的组分分为反应组分和非反应(稳定)组分两类。非反应组分的输移在第 3 章已讨论过。当一种反应组分在地下进行输移时，可能会发生化学和微生物反应，并且将阻碍输移和改变组分，就称之为反应。

反应输移模型可用于地下水和环境调查中的许多方面，例如模拟某地区地下水的化学物质、金属元素的输移，渗滤液与垃圾中无机和有机污染的羽流，生物修复与人工补给。在 20 世纪 80 年代早期，仅存在少数相对简单的反应输移模型，随着不断的发展和应用，现在已经无法统计包含所有类型的模型。例如，Grove 和 Stollenwerk(1987)列举了 156 种涉及到反应输移模型的参考书目，其后又出现了更多的此类参考书。关于反应输移模型的评论也出现在许多文献中(Abriola，1987；Engesgaard 和 Christensen，1988；Mangold 和 Tsang，1991)。为了更为清楚地介绍这种方法，本章只介绍有关反应输移模型的部分内容。

随机反应输移模型是一个正在发展的领域，主要用于研究，这里不加以讨论。单组分反应输移模型是假定一种成分的输移独立于其他反应组分，本章只介绍已经确定的模型中有关描述多组分反应输移模型的内容。Brusseau(1994)查阅了有关文献，发现仅讨论了应用到地下水方面的模型。土壤科学的文献资料描述了大量为非饱和流而发展起来的模型，其中最重要的是 Simunek 和 Suarez(1994)的模型。如果可以忽略 Christiansen 论证的瞬时流，同时将气体状态看做均匀态，那么饱和流的反应输移模型也可适用于非饱和流。这种方法的实例早先由 Grove 和 Wood(1979)给出，后来又由 Hansen 和 Postma(1995)进行了补充。近年来反应输移模型得到了广泛的研究，但只有一小部分在实际中得到发展和应用。人们在模型化方面的能力远远超出了野外收集数据的能力，而这些数据正是模型化过程中所需要的。本章将重点介绍野外实测条件下的反应输移模型。

5.2　历史回顾

Anderson(1979)总结了近十年关于地下水问题的研究，其总结报告中有一部分介绍了反应输移模型。模拟反应输移的方法通常是建立在常数 K_d 方法的基础之上，把所有反应过程当成一个参数，K_d 描述了在吸附和溶解的溶质浓度之间的平衡划分。但是，Reardon(1981)论证了 K_d 方法还很不完善甚至不能充分地说明一个很简单的系统。因此，需要更多的研究来提高模型的方法技术，以便进一步理解污染物质如何在地下输移。从 1980 年至今，在地下水方面研究了许多模拟多组分反应输移的模型，这些模型在数量和类型上都有了相当大的增长。

其中最重要的是能够模拟无机反应(地球化学)的模型数量的增加，这些模型几乎都一致假定反应依靠平衡来控制。早在 1973 年，Rubin 和 James 就已经研究了早期模拟离子交换问题的模型(Valocchi 等，1981)。现在的重点是如何将越来越复杂的化学成分添加到一维输移模型中(Jennings 等，1982；Miller 和 Benson，1983；Dance 和 Reardon，1983；Walsh 等，1984；Kirkner 等，1984；FÖrstner，1986)，并且使用独立的输移和化学性质模型。最后，随着计算能力的加强，并结合已有的输移和化学模块，从而将模拟扩展至二维或三维，以包括整套地球化学反应(Cederberg 等,1986；Narasimhan 等,1986；Appelo 和 Willemsen,1987；Lewis,1987；Engesgaard 和 Kipp,1992；Walter 等,1994；Parkhurst 等,1995；Stollenwerk,1995；Engesgaard 和 Traberg，1995)。其他模型仍然利用专门设计的、具有更强的计算效率的化学模块(Yeh 和 Tripathi,1991；Bierg 等,1993)。还有少数模型还包括了无机动力学 (Kirkner 等,1985;Noorishad,1987;Liu 和 Narasimhan,1989;Friedly 和 Rubin,1992)。

这组模型显著的特征是仅有两个模型用来模拟实际的污染问题，而大部分被用来模拟反应输移。这些输移一般发生在假定的含水层、柱状试验、小尺度或有控制的大尺度野外试验中。仅有 Narasimhan 等(1986) 和 Engesgaard 和 Traberg(1995)在两处随机的污染地点将模型模拟情况和观察情况进行了比较。

20 世纪 80 年代，开始研究用来模拟有机成分输移的模型，但由于缺乏对微生物系统的(参看 4.2 节)整体描述和可靠反应常数，而延误了其发展。多数模型都是为某一特定系统专门制作的，例如实验室试验和野外试验(Sykes 等,1982; Borden 和 Bedient,1986a,b; Molz 等,1986; Bouwer 和 Cobb,1987; Widdowson 等,1988; Celia 等,1989; McQuarrie 等,1990; Frind 等,1990; Kinzelbach 等,1991; Chen 等,1992; Zysset 等,1994b; Wood 等,1994)。在 Sturman 等(1995)的研究中可以找到一系列描述其特征的模型。人们对地下含水层有机污染格外关注，实践证明，这些模型在物理和微生物参数的校准方面更加有用。

5.3 反应过程的分类

图 5-1 用一个类似卡通画的形式说明了无数的反应过程，这些作用过程发生在地下水系统的微小的孔隙中。为了方便，可将其分为无机过程和有机过程。本分类遵循已讨论过的模型，显然这个系统是多组分和多重作用的。图中的一些过程严格地发生在水相中(均态过程)，其他则发生在水相和固相中(多相过程)。无机过程可能包括水相复合体、矿物质沉淀/分解、表面复合、离子交换和氧化/还原。有机过程包括吸附、降解和生物量的增长与衰减。

Rubin(1983)在一篇具有划时代意义的论文中，提出了更具普遍性的分类，将所有的反应分为三类。A 类，区分反应的时间尺度，将反应分为"充分快"且可逆和"不充分快"且不可逆两组。在 B 类中，这两组也被分成均相作用和多相作用。C 类是将所有的多相反应细分为表面反应和经典反应。Rubin(1983)表示这种分类对于发展能够解决反应输移问题的数学框架非常必要。由此，图 5-1 中任何反应都可以被分类。"充分快"的定义是依托于局部平衡假设(1983)。若要使局部平衡假设在作用过程中有效，与系统中改变溶质浓度的其他作用相比，其反应速率必须较高(其他作用包括水平对流、弥散、边界条件的改变)。局部平衡假设还不够完善，但却很实用，其有效性问题在解决反应输移时可被忽略。有许多研究人员都曾试图追溯那些为局部平衡假设有效性限定条件并使其有意义的标准的起源(Valocchi,1985，1986，1988，1989；Jennings 和 Kirkner，1984；Jennings,1987；Bahr 和 Rubin,1987;Bahr,1990)。

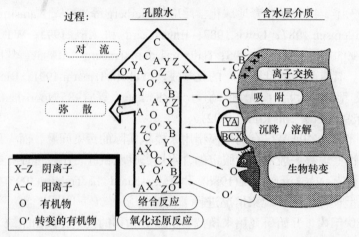

图 5-1　孔隙水的反应过程

相对于根据是有机还是无机反应而制定的分类，A 类的分类更具普遍性。有机和无机过程很难区分，例如，有机化合物氧化或二价铁生成氧化铁可能是生物作用，也可能是非生物作用。然而在过去，大部分的无机过程被描述为"快的"反应，有机过程被描述为"慢的"反应。在本章接下来的部分，将继续讨论有机与无机过程的区别。

通常在模拟无机反应时，一般使用局部平衡假设。术语"地球化学"在这里描述为受平衡控制的无机反应。在两反应物(A 和 B)与产生的两生成物(C 和 D)之间的反应可写成下式

$$a\text{A}+b\text{B} \Leftrightarrow c\text{C}+d\text{D} \tag{5-1}$$

运用热力学原理，使用大量的反应方程式，可以用下面的等式描述这一反应

$$K = \frac{[\text{C}]^c[\text{D}]^d}{[\text{A}]^a[\text{B}]^b} \tag{5-2}$$

式中　K——平衡常数；

　　$[i]$——组分 i 的反应。

很容易得到像 K 那样合理而明确的常数，事实上，许多无机反应(水成络合和表面络合，离子交换)相当迅速；而其他反应可能很慢，例如黄铁矿的风化或非生物作用下硝酸盐的还原，这些反应需要一个动力学方程式，类似于在下面提出的方程式，但在此方程式中，略去了微生物的作用。

一般来说，局部平衡假设不适用于有机反应，生物降解过程用动力学控制方程描述。含水层中的细菌能促发一定的氧化还原作用，从被氧化组分的还原过程中，有机组分得到氧化。最近的研究表明，即使在洁净的含水层里，细菌的数量仍然相当高，一旦受到

来自例如填埋场渗滤液的污染，细菌受到刺激，就能够加速生长(Christensen 等,1994)。通常有三种不同的方法解释理想状态下细菌如何在多孔介质中生长，即严格宏观模型、微群体模型、生物膜模型(Baveye 和 Valocchi，1989)。第一种模型不对微孔细菌的分布和微观结构做任何假设而直接描述其特征；而后两种模型则包括类似于生物膜厚度之类的参数，这些参数在微米的量级上，描述了细菌如何侵入微孔。

依靠来自多孔介质的底层通量，细菌可逐渐形成或多或少依附在土壤颗粒上的生物膜(Rittman,1993)。填埋场附近可形成连续的生物膜，而在下游，细菌可能连接成被称作菌落的斑杂聚合体。最近，Zysset 等(1994b)推导出一个"宏观生物膜"的模型，他首先提出微观尺度上的问题，接着通过 REV(Representative Elemental Volume (Bear,1972))将其结合成整体，以获得宏观模型。生物量的增长可以影响孔隙率、水力传导度和分散度(Taylor 和 Jaffé，1990a,b,c,d；Vandevivere 等,1995)，过高的生物增长速率可能导致多孔介质孔隙堵塞。在这些条件下，应把流量和反应输移方程式结合起来。

微生物种群彼此之间很不同，每一种微生物都有特定的降解能力，一般来说，由于缺乏对每一种微生物增长和衰减机能的相关信息，所以不可能模拟所有微生物的作用。

有时把有机成分当作基质或电子供体，被还原的组分当作电子受体。基质本身可依附在土壤上，被称作土壤有机碳(SOC)，或被称作溶解有机碳(DOC)。SOC 和 DOC 涵盖了多种有机成分的大部分参数(Christensen 等,1994)。电子受体可能也数目众多，DOC的生物降解作用频繁地发生在氧化还原序列里(Christensen 等,1994)，电子受体可以与水相物质(O_2、NO_3^- 和 SO_3^{2-})和固相物质(Fe 和 Mn 的氧化物)相结合。

由于有关不同生物量、有机成分、电子受体的降解参数等信息通常不易得到，模型试图将重点放在使用某种有效降解参数上。生物降解通常是一种缓慢的反应，必须用一个动力学类型的速率方程来描述。现已提出了几个经验方程，包括零级方程、一级方程、Michaelis-Menten 方程和 Monod 方程,参看 Alexander 和 Scow(1989)关于生物降解动力学方面的评论文章。Monod 方程的一般形式如下

$$\mu = \mu_{max}(\frac{S}{K_s + S}) \tag{5-3}$$

式中，特定增长速率 μ 是最大增长速率 μ_{max}、基质浓度 S 及半饱和常数 K_s 的函数。Michaelis-Menten 和 Monod 方程是使用最广的速率表达式，因为它们都包括适用于低值 K_s 的零次方程和适用于高值 K_s 的一次方程。图 5-1 中描述的无机和有机过程彼此之间紧密相连。举例来说，有机物质的自然分解可以触发许多重要的无机反应，例如铁的氧化物、硫酸盐和硝酸盐的还原；产生的 CO_2 会影响包括碳酸盐矿物质在内的一些反应(Appelo 和 Postma,1993)。有关填埋物(Christensen 等，1994)和石油溢出物更为复杂的体系表明，为了弄清有机和无机组分的输移过程，需要考虑两组组分之间的相互作用，而现在仅研制出少数模型来协助完成这个任务(McNad 和 Narasimhan,1994、1995; Brun 等，1994)。

5.4 宏观反应输移方程(以 MIKE SHE 模型为例)

这里将介绍宏观反应输移方程的例子，以说明两种主要的作用过程：地球化学作用

和生物降解作用。现已将这两种作用过程结合到 MIKE-SHE 模型中(VKI,1994,1995)。这里将用此模型的框架作为一个例子。

5.4.1 地球化学作用

Rubin 等人已经详述了适合地球化学输移系统的基本反应方程的产生过程。因此，下面将简要介绍控制方程。

被考虑的地球化学作用包括水成络合、离子交换和无机矿物质的沉淀/溶解。氧化还原反应可以被当作络合反应或无机物反应，在本节的最后部分，将描述氧化还原作用是如何联合反应的。

框图 1 表明了三种地球化学作用的简要明确的公式表达，参看第 9 章的符号解释。这些公式类似于方程式(5-1)和式(5-2)。在高度浓缩的溶液中，必须使用组分的活度代替浓度(Appelo 和 Postma,1993)。一般来说，假定水力特性不随地球化学作用而改变。无机矿物质溶解可以改变孔隙率和水力传导系数，然而这些改变一般是发生在地质学的时间尺度上(数千年)才能对多数自然环境和已污染的环境起到作用(Sanford 和 Konikow,1989)。因此，此类影响一般可被忽略。

为了建立描述化学反应的数学表达形式，组分的子集必须被选作成分，所有其他的离子(c_j)、络合物(x_j)、可交换的组分(s_j)和无机矿物质(p_k)都可以从这些成分中产生。这些成分可被选作游离组分(例如 Ca^{2+}、Mg^{2+} 和 SO_4^{2-})，它们正在构建可构造其他组分的单元，例如络合物 $CaSO_4$、无机物 $CaCO_3$ 或者交换组分 $Ca-X_2$。

过程	公式	平衡常数	
复合：	$\displaystyle\sum_{j=1}^{N_c} A_{ij}\hat{c}_j \Leftrightarrow \hat{x}_i$	$K_i = x_i / \displaystyle\prod_{j=1}^{N_c} c_j^{\,A_{ij}}$	$i=1,\ 2,\ \ldots,\ N_x$
离子交换：	$z_1\hat{s}_j + z_j\hat{c}_1^{\,z_1} \Leftrightarrow z_j\hat{s}_1 + z_1\hat{c}_j^{\,z_j}$	$K_{GT} = \left[\dfrac{f_1}{c_1}\right]^{z_j}\left[\dfrac{c_j}{f_j}\right]^{z_1}$	$j=2,\ 3,\ \ldots,\ N_s$
无机物分解：	$\hat{p}_k \Leftrightarrow \displaystyle\sum_{j=1}^{N_c} B_{kj}\hat{c}_j$	$K_k^{\,s} \geq \displaystyle\prod_{j=1}^{N_c} c_j^{\,B_{kj}}$	$k=1,\ 2,\ \ldots,\ N_p$

框图 1   平衡过程的数学表达式

基本的反应输移方程如下

$$\frac{\partial}{\partial t}\left(c_j + \sum_{i=1}^{N_x} A_{ij}x_i\right) - L\left(c_j + \sum_{i=1}^{N_x} A_{ij}x_i\right) + \frac{\rho}{\theta}\left(\frac{\partial s_j}{\partial t} + \sum_{k=1}^{N_p} B_{kj}\frac{\partial p_k}{\partial t}\right) = 0 \quad j=1,\ 2,\ \cdots,\ N_c \quad (5\text{-}4)$$

$L()$ 是水平对流扩散算子，由下式计算确定

$$L(c) = \nabla \cdot D \cdot \nabla c - v \cdot \nabla c \tag{5-5}$$

水合成分总浓度 u_j

$$u_j = c_j + \sum_{i=1}^{N_x} A_{ij} X_i \qquad (5\text{-}6)$$

也就是说，每种成分的大部分在水相中。把公式(5-6)代入公式(5-4)得

$$\frac{\partial u_j}{\partial t} + L(u_j) = -\frac{\rho}{\theta}\left(\frac{\partial s}{\partial t} + \sum_{k=1}^{N_p} B_{kj}\frac{\partial p}{\partial t}\right) \qquad (5\text{-}7)$$

这三个临时的派生词都是容量术语，即反映了两相中物质存储方面的变化。因其从水相中去除物质或在水相中增加物质，用于说明交换和无机成分的容量术语经常被看做源沉降术语。总成分浓度(水相和固相每种成分的总质量)经过适当的修正(5-7)以后，可代替 u_j 使用(参看 Kirkner 和 Reeves，1998；Yeh 和 Tripathi，1989)。

由于氧化还原反应涉及氧气，所以针对氧化还原作用提出了一个问题。原则上可以像上面一样继续下去，将氧气限定为一种成分，像方程式(5-7)那样阐明反应输移方程。水(H_2O)将被看做络合物。然而，由于水的摩尔质量很高，且变化很小，几乎为常数，所以当针对氧气解答方程式(5-7)时，由地球化学引起的氧气浓度的变化会很不明显。那时，大量误差将对化学溶液的分析产生巨大影响。由 Engesgaard 和 Kipp(1992)描述了许多其他方法。在这里除一种包含价态守恒被称作内部方法(Liu 和 Narasimhan 1989)外，其他方法都不被讨论。氧化还原反应包括价态的改变(例如将二价铁氧化为三价铁)，但没有电子或化学离子价会在作为一个整体的系统中丢失。系统中整体的运算价态或氧化还原态可被定义为

$$R_s = \sum_{i=1}^{N_c+N_x} V_i m_i \qquad (5\text{-}8)$$

方程式中每种组分被给予一个运算价态 V_i，所以氧化还原相 R_s 在水相中是聚合化合价。当考虑到有固相损失时，这种特性必须得到保存。除了介绍 R_s 的质量守恒外，必须也将电子(e^-)定义为一个成分，同时也假定水的摩尔质量是常数，以使任何氧化还原反应都可限定在这个成分的基础上。氧化还原状态是一种可传送的特性，一个类似于方程式(5-7)的反应输移方程可写成下式

$$\frac{\partial R_s}{\partial t} - L(R_s) + \frac{\rho}{\theta}\left(\sum_{j=1}^{N_s} V_{s,j}\frac{\partial s_j}{\partial t} + \sum_{k=1}^{N_p} V_{p,k}\frac{\partial p_k}{\partial t}\right) = 0 \qquad (5\text{-}9)$$

根据 R_s 的初始和边界条件的定义，氧化和还原溶液的变化可得到详细说明。

5.4.2　生物降解作用

Baveye 和 Valocchi(1989)、Kindred 和 Celia(1989)、Kinzelbach 等(1991),以及 Zysset 等(1994b)已经给出了生物降解的基本反应输移方程的产生过程。

何时将有生物降解作用的输移系统概念化，其主要的问题是：①应包括多少有机物基质、多少电子受体和多少生物量；②应如何考虑微观尺度下生物量的分布；③应使用何种动力学方程式来描述生物降解。

MIKE SHE 生物降解模型将溶解相或固相中的一种基质代表性地当作一种体积参

数。能处理两种溶解的电子受体(例如 O_2 和 NO_3^-)和一种类型的生物量(体积参数)。此模型是基于多孔介质中生物量"绝对宏观"概念化的基础上的，因而在生物量的微观构造上不需要数据。与乘法有关的 Michaelis-Menten 方程可用来说明生物降解，方程式为

$$\frac{\mathrm{d}S}{\mathrm{d}t} = -kB \frac{A}{K_A + A} \frac{S}{K_s + S} \tag{5-10}$$

用这些假设，生物降解模型能像框图 2 中表示的那样用公式表达。框图 2 给出了生物量(B)增长的净速率在增长(与基质变化的累积系数乘以产量系数成比例)与首次死亡率之间的不同。

$$\frac{\mathrm{d}S}{\mathrm{d}t} = \sum_{i=1}^{2} R_i = \sum_{i=1}^{2} -k_i B \left(\frac{A_i}{K_i + A_i} \right) \left(\frac{S}{K_{s,i} + S} \right)$$

$$\frac{\mathrm{d}A_i}{\mathrm{d}t} = R_i F_i \qquad i = 1, \ 2$$

$$\frac{\mathrm{d}B}{\mathrm{d}t} = \left(\sum_{i=1}^{2} -Y_i R_i \right) - \mu_d B$$

框图2　生物降解作用的数学表达式

跟以前的类似，反应输移方程以相同的方式用公式表达出来，只是现在为每一种组分建立了相应的方程。对于生物降解，出现在方程中的容量和速率术语由框图 2 中的方程来定义。

5.4.3 地球化学和生物降解综合作用

地球化学和生物降解综合模型在初期主要是静态模拟。McNab 和 Narasimhan(1994,1995)，Brun 等(1994)和 Griffioen 等(1995)使用了相同的整体模拟方法，分别利用公式表达地球化学和生物降解作用，并通过详述发生了何种有机过程来说明二者之间的联系。Griffioen 等人提供的实例将在 5.6 节中进行说明。

5.5　数值解法

为解决反应输移问题，这里不可能对普遍应用的数值程序给出详尽的描述。Kirkner 和 Reeves(1998)，Yeh 和 Tripathi(1989)，以及 Rubin(1990)已经总结了输移和反应同时发生(主要是地球化学方面)的各种方法。Reeves 和 Kirkner(1988)，Herzer 和 Kinzelbach(1989)，Valocchi 和 Malmastead(1992)，Kaluarachchi 和 Morshed(1995)，Morshed 和 Kaluarachchi(1995)，以及 Engesgaard 等(1995)也研究了一些更为常用的含有数值误差的方法。

对于伴随着多组分和多作用的二维或三维问题，解答方程组系统的惟一可行的方法是，将解答过程分为两步：解输移方程，解反应方程。这种方法就是著名的算子分离(OS)法。算子分离法可以是迭代型或非迭代型，可以用于解决结合了地球化学或生物降解作

用的输移问题。

其中，非迭代性算子分离法避免了解输移和反应方程的重复计算。最近这种算法又受到了格外的关注(Herzer 和 Kinzelbach,1989; Valocchi 和 Malmstead,1992; Kaluarachchi 和 Morshed,1995; Morshed 和 Kaluarachchi,1995; Engesgaard 等,1995)。然而，数值解法在两方面会受到影响：涉及地球化学作用则有数值离差问题，涉及生物降解作用则有质量守恒问题。

对于生物降解(或者动力学反应)，Valocchi 和 Malmstead (1992)、Kaluarachchi 和 Morshed(1995)、Morshed 和 Kaluarachchi(1995)曾阐明非迭代性算子分离法将有一个是 $\mu \Delta t$ 函数的内在质量守恒问题，并提出了一个交互式的方案：第一步，先解输移方程再解反应方程；第二步，计算的顺序和第一步相反。这一方案将减少质量守恒的误差。

算子分离法中将解输移和反应方程结合起来是惟一可行的，也是非常灵活的，这有可能促使现有的输移和反应模型的结合。正如在 5.1 节中所描述的那样，近年来这种方法已得到广泛应用，数值技术也可得到应用。

5.6 实例研究

5.6.1 垃圾场的地下水污染

本例出自 Engesgaard 和 Traberg(1995)。图 5-2 表示三股污水顺流而下到达一个垃圾残余场。由于受渗滤液的污染，Cl^- 和 K^+ 的浓度很高，K^+ 的羽流速度比 Cl^- 慢。地下水中 Ca^{2+} 的浓度比渗滤液中的高，Ca^{2+} 源一定存在于含水层中。运用离子交换机制来解释这些观测资料，并在站点进行渗滤液和土壤采样，解释结论已被采样的土柱试验所证实(Kjeldsen,1983)。据推测在 1977~1980 年的某一年中，垃圾场产生漫流，污染也就产生了，并在 1981 年年初进行了治理。随着的发展，可进行一维土柱模拟试验(以从某种校准中获得与地球化学相关的常数)，并可进行污染物二维输移模拟。这里只介绍地球化学输移模型在实际中的应用情况。

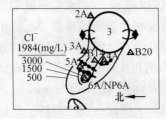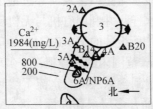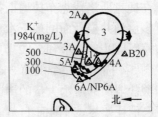

图 5-2 下游垃圾场 3 号处的 Cl^-、K^+ 和 Ca^{2+} 羽流

从 1977 年出现漫流开始，井 5A 和 6A 都大致处于污染羽的纵向方位，Cl^- 的穿透曲线图(BTCs)和一些反应成分如图 5-3 所示。井 5A 中，除进行治理的第四年外，其余年份观测资料和模拟值吻合较好。井 6A 中，不同组分模拟值与观测值的吻合情况有所不同。模拟所得到的 Cl^- 穿透曲线的变化几乎比观测值滞后一年。从井 5A 中的穿透曲线可

以看出，Na^+、K^+和NH_4^+穿透曲线与Cl^-相比，其滞后效应并不显著，这是因为阳离子组分的入口浓度较高。Na^+、K^+和NH_4^+的入口摩尔浓度要比离子交换能力高得多(CEC)。在进行治理以前，忽略了组分在地下水与固相物质中的交换量。治理去除了将近一半的污染物，导致含水层离子浓度降低，同时，阻止了来自垃圾场的漫流。随着浓度的降低，必须考虑固相物质中的损失量，从井 5A 移动到 6A 的反应污染物羽流受离子交换作用的影响。在观测资料中可以很清楚地看到 K^+ 适合这些情况，某种情况下也适合 NH_4^+。

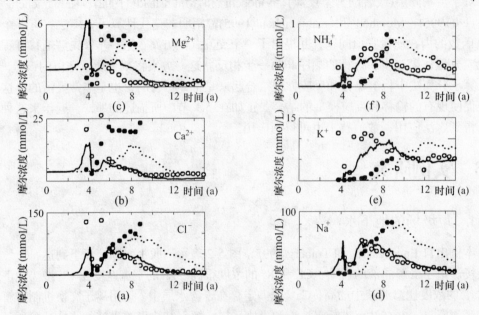

图 5-3　5A 和 6A 井孔的穿透曲线

这一位置的反应输移最初完全由输移所控制，后来由离子交换和输移共同控制。这些观测数据对于有效治理方案的设计具有决定性作用。

5.6.2　流域地下水水质

在捷克斯洛伐克布拉迪斯拉发城正南多瑙河邻近地区进行的地下水水质研究中，采用了多层涌井横断面的地下水水样，并利用有机与无机反应相结合的输移模型。这里所说的模型是以 5.4.1 节和 5.4.2 节中所记述的 MIKE SHE 地球化学和生物降解模型为基础的。

图 5-4 描述了一个剖面 2 km 范围内的环境概况。多瑙河再次补给含水层，含有机碳和硝酸盐溶质的河水大量的渗透到含水层中。水流下渗到多瑙河河底以下 10 m 处，氧气就已消耗殆尽。对剖面 11 个涌井多层采样进行分析，结果表明这一过程消耗了有机碳和硝酸盐，而产生了亚硝酸盐。因此，剖面中脱氮反应是可能发生的，微生物群落对此反应起了作用，而土壤有机碳在脱氮过程作用次之。在产生 NO_2 的同一地区，锰的浓度也很高，因此做下列假定：脱氮反应或碳/氮氧化还原循环与第二个锰/氮氧化还原循环相结合，同时被还原的氮组分依靠还原锰($Mn(Ⅲ)OOH_s$)得到氧化。

MIKE SHE 模型中地球化学、生物降解与氮的还原能力联系在一起，这种能力只是方程式(5-8)中总氧化还原反应的一部分。氮还原能力的消耗(由生物降解模型计算)将产

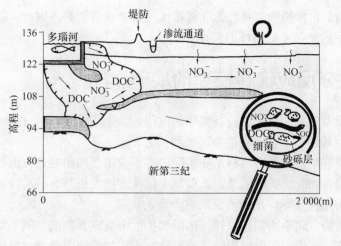

图 5-4　多瑙河交叉部分的示意图

生与锰酸盐之间的不平衡，而导致锰的溶解和氮组分的氧化，例如产生二氧化氮(由地球化学模型计算)。氮还原能力的消耗没有给出确切的氮组分的浓度，只给出了氮循环中价态的改变。通过使用地球化学模型来计算氮组分之间的假平衡，二氧化氮是一个中间产物，这需要改变热力学平衡常数来完成。

图 5-5 显示了模拟的一个例子，此例用来测试关于相互结合的氧化还原循环的假设。依靠比较已观测到的 DOC 羽流(来自河流)，来校准脱氮速率。硝酸盐在河流的临近地区被消耗掉，作为不完全脱氮反应的结果，产生了少量二氧化氮。锰酸盐的溶解导致了剖

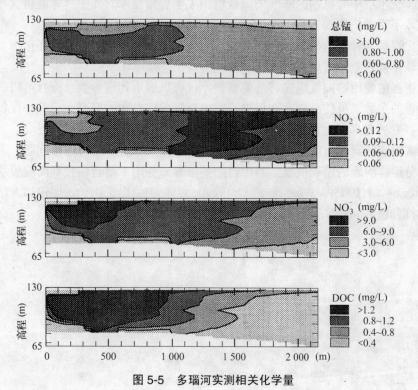

图 5-5　多瑙河实测相关化学量

面中锰浓度的增加。模拟的二氧化氮和锰浓度均符合观测资料。因此，这一模型可以支持关于相互联系的氧化还原循环的假设。

5.7　多组分反应输移模型的展望

反应输移模型未来的研究方向有实际的应用、反应的不均匀性、作用的确定和测量、无机与有机模型的结合、逆向模型方法、数值方法。

发展反应输移模型的最终目标是在实际中得到应用。然而在这方面的尝试非常少，地球化学模型尤其如此。庆幸的是，人们越来越注意把无机与有机系统紧密相结合在一起，这就要求必须在实际应用中测试所有类型的模型。

同物理参数的空间不均匀性一样，污染物扩散中反应参数的空间不均匀性可能也会扮演重要的角色。可应用随机反应输移模型研究不均匀系统中的简单反应，但反应过程简化会使模型在实际情况下缺乏可操作性。这些模型也是以解随机反应输移方程为基础的，因此可以直接结合反应参数的空间变化，或建立在 Monte Carlo 方法上。由此，对反应参数的几个特定领域，可以得出解反应输移方程的确定方法。

对于一个确定的流域尺度模型，反应输移方程的实际宏观范围一般为厘米至米。由于对介质微孔结构了解不够详尽以及计算上的约束，因此不能表述速度项中微孔尺度的变化。被预测的速度项是宏观的，任何未知的溶质扩散都被归结到分散系数中。如果这是模型的框架，那么反应过程也应该是宏观的。然而，反应过程经常要用微观基础来描述。例如，含水层中有机物的降解模型就借用了生物膜技术。而怎样才能将这些过程从微观孔隙水平提升到宏观水平上来，是亟待解决的问题。

最近出现了一种新的模型，特点是与有机无机输移模型相结合，但还很不成熟。其优点是承认不能孤立地看待有机和无机系统。

通过更多地使用逆向反应输移的模型，不仅可以确定物理参数，而且可以确定多组分反应过程的参数。虽然已知存在用来确定单组分反应参数的模型，但其中仅仅只有一小部分可以发展起来以适用多组分反应的需要(Rainwater,1987)。

要想解决实际问题，就应该有更有效和健全的方案来解决反应输移问题，需要能处理反应组分输移问题的精确模型，当中可能要抛弃一些用于结合输移和反应模块的经典方法。Kalatzis 等(1993)、Wolfsberg 和 Freyberg(1994)给出了例子，即输移方法是如何被修改成符合精度和效率需要的。

第6章 土壤侵蚀模型

6.1 引 言

发展中国家的土壤侵蚀问题不断加重，这一问题已引起了人们长期的关注。人口压力的增加、社会地位甚至是法律制度的不平等，导致了对不适宜耕作地区的开垦或不可持续的耕作制度，这与过度放牧一样，同为土壤侵蚀的主要原因。此外，降雨分布的不均匀也使得生态系统易受侵蚀的影响，尤其是在半干旱地区，降雨稀少使得良好的地表植被难以生成。在津巴布韦的广大农田和牧区，土壤平均侵蚀率分别为 50 t/(hm²·a)和 75 t/(hm²·a)，而该地区的土壤形成却非常缓慢，只有 400 kg/(hm²·a) (Whitlow，1998)。

此外，欧洲国家也逐渐意识到土壤侵蚀的危害性，尤其是在一些地中海国家和北欧的壤土、沙质壤土和沙土区土壤侵蚀危害更为严重。试验测得：比利时和英格兰的裸地土壤侵蚀率在 7~82 t/(hm²·a) (Bollinne，1978)和 10~45 t/(hm²·a)(Morgan，1985)范围之内，远远超出了 Evans 在 1981 年提出的北欧的土壤侵蚀最大阈值 1 t/(hm²·a)。

据 Oldeman(1992)估计，全世界有 24%的人类居住区受到人为土壤侵蚀的影响，其中北美占 12%、非洲占 27%、亚洲占 31%。

土壤侵蚀的危害是双重的。在侵蚀区，土壤下渗率、持水力及作物产量会随着有机物和营养物的流失而降低。大量的泥沙流失不但造成了水体质量下降、富营养化的增加，而且还大大缩短了水库的使用寿命。

为了能够正确地评价土壤侵蚀，几年来，我们在土壤模型方面做了许多研究工作。希望这些模型在下列领域能为我们提供帮助：

(1)评价各种环境中的土壤、营养物的流失以及泥沙输移。

(2)对土地利用进行合理规划，提供土地利用变化的信息，分析不同水土保护措施的效果。

(3)帮助我们更好地理解土壤侵蚀过程、单个过程的动态变化和相对重要性以及它们之间的相互关系。因此，模型的发展离不开侵蚀过程的研究，同时模型又是检验新研究成果的一个重要工具。

第一个土壤侵蚀模型是经验模型，现在人们的研究工作主要集中在对土壤侵蚀物理过程描述及其之间的相互影响上。与此同时，出现了一个发展趋势，即不同学科的科学家开展了积极的交流与合作，其中包括基础试验、理论研究和模拟。这使得模型不但可以评价不同过程的相对重要性和系统中不同影响因素的敏感性，而且还可用来发现研究问题的新思路。

本章主要研究水体汇入河网之前产生的侵蚀，主要对细沟和细沟间(片)侵蚀模拟进行阐述，而不包括沟壑侵蚀和滑坡。

6.2 节简要论述了各种类型的土壤侵蚀模型。从早期的简单经验数学模型，到最先进的分布式物理模型。考虑到不同的模型有不同的应用形式，因而我们需要对各种模型的数据输入条件及其优缺点进行简要的讨论。

其余章节详细描述了分布式土壤侵蚀物理模型，其中 6.3 节讨论了模型的发展，并重点介绍了土壤侵蚀的过程和变量，也对侵蚀模型和水文模型间的关联性以及与水文模型结合的必要条件也进行了讨论；6.4 节简要论述了分布式土壤侵蚀物理模型的建立、校准和验证；6.5 节介绍了一个应用 EUROSEM/MIKE SHE——分布式土壤侵蚀物理模型的例子；最后，6.6 节简要介绍了土壤侵蚀模型的局限性，以及物理模型在流域尺度上应用的前景以及模型的研究展望。

6.2　土壤侵蚀模型的分类

很早时人们就开始研究土壤侵蚀问题，而且建立了大量的复杂模型。同水文模型一样，土壤侵蚀模型从起始的简单经验模型如通用土壤流失方程 USLE(Wischmeier 和 Smith，1965)发展成现在的复杂物理模型，如欧洲土壤侵蚀模型 EUROSEM(Morgan 等，1995)。

一般而言，土壤侵蚀模型有三类，即经验模型、概念模型(或部分与经验模型结合)和物理模型。表 6-1 中列出了在这三类模型中最为常用的一些模型代表。

6.2.1　经验模型

绝大多数的经验模型以野外田块的试验数据为基础，应用统计学方法归纳总结的经验规律。通用土壤流失方程——USLE(Wischmeier 和 Smith，1965，1978)是第一个经验模型，也是知名度最高和应用最广泛的经验模型。目前，USLE 仍然得到广泛的应用，并进行了大量改进，如改进后的 USLE-RUSLE。USLE 用来预测一定坡度条件下小面积土地的年土壤流失量，RUSLE 基本保持了方程原来的结果和特点，其方程如下

$$A = R \cdot K \cdot L \cdot S \cdot C \cdot P \tag{6-1}$$

式中　A——土壤年侵蚀量；

R——降雨侵蚀力因子；

K——土壤可蚀性；

L——坡长；

S——坡度；

C——植被覆盖与管理因子；

P——土壤保持措施因子(Renard 等，1994)。

津巴布韦的 Elwell(1977)在野外试验的基础上，建立了一个与 USLE 相似的模型——SLEMSA(Soil Loss Estimation Model for Southern Africa)。

USLE/RUSLE 和其他经验模型的主要缺陷为：在与模型建立条件不同的区域的适用性问题。如将 USLE 应用于一个新的环境，需要大量的资源和时间投入，以建立驱动模型所需的数据库(Nearing 等，1994)。

虽然经验模型能够较合理地估算出某个田块的年土壤侵蚀量，但其对流域尺度的土壤侵蚀量估算的精度较差。经验模型不考虑泥沙在山坡低处的沉积，而这一环节恰恰对泥沙和污染物进入河流和水库的输移量有较大影响；经验模型可以估算年土壤流失量，不能用于研究土壤侵蚀的时间动态变化。经验模型对不同变量相对重要性及其在不同环境条件下的敏感性的分析能力较弱。基于以上讨论，我们可以发现：USLE 及其他一些经验模型具有概念上的缺陷，即将降雨和土壤因子简单相乘。而由于土壤下渗容量可以减少侵蚀性径流的产生，所以不能简单地将降雨和土壤因子简单相乘，而应考虑其相互作用。

为了克服上述问题，修正后的 USLE-MUSLE(Williams，1975)引入一个经验性的径流能量因子来代替降雨因子，使得该模型可以估算单次暴雨产生的土壤侵蚀量。

表 6-1　常用土壤侵蚀模型的名称和主要特征

模型名称	模型类型	应用范围	时间分辨率	空间分辨率	区分细沟/细沟间侵蚀	单次暴雨/连续	参考文献
USLE 和 RUSLE	经验模型	坡面	年土壤流失量	否	否	—	Wischmeier 和 Smith，1978；Renard 等，1994
SLEMSA	经验模型	垄间	年土壤流失量	否	否	—	Elwell，1978
ANSWERS	概念模型	流域	分布式	分布式(二维)	否	单次暴雨	Beasley 等，1980
CREAMS	概念模型	田块	暴雨侵蚀量	否	是	单次暴雨	USDA，1990
Calvin Rose	物理模型	平滑地面(如均一坡度)	分布式	分布式(一维)	否	单次暴雨	Rose 等，1983a，b
SEM	物理模型	流域	分布式	分布式(二维)	是(山坡)	单次暴雨(连续)	Nielsen 和 Styczen，1986；DHI 和 IoG，1992
WEPP	物理模型	坡面和流域	分布式	分布式(一维)分布式(二维)	是	连续	Lane 和 Nearing，1989
EUROSEM/KINEROS	物理模型	田块和子流域	分布式	分布式(二维)	是	单次暴雨	Morgan 等，1995
EUROSEM/MIKE SHE	物理模型	坡面和小流域	分布式	分布式(二维)	是	连续	DHI，1994
SHESED-UK	物理模型	小子流域	分布式	分布式(二维)	否	连续	Wicks 等，1992

6.2.2　概念模型

20 世纪 70 年代是概念模型的发展时期。人们为了解决经验模型应用中遇到的很多不足，提出并发展了大量的概念模型，这其中包括 CREAMS(USDA,1980)、ANSWERS(Beasley 等，1980)和修正后的 ANSWERS-MODANSW(Park 等，1982)。

概念模型介于经验模型和下面要讨论的物理模型之间。相对经验模型而言，其主要进步之处在于引进了质量和能量守恒定律。为描述土壤侵蚀和沉积的空间变化，模型运用了连续性方程并将研究区离散成一些元素(网格)。在每个元素(网格)中的土壤侵蚀和输移遵循 Meyer 和 Wischmeier(1969)提出的模型理论，即土壤侵蚀的输出量等于输入量与降雨—径流产生的泥沙侵蚀量之和，且输出总量不得超过降雨—径流的输移能力。就这些基本概念而言，概念模型与分布式物理模型很相似。

另一方面，概念模型应用了 USLE 中的某些因子，这些因子的物理意义并不十分明确。如 USLE 中采用了 C 和 K 因子来计算土壤流失总量，而不能够像 ANSWERS 和 MODANSW 模型一样，对单次暴雨过程的每个环节进行描述。相似地，CREAMS 模型对土壤侵蚀过程的描述并不完全准确，如土壤侵蚀量是以单场暴雨总量来计算，而泥沙输移却采用瞬时流速来计算。

综上所述，概念模型的主要缺点是缺乏对土壤侵蚀过程的物理描述，参数率定往往失真(Elliot 等，1994)。

6.2.3 物理模型

在最近十几年里，土壤侵蚀模拟工作主要集中在开发物理模型研究上。物理模型重在描述土壤侵蚀的物理机制，包括影响土壤侵蚀的绝大多数因子以及它们在时空上的变化，同时也对土壤侵蚀各子过程及其相互之间的复杂关系进行描述。

现有的土壤侵蚀物理模型主要有以下三个：①WEPP(USDA Water Erosion Predition Project) 主要以 USA(Lane 和 Nearing，1989；Nearing 等，1989) 的研究结果为基础；②EUROSEM(欧州土壤侵蚀模型)主要以近期欧洲的土壤侵蚀研究为基础(Morgan 等，1995)；③澳大利亚科学家建立的土壤侵蚀模型(Rose 等，1983a，b)。

虽然大多数物理模型的基本概念很相似，但它们与水文模型的结合方式以及模拟土壤侵蚀各子过程所采用的方程有很大不同。上述三个物理模型均考虑了细沟和细沟间侵蚀过程，细沟侵蚀被看做是径流侵蚀力、泥沙输移能力以及水流中已有泥沙负荷的函数。模型中采用多种泥沙输移能力方程和不同的细沟侵蚀产生的阈值，同样，细沟间的土壤侵蚀和泥沙输移也有不同的模拟方法。

对于土壤侵蚀物理模型而言，其物理基础是对土壤侵蚀的重要驱动力因子和坡面流输移过程的充分分布式模拟。这点非常重要，因为它能使模型更精确地描述细沟的发生和发展。

EUROSEM 模型是最新、最综合的分布式物理模型。模型包含了植被对截留和降雨能量的影响以及岩砾碎片对下渗、水流深度和溅蚀的影响，并考虑了土壤侵蚀和泥沙沉积对细沟形状的大小的影响(Morgan 等，1995)。

土壤侵蚀分布式物理模型与经验模型、概念模型相比有许多优点。由于这类模型不仅能够计算泥沙浓度在时间上的变化，而且还能计算其在空间上的变化，从而帮助我们识别有高度侵蚀危险的区域以及推算从田间尺度到流域尺度的土壤侵蚀量。此外，科学家们能够通过模型中的物理性描述去验证新的理论，同时借助灵敏度分析得出哪一个因子或哪一个侵蚀过程对于整个侵蚀过程来讲最为重要。因而，我们可以把这样的模型作为一种规划工具，发挥出它的更大潜能。

但是，还存在其他的一些因素限制了物理模型的广泛应用，如模型自身的复杂性、对输入数据的严格要求以及对计算机性能的要求。

6.3 物理模型的土壤侵蚀过程

6.3.1 侵蚀过程的模拟

在建模过程中需要描述一些土壤侵蚀过程，这在本章不作详细介绍。相对于水文物理模拟而言，土壤侵蚀物理模型现在仍处于早期的发展阶段，人们对其许多过程还不是很明了。下面将讨论关键的土壤侵蚀过程。

在欧洲土壤侵蚀模型 EUROSEM(Morgan 等, 1995)中描述了主要的土壤侵蚀过程和它们之间的相互关系，如图 6-1 所示。、

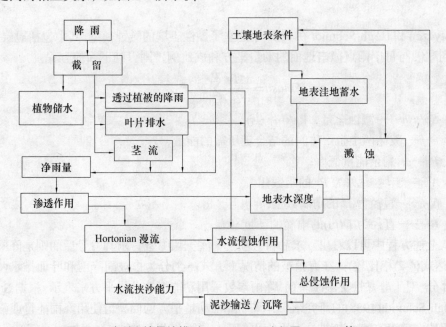

图 6-1 欧洲土壤侵蚀模型 EUROSEM 流程图 (Morgan 等,1995)

6.3.1.1 雨滴溅蚀

在模拟雨滴溅蚀的过程中，涉及到两个主要变量，一个是雨滴溅蚀土壤的能力(降雨侵蚀力)，另一个是土壤抵抗雨滴溅蚀的能力(土壤可蚀性)。另外，还有两个变量也必须考虑，一是植被覆盖度，它影响雨滴的直径和速率；二是地表水流深度，它可以减小(消除)降雨侵蚀力。

人们普遍认为，降雨是细沟间重要的侵蚀因素(Foster 等，1985)，因为大量雨水冲刷地表的速率(5 ~ 9 m/s)远远超出了径流速率(小于 1 m/s)(Meyer，1981)。现在大多数的溅蚀模型考虑了降雨能量、强度及动量因素的影响。Morgan 等在 1995 年提出了如下方程

$$DET = kKE\,e^{bh} \tag{6-2}$$

式中　DET——雨滴产生的土壤侵蚀，g/m^2；

　　　k——土壤可蚀性，g/J；

　　　KE——降雨在地表的总动能，J/m^2；

　　　h——地表水流深度，m；

　　　b——指数，取值范围为 0.9 ~ 3.1 (Torri 等，1987b)。

由于土壤参数难以获得，因此这些参数值通常由参数率定来确定。

在有植被的情况下，溅蚀模型会很复杂，要用到很多的不同的修正因子，如 USLE(Beasley 等，1980)中的 C 因子或者是由 Wischmeier(1975)定义的 C_I、C_{II}和 C_{III}因子。然而，这些修正因子通常都小于或等于 1，因此不能把它们用在由 Mosley、Morgan(1982)和 Morgan 等(1995)提出的情况，即有植被条件下发生击溅要比裸地条件下多。

Styczen 和 Høgh-Schmidt 在 1988 年建立了黏性土壤的溅蚀模型，其中包括冠层效应。考虑到溅蚀与每个雨点撞击地面的动量平方和成比例，则得到下面的方程

$$Splash = \frac{APr}{2\hat{e}} \sum_{i=0}^{D} N_D P_D \tag{6-3}$$

式中　$Splash$——溅蚀总量，$kg/(m^2 \cdot s)$；

　　　$\hat{e}$——破坏两个微聚体间的结合键所需的能量，J；

　　　Pr——剩余能量概率；

　　　A——土壤参数(为 Pr 的函数)；

　　　N_D——直径为 D 的雨滴数量；

　　　P_D——直径为 $D(m)$的雨滴的动量平方。

从上述方程中可以看出：求和符号前是一些土壤参数，求和符号后的则是降雨参数(与表达式(6-2)相比较)。在有植被的情况下，式(6-3)分为植被间降雨和叶面排水两个单独的部分。对于非黏性土壤($\hat{e}=0$)，降雨参数采用动能而非动量平方来表示。根据 Styczen 和 Høgh-Schmidt(1988)的研究结果，采用降雨动量平方的模型与使用降雨能量或强度的模型相比，前者在有无植被情况下能更好地与试验结果相吻合。

从方程式(6-3)可以看出，土壤可蚀性因子与土壤黏力之间存在着一定的相关性。土壤剪切力 τ_s，可能是表示这些力的最好的物理方式，如 Al-Durrah 和 Braford(1981，1982a, b)以及 Torri 等(1987b)发现，土壤剪切力和土壤侵蚀量之间存在很好的相关性。Bryan(1976)也发现溅蚀和土壤团聚体稳定性之间的相关性很好。由于缺乏资料，很难证明剪切力与土壤结构之间也存在相关性(Morgan 等，1991)。但这并不表示可以将可蚀性因子看做时间变量，同时可蚀性因子也没有考虑有机成分的重要性。另外，我们还需进行大量的研究工作，以正确地模拟剪切力随时间的变化过程(参见 6.3.1.4 节)。

许多研究表明，溅蚀会随着地表径流深度的增加而呈指数下降，如方程式(6-2)所示。但是，方程式(6-2)仅仅局限于平滑土壤表面，而在野外水流很少均匀分布。图 6-2 就很好地说明了这一点，两种土壤表面条件下的平均水深相同，但侵蚀速率可能有很大不同。

关于微地貌的详细描述可以帮助我们估计水流深度对溅蚀的影响。

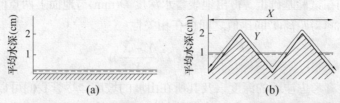

图 6-2　平均水流深度相同，击溅侵蚀效果不同的两个土壤表面

6.3.1.2　下渗条件和坡面流

由于坡面流是影响土壤侵蚀产生泥沙进行输移的主要因素，所以正确地描述坡面流的产生和路径分布的时空特征至关重要。

首先讨论下渗率。下渗率是坡面流产生过程中的一个最敏感的变量。当它和降雨强度的数量级相同时，这种敏感性表现得尤为突出，可以导致相当程度的失真。因此，为了准确模拟下渗，模型中必须包含一个模拟非饱和区的子模型以及大量的与饱和水力传导度和土壤持水曲线有关的详细数据。此外，其他一些因素如霜冻/解冻、地表岩石和结皮也会影响下渗率。

Horton 形式的坡面流是坡面流的一个重要形式，尤其是在热带环境中。而其他环境条件下则非如此，特别是温带地区，坡面流的主要形式是饱和坡面流。在湿润的有植被覆盖地区，土壤湿度沿着山坡向下趋于增大，靠近河流的地区更是如此(土壤湿度接近饱和)，这种土壤湿度分布的不均匀直接造成了坡面流产生的不均匀(Kirkby，1980)。因此，有关地下水位深度的时空变化信息以及对现有的半透水层或不透水层的描述，对于模拟饱和坡面流来讲非常重要。

寒温带地区的侵蚀，尤其是细沟侵蚀，通常是由部分冻土上的降雨或积雪融化后的径流引起的。这个过程很难详细模拟，因为该过程有很多的干扰因素，如由于局部风力和掩蔽条件的不同会引起积雪深度的大幅度变化。除此之外，干扰因素还包括解冻层的土壤深度和在冻结—解冻循环中的土壤剪切力估算。

从地质方面来考虑，土壤中的岩石碎块会减少土壤的有效孔隙度，加快土壤饱和速度。此外，地表的岩石碎块也会影响下渗率。因此，当我们在进行流域尺度模拟时，必须要考虑地表岩石裸露和不透水的硬质地层(例如居民区附近)，因为在这样的区域可能会导致局部地区土壤侵蚀加重。

土壤结皮会引起土壤水力传导度的迅速变化，因而在土壤易于结皮的地区进行土壤侵蚀模拟会遇到一些特殊的情况。根据 Bryan 和 Poesen(1989)所做的试验，在细沟和细沟间，尤其是受到结皮影响的区域，使用不同的下渗率很重要。一般而言，埋藏于地表以下的岩石会减小下渗率，相反，岩石露出地表则会保护土壤结构并提高下渗率(Poeseb 和 Ingelmo-Sanchez，1992；Poesen 等，1994)。考虑到雨滴溅蚀会对结皮发展产生影响继而影响到坡面流的水力传导度，我们可以在侵蚀模拟模型中增加一个土壤侵蚀模型和水文模型的反馈系统，这样就可以得到一个改进的土壤侵蚀模型。

土壤透水性和径流出现的时间受到地表蓄水容量的影响，而地表蓄水容量与其他因子一样由土壤类型、山坡坡度和类型以及特定的耕种方式决定。在平坦的坡耕地上，洼地蓄水量可以忽略不计；但在具有沿等高线方向上田垄的耕地上地表蓄水容量将会很大。Morgan 等(1995)在试验基础上，得出地表蓄水深度 D(mm)与地面上两点间的直线距离 X 和微地貌中实际测得距离 Y 的比值之间存在相关性

$$D = \exp(-6.6 + 27(\frac{Y - X}{Y})) \tag{6-4}$$

上述方程没有考虑洼地的深度以及其所在山坡的坡度。尽管我们可以得到不同土壤类型、坡度、耕作方式和耕作方向组合条件下的洼地蓄水容量的经验值，但要解决好洼地蓄水问题依然困难。

6.3.1.3　土壤表面条件和径流过程

地表径流受到微地貌不规则性的影响，同时微地貌又受到土壤保护措施、植被和土块/土壤聚集体的影响，继而引起地表径流的不均匀分布并影响到地表粗糙度。此外，由于微地貌在一年内变化很大，从而也使得径流过程更加复杂化。

描述地表径流 Q 和土壤侵蚀量 q_s 的基本方程分别是水流和土壤侵蚀产生泥沙的质量守恒方程。在 EUROSEM 模型(Morgan 等，1995)中，径流量和泥沙量的计算依据动态的质量守恒方程(Bennett，1974；Kirkby，1980；Woolhiser 等，1990)

$$\frac{\partial A}{\partial t} + \frac{\partial Q}{\partial x} = r(t) - i(t) \tag{6-5}$$

$$\frac{\partial AC}{\partial t} + \frac{\partial QC}{\partial x} - e(x,t) = q_s(x,t) \tag{6-6}$$

式中　A——过水断面面积，m^2；

Q——流量，m^3/s；

$r(t)$——细沟的降雨量形成的径流与减去坡面径流的拦截量后进入细沟的流量之和，m^2/s；

$i(t)$——土壤下渗率，m^2/s；

x——水平距离，m；

t——时间，s；

C——泥沙浓度，m^3/m^3；

e——单位长度径流的净侵蚀率，$m^3/(s \cdot m)$；

q_s——单位长度径流的外部泥沙输入量，$m^3/(s \cdot m)$，对于细沟间地径流而言，q_s 为零。

借助运动波(即 $Q = Av$)和有关水流速率的 Manning 方程，我们可以解出方程式(6-5)和式(6-6)。尽管有 Manning 提供的粗糙度经验值(Engan，1986)，但要想把方程式(6-5)和式(6-6)运用于实际仍然有很多困难。一旦这些野外条件发生变化，这些经验值的代表性也会受到置疑。大多数的试验数据是在实验室得到的，但 Emmett(1978)通过野外数据分析发现，野外田间试验小区的抗蚀力要比实验室条件下的高出 10 倍，而且耕作一年以上地区的地面粗糙度、土壤硬化和降雨量在时间上的巨大变化使得情况变得更加复杂。Savat(1980)发现，Manning 方程对薄层水流的摩擦系数估计偏低。

地表粗糙度的描述有多种方法，如 MIF 指数(Romkens 和 Wang，1986)等，但都只

能提供一些定性的结果。到目前为止，我们还不能够在没有径流实测数据的情况下，利用野外地表粗糙度的实测数据来准确预测水力粗糙度。但是，我们需要得到土壤表面粗糙度和水力粗糙度之间的关联性，同时得出一个预测地表条件随时间变化的模拟方法。

尽管有计算薄层坡面流的正确水力学公式，但是地表水流分布的不均匀性使得对坡面流的描述十分复杂。地表水流分布的不均匀性不仅影响水流的侵蚀和输移能力，而且还影响细沟的发生、发展、空间位置变化以及细沟和细沟间地的转化。

关于地表水流分布，有两个最重要的因素需要我们注意：一是地形，二是耕作方式。在一个坡度均匀一致的试验区，我们能够很容易地预测出地表水流的方向和分布；但是当集水区在不同方向上发生倾斜以及沿等高线或与山坡成一角度进行耕作时，水流路径会变得复杂起来。在这样的情况下，不但需要详细的微地貌和宏观地貌的数据输入，而且还需要一个能确定出水流在各方向上(而不仅仅是沿着主要的倾斜方向上)的路径模型。

假定在一个沿山坡耕种的区域内，能够表示垂直于水流方向的地表单位长度的高程分布频率的等高线(Styczen 和 Nielsen，1989)，可以用来量化洼地和细沟的水流深度。

当水流汇入细沟后，水流的侵蚀和输移能力都会大大增加。因此，对于细沟和细沟间地而言，正确演算细沟水流和细沟间水流路径是十分重要的。即使实测和模拟的流量过程线非常吻合，也不能说明对坡面流的描述肯定正确，因为细沟和细沟间地的路径很可能不对。对于正确模拟细沟和细沟间流的路径来说，一个能详细描述坡面流路径的水文模型是必需的(见 6.3.2 节)。

6.3.1.4 坡面流产生的土壤侵蚀和泥沙输移

人们普遍认为，在没有地表径流产生时土壤侵蚀率就会很小。当坡面流获得足够大的侵蚀能量时，严重的侵蚀问题就会随之而产生，甚至会带来细沟/切沟侵蚀。

目前水流侵蚀和泥沙输移依然是人们关心的问题，尽管两者之间存在联系，但还是有必要把它们区分开来。输移能力的定义起初是针对非黏性物质(即该类物质的剪切力相当低)而发展起来的。然而大多数土壤是黏性物质，有一定的剪切力。多数土壤不仅包含土壤颗粒，同时也含有或多或少的水稳性团聚体，这些团聚体在水体和物理作用的影响下会发生一定程度的分解。

如果仅考虑水流侵蚀，那么水流中的泥沙浓度由土壤侵蚀量(这一过程受到水流平均速率、剪切应力和土壤剪切力以及过水断面面积)和泥沙沉积量之间的平衡决定。由于泥沙最终浓度受到土壤剪切力的影响，所以如果是非黏性土壤，得到的结果可能会有所不同。实际上，除了水流侵蚀物外，还有溅蚀产生的泥沙，土壤侵蚀的这两种产生方式使得模型研究更加复杂。

Meyer 和 Wishmeier(1969)建议把每个点的水流侵蚀能力与其在该点的泥沙输移能力及实际输移速率进行比较，该点实际的净侵蚀率是其中的较小者。

$$\text{当 } C<TC \text{ 时} \quad \frac{\partial C}{\partial x}=D_c; \quad \text{当 } C\geqslant TC \text{ 时} \quad C=TC \tag{6-7}$$

式中　TC——泥沙输移能力；

　　　C——实际泥沙负荷；

　　　D_c——土壤侵蚀能力。

在 Foster 和 Meyer(1972)提出的替代方法中，净侵蚀率与实际泥沙负荷和泥沙输移能力负荷的差值有关，其方程如下

$$\frac{\partial C}{\partial x} = \frac{TC - C}{h} \qquad (6\text{-}8)$$

式中，TC、C 和 D_c 含义同前，h 取决于其他的变量。

由于净侵蚀率反映了土壤侵蚀和泥沙沉积过程间的一种平衡，所以在多数土壤侵蚀物理模型中使用了方程式(6-8)(Line 和 Nearing，1989；Morgan 等，1995)。但如果我们不能对侵蚀和沉积过程进行正确描述的话，物理含义就很难得到正确的理解。

Torri 和 Borselli(1991)以下列假设为基础，提出了目前最具说服力的关于泥沙浓度是土壤侵蚀和泥沙沉积之间平衡的物理描述，其假设条件为：①随着泥沙负荷的增加，水力粗糙度降低；②坡面流的侵蚀能力与水和泥沙混合流体中水体所产生的边界剪切力成正比关系；③泥沙的沉积作用遵循 Stokes 运动定律(薄层水流中的颗粒物能否达到最终速度仍在讨论中)。

上述理论已被证明为继 Govers(1990)提出的输移方程之后，对客观物理世界的很好描述。其公式如下

$$TC = c(\omega - \omega_{cr})^{\eta} \qquad (6\text{-}9)$$

式中　ω——水流能量，$\omega = us$，其中 u 为流速(cm/s)、s 为坡度；

　　　　ω_{cr}——单位水流能量临界值，取 0.4cm/s；

　　　　c、η——取决于粒子尺度的试验推导系数；

　　　　TC 含义同前。

该运算方法与计算初始细沟侵蚀的经验方程相似，可以将剪切流速率和剪切力结合考虑(Rauws 和 Govers，1988)。Torri 和 Boreselli(1991)提出的理论，旨在把物理描述和经验结果相结合，这为薄层坡面流的水流侵蚀和输移过程的理解提供了较好的基础。

薄层坡面流输移能力方程发展至今，有一些"经典"的河道径流输移能力方程被采用，其中包括 Engelund-Hansen(Engelund 和 Hansen，1967)和 Yalin(Yalin，1963)。

遵循平衡方法，溅蚀作用产生的泥沙使得水流中的泥沙浓度增加，依据相同的原理，泥沙也会发生沉积。采用方程式(6-7)的模型，泥沙沉积是一次性的而不是一个逐步发展的过程，因为对非黏性土壤而言，我们假设泥沙浓度不超过水流输移能力。但是，这一输移能力仅由水流侵蚀决定且没有考虑由其他过程产生的侵蚀物，也没有考虑水流能量的消耗。

在模拟过程中要区分土壤颗粒和团聚体的沉积速率，只使用一个 d_{50} 值可能会导致模拟过程的不稳定，因为水流输移能力的减小可能会使泥沙沉积速率急剧增加。此外，还有一些问题值得探讨：在由地表不规则形状造成的坡面紊流中应用 Stoke 定律计算泥沙沉积速率是否符合实际；在团聚体平均直径大于坡面流深度的情况下，如何处理水流和泥沙输移。由于 Torri 和 Boreslli(1991)将有效剪切应力看做是水力半径减去沉积物直径的一个函数来计算有效剪切力，因此这些方程只适用于泥沙直径小于水深的情况。

由于土壤黏性和其自身重力，土壤颗粒不能随意移动(Torri 和 Boreslli，1991)。在一些方程中，这一因素的影响通过一个系数 β 来体现侵蚀速率的变化，β 随土壤剪切力的

增大而减小。

　　然而，由于土壤含水量、耕作方式、植物根系、土壤硬化等的影响，土壤剪切力是随时间变化的。此外，在湿润的情况下，土壤剪切力的变化很快。表 6-2 清晰地反映出在湿润和干燥情况下土壤剪切力的动力学本质，但其中不包含耕种方式和植物根系等因素的影响，否则图表内容会更加复杂。在降雨过程中，土壤初始含水量和土壤类型也会对剪切力产生影响，例如沙地土壤在湿润条件下其剪切力会发生很大变化(Andersen 和 Lorup，1991)。此外，Gover 等(1990)还发现饱和土壤的剪切力与可蚀性之间存在着很好的相关性。

表 6-2　坡面流停止后，在具有不同有机物(SOM)含量的土壤中测出的剪切力数值

土壤类型	坡面流停止 15 min 后的剪切力(kPa)	坡面流停止 16 h 后的剪切力(kPa)	坡面流停止 7 d 后的剪切力(kPa)
壤质沙土(1.34%SOM)	0.20	1.55	2.49
沙质壤土(2.34%SOM)	1.10	1.95	2.82
沙质壤土(2.34%SOM)	0.50	1.52	2.10
筛网孔径<2 mm			

　　对剪切力及其变化的物理描述考虑不够，是目前土壤侵蚀模拟的主要限制条件。通过使用连续模型，将土壤含水量、根系发展及耕作时间等因素综合起来模拟剪切力的变化，需要我们对剪切力的动力学本质有一个深刻的理解。从长远看，模型开发人员只能通过连续模型来预测这些参数值的重大变化，Wicks 等(1992)所做的模拟工作表明，这是未来模型发展的方向和趋势。

　　由于以前大多数工作的研究对象是非黏性土壤，所以得到的一些结论有可能不适合黏性土壤。一般来说，土壤的主要成分为颗粒团聚体，干(湿)密度低于 2 g/cm^3，平均直径是 d_{50} 数值的许多倍。当土壤湿容重从 2.65 g/cm^3 减小到 2 g/cm^3，这也就意味着屏蔽参数 θ 值将会增加 60%。

6.3.1.5　细沟发生、发展的描述

　　总体而言，细沟侵蚀和泥沙输移符合 6.3.1.4 节中提出的规律：细沟中的水流比较集中，流速也较大，所以导致它的侵蚀率一般也很大。

　　我们要特别注意细沟产生、溯源侵蚀、沟壁倒塌以及细沟轨迹变化这一系列动态过程。只有当水流的剪切应力大到足以将沿着山坡在固定点移动的"所有"土壤颗粒去除的时候，细沟才会产生。Rauws 和 Govers(1988)总结了如下经验公式

$$U_{gcr}=0.89+0.56c \tag{6-10}$$

式中　U_{gcr}——水流的临界剪切速率，cm/s；

　　　　C——土壤表面黏合力，kPa。

　　此外，我们还可以通过其他一些方法来确定水流临界剪切速率，如假设 τ_0/τ_s 大于一个特定的常量，τ_0 是水流剪切应力，τ_s 是土壤表层的剪切力(Torri 等，1987a)。在有植被的情况下，把 $\tau_{0*}v/\tau_s$ 作为评价指标效果会更好，因为水流深度随着地表粗糙度的增加而增加。

Styczen 和 Nielsen(1989)把溯源侵蚀看成是水流切割沟头过程中潜在释放能量的一个函数，它与给定时间内的水体总质量和水流下落前平均流速的乘积成正比，与沟头的稳定性成反比(De Ploey，1989)。

在细沟径流的剪切应力中有一个特定部分作用于沟壁，于是形成沟壁侵蚀。如果发生淘槽作用，那么沟壁的上层部分可能就会坍塌，从而向水流提供大量的易侵蚀物质。通过分析细沟发生和发展的试验结果，可以得出：在黏性小的沙质土壤上，沟壁很容易坍塌而且形成的细沟趋于浅而宽；相反，黏性土壤上的细沟则相对较深、较窄。

细沟轨迹由谷底坡度及与其所在山坡的坡度来决定(Styczen 和 Nielsen，1989)。当谷底比山坡平坦时，细沟外部的水流输移能力大于其内水流的输移能力，细沟坡度就会增加，直到其坡度与山坡坡度相等为止，在细沟发展的同时也造成了连续性的土壤侵蚀。

根据建立在上述基础上的细沟模型(DHI 和 IoG，1992)，我们可以发现：细沟终点很容易被定义，且一旦确定就不随模拟时间而变化；但细沟宽度则不同，它是模拟时间的函数，当细沟变宽，其发展速度也就相应变慢，因为水流深度降低，作用在沟壁上的压力变小。此外，细沟深度决定于溯源侵蚀(和沟壁倒塌)的速度，因为这两个过程决定了谷底的净侵蚀率。

现在，大多数模型在进行模拟之前就已经预先定义了细沟/洼地，而不是在模拟过程中描述其发生。特别是对农业用地，这么做有一定的道理，因为水体的流动方式在很大程度上受制于田间耕种方式，这样水流的空间和方向都较容易描述。但关键问题是水文模型能否描述水体流动形式、区域内确定点的水流汇合以及水流切割作用。也许可以在剪切应力、剪切力或相似参数分布状况的基础上，应用等高线或细沟发生概率统计参数来描述细沟的发生。

6.3.2　与水文模型的耦合

在建立土壤侵蚀预测模型之前，农业科学家仅仅把土壤侵蚀看做与农业生产相关的一个问题来考虑，因而他们与水文学家之间很少开展合作，纯粹依靠他们自身的丰富经验，建立起独立于水文模型并与之平行发展的土壤侵蚀模型。到了 20 世纪 70 年代，人们开始关注概念模型的发展，并认为土壤侵蚀是造成水体污染的一个潜在因素，于是人们就试着把水文模型与土壤侵蚀模型结合起来，同时也不断加强各学科间的相互合作。可以看出这种模型间的耦合是当前模型的发展方向，同时应用适当的水文模型来解决土壤侵蚀模拟问题也变得更加重要。

建立土壤侵蚀物理模型的一个主要目标就是要描述在自然环境中的各种侵蚀过程。这就要求必须有这样一种模型能够与执行同样目的的水文模型相互耦合。例如，一个可以详细描述水流时空变化的水文模型。如果在模拟的和观测的流量过程线之间缺乏良好的一致性，那么即使土壤侵蚀/沉积的模拟值和观测值之间存在较好的一致性也不能说明模型的预测结果有很高的可信度。

由于需要详细描述坡面流以及模拟细沟地貌的发展，所以建立的模型必须可以通过栅格方式来处理问题，栅格尺度最好小于几米，而且要求该模型能在很短的时间间隔内运行。

此外，水文模型必须是连续性的，且具有所谓"热启动"的功能，也就是说，该模型可以将以前模型运行所获取的参数运用到现在所需要模拟的事件中。比"热启动"更重要的是，水文模型可以对整个需要模拟的时间段进行连续模拟，这样就可以识别能够产生较大坡面流和土壤侵蚀的主要降雨事件。此外，模拟结果可以为水文—土壤侵蚀耦合模型提供输入参数，如土壤含水量等。这些参数如果没有水文模型提供，则必须由野外田间试验获取，以作为土壤侵蚀模型的输入。

由于土壤侵蚀模拟要求对坡面流的描述比通常的水文模拟更详细，所以建立水文—土壤侵蚀耦合模型时，应对现有的水文模型就坡面流描述模块进行一定的修正。

对沟蚀和片蚀分别进行模拟，需要有细沟间和细沟水流路径的分别模拟，包括水流由细沟间地到细沟的演算路径模拟。由于耕种方向可能会与山坡坡向相交或者成一定角度，而不与坡向一致，所以水文模型必须要包括一个表层二维描述模块。否则，将会严重限制模型的应用范围。

细沟间与细沟水流形式以及它们互相影响的方式不同，是应用于土壤侵蚀模拟的水文模型所面临的重要挑战。

6.4 土壤侵蚀模型的建立、校准和验证

6.4.1 总体考虑

土壤侵蚀模型化是一项复杂的研究工作，它需要对特定区域内不同的水文和土壤侵蚀过程有透彻的理解，其中包括一般的和特殊的数据描述。我们把 Refsgaard 简述的建模草案(第 2 章)作为建模过程的一个指导方针和标准术语规范。

建模第一步是定义模型的应用目的。简单地说，确定使用物理侵蚀模型的两类用户(Quinton,1994)为野外试验人员和决策者、研究人员。下面列举了他们各自不同的应用目的：

(1)检验可选择的理论描述并以此来提高对物理过程的理解水平(研究人员)。

(2)根据应用尺度(田块、山坡、流域)、土壤和地质情况、土地利用状况以及水文气象信息来检验模型的有效应用尺度。这对于避免模型尺度问题所导致的错误是非常重要的(研究人员和野外试验人员/决策者)。

(3)预测土壤侵蚀/沉积量以及在特定位置上采取水土保持的管理措施的效果(野外试验人员/决策者)。

6.4.2 概念框架的确立及模型代码的选择

第二步是建立概念模型—建模框架。其中包括确定模型中需要包含的一些关键过程。这些过程以及它们的细节程度取决于特定的研究区域内对各种过程的相对重要性估计、需要的精度、已有的数据以及特定的研究目的。在这一步中，通过获取的信息来检验概念模型是否能够很好地描述自然系统，这点很重要。

在概念模型的模型化过程中，需要选择恰当的模型代码。就此而论，选择一个可以描述概念模型过程的代码是十分重要的。例如，如果研究区是饱和坡面流区，那么尽量不要用只能描述 Hortonian 坡面流模型的代码；同样，如果一个模型代码不能描述细沟

侵蚀，那它就不能用在以细沟侵蚀为主的区域。通常，我们会在现成的代码中选择一个合适的代码。但有时，也会开发与项目有关的新代码或修改代码，这同样很重要。在某些情况下，我们还需要校正新代码，即检验它们在给定条件下提供精度适当的近似解的水平。

6.4.3 模型构建

模型构建包括收集数据、选择合适的模型结构、估算参数值、定义模型的边界和内部离散化。应用土壤侵蚀分布式物理模型的一个主要困难就是需要收集大量的数据。由于所有模型的栅格所需的所有参数不可能达到理想的数据要求，所以参数值估算的主要部分将不得不通过二级信息来完成，如绘制的土壤和植被类型图。分布式物理模型面临的一个主要挑战是模型输入的数据存在时空变异性。因此，参数化即定义参数变化结构的过程，是模型构建的一个关键部分。参数值的空间变化应该尽量反映出田块试验数据的空间变化和数据的可得性。由于植被特征和耕种制度是与土壤侵蚀有关的主要因素，因此在土壤类型没有发生大的变化的时候，参数的空间变化主要取决于田块的数量和地形特征。相似地，我们也应该把某些模型参数的时间变化信息，如植被因子的年变化，加到参数化过程中。对于连续模型，一些参数的变化可以部分由实测数据获得，部分由模拟获取(如 6.3.1.4 节提到的)，这可以大大减少对输入数据量的需求。

6.4.4 模型的校准和验证

首先校准水文模型，多数情况下是指对模拟和观测的流量过程线的校准；其次是对模拟和观测的泥沙负荷进行校准。如果要对各侵蚀过程进行校验，则应对流量过程线进行较好的拟合。否则，对模拟和实测泥沙负荷的校准可能会对各侵蚀过程的理解造成扭曲而不是提高。

即使校准的模拟值和观测数据间拟合较好，而且参数值也合乎情理，这也得在验证了模型对大量降雨事件有效后，才能说明该模型模拟自然环境的能力。在验证其有效性的过程中，应用模型来模拟不同于校准阶段的事件，只有在模拟的结果与观测数据非常相似(根据预先规定的评价标准)的情况下，方可认为模型对于特定的情况是有效的。

对于那些可以模拟侵蚀/沉积量的空间分布、细沟深度、陆地和细沟径流的深度等的二维模型，如 EUROSEM/MIKE SHE，定性或半定性地比较细沟的位置和深度、特定点的沉积量等野外观测资料，这对于模型性能评价很重要。

借助径流中存在的再悬浮作用，我们可以通过河床和堤岸侵蚀来解释相当多数量的泥沙输出小流域的现象(Hasholt 和 Styczen，1993)。因此，对流域模型进行校准和验证的时候需考虑到这方面的影响。

6.5 案例研究: EUROSEM/MIKE SHE 土壤侵蚀模型的应用

6.5.1 模型、研究区域和模型结构

EUROSEM/MIKE SHE 是 EUROSEM 土壤侵蚀模型(Morgan 等，1991)和 MIKE

SHE(Refsgaard 和 Storm，1995)分布式物理模型代码的耦合。其合并前提是，需要在 MIKE SHE 模型中增加一个新的描述坡面流的模块，使细沟水流与坡面水流沿着不同的路径运动。

EUROSEM/MIKE SHE 全面而详细地描述了水文过程，其中包括饱和坡面流的形成过程。与 EUROSEM/KINEROS 代码相比，EUROSEM/MIKE SHE 对于土壤含水量等参数模拟是连续的，而且模拟的细沟方向可以与山坡成一个角度而且不必与等高线垂直。

在英国 Woburn 试验场 25 m×35 m 的侵蚀区域(DHI，1994)，对 EUROSEM/MIKE SHE 模型进行了验证。至少从 1950 年开始(Catt，1992)，那儿就出现了土壤侵蚀现象。该区域的主要倾斜方向不一致，平均坡度为 9%(见图 6-4)。土壤类型主要是 Cottenham，即一种暗棕色壤质沙地。另外，在降雨事件发生的前一个月，该区还生长着甜菜。

该区域在耕种方向上被分成了若干个 2.5 m×2.5 m 的栅格，每隔两米就出现细沟(即浅坑，由甜菜种植造成)。不饱和区的垂向离散程度由土壤上层 10 cm 深的 2 cm 尺度逐渐增加至土壤 2 m 深的 0.5 m 尺度。模拟暴雨事件之前的降雨数据以日为单位，而暴雨的主要过程以分钟来计算，蒸发数据以日为单位。

6.5.2　EUROSEM/MIKE SHE 的校准和验证

模型验证过程包括 1992 年 5 月 29 日的两次降雨事件。第一个事件被用来校准模型，然后再用校准后所得的参数值对第二个事件进行模型的有效性验证(见表 6-3)。

表 6-3　径流量和土壤侵蚀量的模拟值和观测值

1992 年	降 雨		径 流		土壤侵蚀量	
	降雨量 (mm)	最大强度 (mm/h)	观测值 (m³)	模拟值 (m³)	观测值 (kg)	模拟值 (kg)
5 月 29 日 a	3.19	40.8	0.576	0.623	4.16	4.13
5 月 29 日 b	4.12	26.4	0.208	0.269	1.68	1.40

注：1992 年 5 月 29 日在 Woburn 试验场中一个 25 m×35 m 区域内两次降雨事件的径流量和土壤侵蚀量的模拟值和观测值之间的比较。第一次降雨事件(5 月 29 日 a)用于校准，得到的参数值用于进行第二个降雨事件的模拟。

在校准流量过程线的过程中仅有很少部分的 EUROSEM 初始参数发生了改变，主要是土壤粗糙度、饱和水力传导度、地表蓄水量和土壤黏性。由于没有地下水位信息，所以只能把地下水位埋深作为模拟和观测流量过程线的主要校准参数，其中所有参数值都保持在具有实际物理意义的范围内，例如常用的饱和水力传导度(12 mm/h)与平均测量值(12.01 mm/h)之间存在很好的吻合。而当 EUROSEM/KINEROS 用来模拟暴雨的饱和水力传导度时用到的值为 2.0 mm/h(Quinton，1993)。

校准事件的模拟结果如图 6-3 所示。可以看出观测值与模拟结果非常吻合，而流量过程线拟合得较差，尤其是在降雨刚开始阶段，这可能与地表蓄水量的不均匀分布和土壤初始含水量的失真有关。

泥沙负荷的模拟和观测值的拟合类似于水文模型的流量过程，虽然流量过程线的拟合比较困难(如图 6-3 所示)，但土壤侵蚀总量的模拟值与观测值之间还是拟合得较好。若使用 EUROSEM 输入文件的参数值(在流量过程线校准过程中经过修正的参数除外)，则泥沙负荷的模拟值偏高。土壤侵蚀主要是细沟侵蚀，因此把土壤颗粒的平均直径和它们间的黏结力作为主要的校准参数。

　　这里需要指出的是，两次降雨事件的总径流量和土壤侵蚀总量都很小，土壤侵蚀总量总共只有 0.07 t/hm^2。因此，即使得到的模拟值的绝对误差很小，也可能会导致一个很大的相对误差。所以，采用产生大量径流和侵蚀的主要降雨事件更能检验出土壤侵蚀模型的性能。

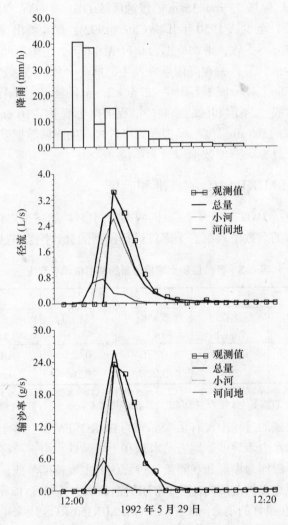

图 6-3　英国 Woburn 侵蚀试验场模拟和观测的径流量和输沙率

　　模型模拟结果的分布特征如图 6-4 所示。其中上部分为地形图，下部分为 1992 年 5 月 29 日第一次降雨事件(如图 6-3 所示)的细沟间累积侵蚀量和模拟沉积量。正值代表侵蚀区，负值代表沉淀区。

　　由图 6-4 可以发现，侵蚀方式的空间变异性非常大。因此，图 6-3 所示的净侵蚀率被认为是大部分地区的侵蚀量与较小区域的沉积量的差值。通过与图 6-4 地形侵蚀图的比较，可以看出小区域的不规则性能够导致坡面流的差异(这里并没有显示)，从而引起侵蚀方式的空间变化。

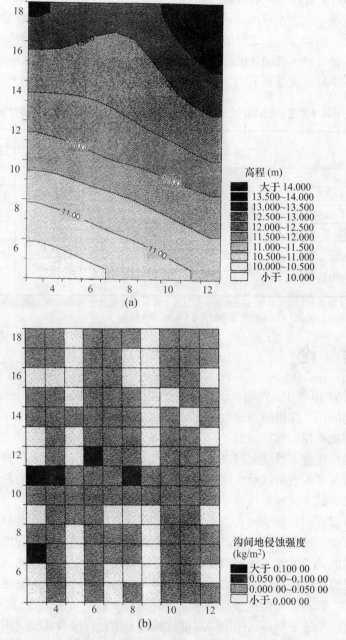

图 6-4　Woburn 侵蚀区的地形和模型栅格(a)第一次暴雨事件(1992 年 5 月 29 日)
细沟间侵蚀和沉积的二维表示(b)

(正值代表侵蚀区，负值代表沉积区)

6.5.3　敏感性分析

　　通过模型模拟，我们可以获得相当好的径流和土壤的侵蚀预测值。但在校准过程中，模型对参数值的变化非常敏感，尤其是模型的水文部分。因此，对在第一次暴雨(1992

年 5 月 29 日)中得到的多数较敏感参数进行了大量的敏感性分析(见表 6-4)。

结果发现：水力传导度的敏感性非常高，这主要是因为它的数量级与降雨主要过程的强度相同，然而当它们之间的差别很大时，模型对水力传导度的敏感度变小。细沟的数量影响不仅反映了坡面流的泥沙浓度影响，而且还说明了正确描述地表特征的重要性。溅蚀影响在不同场次暴雨有很大的不同，主要取决于降雨产生的径流量。

表 6-4 英国 Woburn 试验场小区 EUROSE/MIKE SHE 的部分参数敏感性分析

参　数	参数变化		模拟的径流量		模拟的土壤流失量	
	范　围	%	m^3	变化%	kg	变化%
初始参数			0.622	—	4.16	—
配备 $n(m^{1/3}s)$	0.033 ~ 0.028	- 21	0.639	+3	4.93	+19.4
表面滞留储藏量(m)	0.0 004 ~ 0.0 005	+20	0.529	- 15	3.22	- 22
饱和水力传导度(mm/h)	12 ~ 11	- 8	0.692	+11	4.68	+13
是否包括溅蚀	Yes ~ No	0	0.622	0	3.64	- 11.9
1m 宽细沟数量	2 ~ 1		0.678	+9	4.92	+19
	2 ~ 3		0.566	- 9	3.58	- 13

注：1992 年 5 月 29 日，英国 Woburn 试验场一个 25 m × 35 m 区域上 EUROSE/MIKE SHE 部分参数的敏感性分析 (DHI, 1994)。观测的径流量和土壤流失值分别为 0.576 m^3 和 4.16 kg。

6.6 讨　论

在最近的 10 年中，人们不仅在土壤侵蚀过程的描述方面取得了长足的进步，而且对不同过程间的相互作用的理解也有了很大的深入。但是，仍然存在一些基础问题使得土壤侵蚀过程的模拟依然很复杂。

泥沙输移在很大程度上取决于坡面流的形态。在野外，要想得到关于流动形态、粗糙度和水流速率的数据以及表层土壤和其他粗糙物质间的剪切力的划分是非常困难的。此外，下渗率的空间变异性也是一个很重要的影响因素。

对于分布式物理模型而言，人们会经常提到它的一个局限性，那就是模型的运行需要大量的数据。这个问题具有双重性，因为详细的物理过程描述和广泛的数据收集产生了更为详尽的关于如何、哪里以及在什么样的情况下会发生侵蚀的认识。目前，需要收集的数据是综合性的，这一点毫无疑问。当人们对不同环境中的敏感参数有了更深刻的理解的时候，我们就可能把数据的收集目标进行更准确可靠的定位。

现在，我们还不能将适用于中尺度流域的土壤侵蚀模型直接应用于大尺度流域。但经验模型可以与 GIS 耦合，获得一些定性信息如土壤的可蚀性因子等，但不要奢望它们能提供可靠的定量预测，同时它们也不能用于评价不同水土保持管理措施的效果。另一方面，物理模型还不能应用于上述尺度的流域。但这并不是说对于土壤和水的管理，土壤侵蚀模型不是一个有效的工具。当富有经验的模拟人员仔细应用该模型时，从中得到的结果可能会为解决实际问题带来很大帮助。

在不同的尺度区域中应用分布式物理模型，合理的方法、实例如下：

(1)田块和山坡尺度。可以直接应用土壤侵蚀物理模型。

(2)小尺度流域(最大为几百平方公里)。可以应用分布式物理模型,但其中对一些要求精细的空间和时间分辨率的模拟过程,如细沟侵蚀,在此只能很粗糙地进行描述。所以这种简化表明了这种模型模拟的可信度不是很高,但模拟得到的结果也许非常有用。

(3)中尺度流域(几百或几千平方公里)。在这种情况下,应用的模型有所不同:

①如果已知一个典型区域的模型参数,降雨量也已知,可以根据不同的影响因素制成查找表(像径流曲线数一样),来查找相应的径流量和泥沙负荷。这样的查找表可以帮助非专业工作者在典型区选择合适的土壤保护措施。但也应该注意到,传统的经验模型不能够帮助非专业人员对于特定区域下渗率是否为最敏感的参数进行判断,或者判断地表径流是否产生等,从而难以判断土壤保持措施是否应集中在去除多余的水分或其他方面。Rickson(1994)对土壤侵蚀物理模型(EUROSEM)进行了评价,指出该模型在评价土壤保护措施的效果方面具有潜在的实用性。

②土壤侵蚀的模拟分别在大量的代表性田块或山坡,即所谓的"土壤侵蚀响应单元"上来完成的。将整个流域分割成很多的子单元,每个子单元由一个侵蚀响应单元来表示。这些响应单元具有相同的坡度、土壤类型、土地利用、气候模式以及其他的一些因素。这种方法很适用于土壤侵蚀模型和 GIS 的耦合。

很明显,当土壤侵蚀模拟由田间尺度变化到大尺度流域时,研究区内每个点的准确度都会有所降低。但是经验表明,在流域尺度模拟的土壤侵蚀输出量的精度并不比田块尺度的模拟结果低。

未来土壤侵蚀模型研究的主要问题如下:

(1)把一年内及一个降雨历时内的土壤剪切力的变化看做是土壤含水量、耕作、植被和时间的一个函数,从而建立连续的土壤侵蚀模型对这一变化进行模拟;

(2)建立土壤表面粗糙度(包括植被的影响)和水流的水力粗糙度之间的关系。

(3)将土壤看做团聚体而不是单一的颗粒来考虑,计算薄层坡面流的泥沙输移能力。

(4)研究土壤和植被间的相互作用,因为它对一些水文过程和水文参数(如水力传导率)产生影响;

(5)耕作对参数的影响。

目前,除模型开发的研究机构外,土壤侵蚀的物理模型还没有得到广泛的应用。其中一个主要原因是,这些模型没有很好的说明文件或用户界面不友好。随着研究结果对模型实用性的改善以及模型应用需求的增加,可以预见,在这一领域能够逐步实现关键性的技术创新。

第 7 章　农业化学物质污染模型

7.1　引　言

7.1.1　背景

20 世纪 90 年代，化肥和杀虫剂等农用化学品施用量与日俱增，引发的问题也越来越明显。许多国家纷纷采取相关政策控制化肥、杀虫剂施用量，也使用了一些缓解措施。但这些措施大多只是粗略评估化肥、杀虫剂污染，而不考虑气候、作物、土壤及水文过程之间的相互影响和相互作用，缺乏评价管理措施长期有效性的方法。因此，调查和研究适于预测管理措施效果的方法及其可靠性和局限性，都是非常重要的。

目前许多国家正在制定大规模的监测计划，这些计划旨在评价农村地区非点源的污染程度。然而，由于这些计划只能确定问题是否存在，把结果量化，而不能分辨出可能受严重污染的重点区域以及引起较大损失的关键性管理措施，因而对分析污染原因及影响也就无从谈起。基于上述原因，理解化学物质在不同水文单元中迁移、转化的过程是十分关键的。在这方面，数学模型提供了强有力的工具，不但能解释监测结果，而且还能比较研究不同管理措施对周围环境潜在损失造成的影响。

7.1.2　现有模型的类型

在过去的几十年里，出现了大量能描述农业化学物质在水文循环过程中迁移转化的计算机模型，其复杂程度不一，既有简单的经验公式，也有以物理/化学为基础的综合的分布式描述。传统的观念认为淋溶模型和田块或流域模型有一定区别。淋溶模型仅限于描述一维的植被根系区过程，而田块或流域模型则或多或少考虑了其他地面和地下的过程。

本章不对现有的所有模型作全面介绍，而是从研究和管理的角度，重点介绍部分最实用的工具，并探讨其模拟方法论上的主要区别。

7.2　点尺度过程模拟

7.2.1　总论

许多模型能模拟单一土壤剖面上包括根系区在内的非饱和区。其中的淋溶模型是一种重要的确定性模型，即尽可能地描述其中的物理和化学过程。以下几个小节简要介绍淋溶模型对氮、磷和杀虫剂迁移转化过程的描述。

在评估淋溶模型的现有特征时，对过程模拟需求的总体考虑是必需的。描述溶质在土壤中的运动的必要条件是对水流和边界条件的充分描述。淋溶模型必须能够处理土壤中的水文条件，例如，如果存在浅层地下水，模型就应该能够解决地下水位的波动和毛管上升问题。表7-1列出了一些常用的处理办法和相关假设。

表7-　淋溶模型应用的方法和假设

过程	方法	假设
水流	容量方程	水流依据每一层的蓄水容量和经验的排水规则，只有当水流超出容量范围时才发生层间流。不考虑毛管上升
	理查兹方程	水流依靠水力坡度和土壤的物理性质(导水率和土壤水的持水曲线)，自动考虑毛管的上升
	优先水流路径	土壤基质包括大孔隙或相似优先水流路径，它们能够将水流快速地从表面输送到根区底部
溶质输移	活塞替换	水流仅有对流输移
	对流—弥散方程	考虑有对流和弥散作用，计算水动力弥散
	自由水/不动水	土壤基质按其活跃程度划分为自由和固定两部分，其间发生扩散

水量平衡中另一个必须考虑的重要部分是蒸散发。由于方法很多，在评价水量平衡模拟时必须分析当地的气候条件，以便选择合适的模型。此外，化学物质的转化过程应当反映出对土壤溶质的重要影响。

7.2.2　氮模型

农业生产对环境的影响以流失到地表水和地下水中的氮量来评价，这与耕作制度和化肥施用量有关。众所周知，有机肥过多施用可导致降雨径流产生的氮污染加重，尤其在没有地表农作物覆盖的农业系统中，无机氮由土壤中的有机氮中释放出来。在最近四十年里，农村地区流失到水环境中的氮不断增长，造成水质恶化。如何实行农业的环境和经济可持续发展，成了人们广泛关注的问题。

农作物产量同氮的流失量一样，由发生在土壤—植物—大气系统中大量的物理、化学和生物过程所决定，而这些过程又相互作用、相互影响。土壤—植物系统的氮循环是一个受外界影响、复杂的迁移转化过程。因此，很难预测管理措施的改变将怎样影响农作物产量、氮的利用率和损失量。传统的科学研究采用野外试验探讨管理措施的可行性，而系统的复杂性决定了这种研究的局限性。因此，模型逐渐成了用来支持试验研究和评价管理措施效果的工具。

已有的大量模型主要用于描述复杂程度不同的外界条件下，土壤—植物—大气系统中的能量、水、碳和氮循环之间的相互关系。

De Wiligen 在 1991 年提出了 14 种氮淋溶模型。在 CEC(1991)的支持下，对其中的 5 种模型进行了比较试验。Hansen(1992)对其中的 2 种模型进行了验证和比较，Diekkruger 等(1995)对 19 种农业生态系统模型的模拟结果进行了比较，其中有 8 种是关于氮循环的。这些模型在表 7-2 中给予了介绍。

表 7-2 综合性氮模型的比较

过程	ANIMO	SOIL-N	DAISY	WAVE	RZWQM	LEACHM
水流	外部模型	外部模型	理查兹方程	矩阵形式的理查兹方程	格林安普顿公式/理查兹方程	理查兹方程
优先水流	无	无	无(有)	有	有	无(有)
溶质输移	活塞置换	活塞置换	对流/弥散方程	对流/弥散方程+自由水/不流动水体	对流/弥散方程+自由水/不流动水体	对流/弥散方程
边界条件	外部模型	外部模型	自由排水,固定或波动的地下水位	自由排水,地下水位,渗漏,通量,压力水头	自由排水,固定地下水位	自由排水,固定地下水位,零通量,渗漏
矿化作用	4 个有机库,一级动力学	3 个有机库,一级动力学	4 个有机库,2 个生物量库,一级动力学	3 个有机库,一级动力学	5 个有机库,3 个生物量库,一级动力学	3 个有机库,一级动力学
硝化作用	一级动力学	一级动力学	Michaelis-Menten 动力学	一级动力学	低浓度条件下的零级动力学;高浓度条件下的一级动力学	一级动力学
反硝化作用	零级反应	Michaelis-Menten 动力学	反硝化能力	一级动力学	一级动力学	Michaelis-Menten 动力学
氨根吸收	线性等势线	固定	非线性等势线	线性等势线	线性等势线	线性等势线
植物吸收	吸收 NH_4^+、NO_3^-	预先定义或独立的计算模块	吸收 NH_4^+、NO_3^-	预先定义	由可供的氮量决定	由可供的氮量决定
挥发作用	粪肥中 NH_4^+ 的特定部分	—	粪肥中 NH_4^+ 的特定部分	一级动力学	未来会有考虑	一级动力学
作物产量	—	独立的模块	根据净辐射计算 LAI、CAI 和干物质产量	输入或者根据净辐射计算 LAI 和干物质产量	根据净辐射计算 LAI、CAI 和干物质产量	由经验公式求作物覆盖度
作物模块	—	—	13 种作物	7 种作物	2 种作物	—
参考文献	Berhuijs 等 (1985); Rijtema 等 (1991)	Johnson 等 (1987); Jansson 等 (1991)	Hansen 等 (1990); Hansen 等 (1993)	Vereecken 等 (1991); Vanclooster 等 (1994,1995)	DeCoursey 等 (1989, 1992)	Wagenet 和 Hutson(1987); Hutson 和 Wagenet(1992)

ANIMO 和 SOIL-N 模型只描述了氮的循环过程,因此需要一个外部的水文模型。对内部包含水流模拟的模型而言,物理模型一般采用理查兹方程,而较简单的则用容量方法。这两种方法的根本区别在于容量模型不能以压力水头梯度为基础来计算水流,所以不适合有毛管上升作用的情况。以双重传导率和自由/不动水方程描述优先水流过程的模型仅有 WAVE 和 RZWQM 模型。

溶质的迁移可以用对流/弥散平衡方程模拟,其复杂程度与计算水流的理查兹方程相当；溶质的迁移也可以仅通过对流方程，将水通量和溶质浓度相乘来计算。

这些模型都分两步来模拟氮的迁移和转化：第一步，水流计算；第二步，氮元素计算。但是这种模拟方法只有在氮不是限制因子的情况下才适用，相反，如果氮严重缺乏，这种模拟方法会产生新问题。在第一步中，从可供水量角度来讲，植物生长的模拟是合理的，但是在第二步中 N 的缺乏限制了植物的生长，因此，第一步中对实际蒸散发的估算会过高，使得硝酸盐浓度和通量计算不准确。

现有氮模型之间的主要区别是描述氮平衡过程的方法不同。各个模型有关矿化作用、硝化作用、反硝化作用和植物吸收作用变化的复杂程度有很大的不同。这四个过程在硝酸盐淋溶模型中起着非常关键的作用，表 7-2 集中介绍了各模型在氮动力学方面的差异和不同的假设条件。这些模型都把矿化动力学视为一级反应过程，但是采用的反应有机库数量从 3 ~ 7 个不等。其中只有 ANIMO、DAISY、RZWQM 这三个模型明确描述了生物库。

氮从土壤中迁移的主要途径之一是植物的吸收作用。植物吸收的氮量可以用 DAISY、WAVE 或 RZWQM 直接模拟得到，这些模型在计算中考虑总的光合作用、呼吸作用、干物质和氮在植物各组织中的分布；也可以由预先确定的氮吸收曲线间接估计。有的模型(如 SOIL-N)，植物的最大吸收量由用户自己设定，这在评价植物吸收过程的研究中具有很大优势，但用于预测时就会阻碍模型的应用。其他的模型通过包括植物生长模块或是与植物生长模块结合来计算氮吸收量。氮的吸收量可以蒸腾量为基础，假设根区表面和土壤中氮的浓度相同进行计算(ANIMO)，也可以通过计算水和溶质从土壤到根部的迁移量来获取(DAISY、WAVE 和 RZWQM)。

各个模型中植物生长模块不尽相同。ANIMO 和 LEACHM 模型只是粗略地模拟植物生长过程，而 SOIL-N 中几乎没有涉及到这方面的内容。尽管这些模型中植物生长模块的类型和数量各不相同，但用 DAISY、WAVE 或 RZWQM 模型来模拟作物产量时，都考虑了总的光合作用、呼吸作用及干物质和氮在植物不同组织之间的分布。

De Wiligen(1991)对 14 种模型进行比较得出的结论为：预测植物氮吸收量和干物质产量的模型需要包括详细的植物生长模块。但是无论是土壤水还是矿化作用模拟，其结果均表明详细的机理模型并不一定比简单的模型优越，因为其需要有详细的土壤水力和化学方面的资料，对参数值也比较敏感，但其应用的领域比大部分简单的模型要广得多。

7.2.3 磷模型

传统的观念认为，相对于像城市污水这样的点源污染所造成的负荷来说，磷在地表水和地下水中的流失所形成的非点源污染就显得微不足道。然而，由于最近几十年只在控制点源方面作了较大努力，非点源污染相对负荷不断增大，因此大量研究结果表明，非点源污染的负荷量十分巨大(Culley,1983；Schjønning 等，1995)。在北欧的许多河流中，磷已经被确定为限制初级生产的营养元素，在春季它也是沿海地区的限制元素。因此，在特定地区，控制非点源磷的损失非常关键。

磷是一种重要的营养元素，既可以作无机肥，也可以作有机肥用于农业生产地区。磷在地表水和地下水中迁移的主要过程有以下两个：①土壤的水力侵蚀引起的吸附态磷在地表水中的迁移；②可溶性的无机、有机和颗粒态磷在垂直方向上的迁移，通过优先路径由上层土壤进入地下水或排水区。目前的研究对后者的迁移途径以及溶质和颗粒态磷在非饱和土壤中的输移过程的理解不够。然而，由于磷酸盐在饱和或还原条件下流动性更大，在一定条件下(如上层土壤局部饱和)，从根系区渗出的溶解态磷可能是磷总体损失的主要贡献者。

总的来说，磷模型的发展水平要低于氮模型和杀虫剂模型。磷模型重点研究坡面漫流的过程，主要是造成土壤侵蚀的大暴雨事件中吸附态磷的迁移过程。可溶性磷的迁移发生程度较小且依赖于解吸过程。输移磷的坡面流具有分布的特征，点/田块尺度对该过程进行描述过于简单。EPIC(Sharpley 和 Williams，1990；Williams，1995)模型是一种田块尺度的模型，采用 SCS 曲线法估算标准坡度下的径流和泥沙负荷。ANSWERS 模型(Storm 等,1988)中的磷模块是一个分布式模型，描述单次暴雨吸附态磷和溶解态磷在地表径流的迁移过程，其中可溶性磷根据从土壤表面到径流水体的不平衡解吸作用计算。

各种模型对垂直方向上涉及到有磷参与的化学反应描述的复杂程度不一，模拟磷循环的复杂性所用的假设条件也不尽相同。EPIC、ANIMO-P(Rijtema 等，1991)、van der Zee 和 Gjaltema 的方法都是描述非饱和土壤中涉及磷的化学反应的模型。

7.2.4　杀虫剂模型

近年来，农村地区的杀虫剂流失已成为一个重大问题。许多国家的地表水和地下水中已经发现了几种不同的杀虫剂(Fileding 等，1990)，因此有必要重新评价以前和现有的管理措施。尤其值得重视的是，通常被认为有不透水的黏土层保护的深层地下含水层中也发现了杀虫剂，使人们对目前杀虫剂的注册和管理程序的正确性产生怀疑。

大量的研究结果表明，需要开发能够量化迁移过程的预测方法以进行风险评估。这就将模型开发的目标从研究层次转为实用层次，同时更注意可靠性和有效性。

在欧洲，通过 EEC 法令(91/144)，应用模型模拟杀虫剂危害已经成为杀虫剂注册过程中必不可少的程序。但是，现在只有荷兰和德国两个国家在标准化程序中贯彻模型模拟预测杀虫剂危害的程序，其余国家还在观望，等待欧盟工作组对于选择和使用杀虫剂的建议和要求。(FOCUS，1995)

现有的许多模型都声称能够描述杀虫剂由土壤表面施用、在非饱和区迁移转化过程，并预测进入地下水中的杀虫剂量。部分模型也考虑到了地表径流，个别的甚至还模拟了饱和区的侧向流。

总的来说，各个模型对化学反映过程，即吸附和降解过程的模拟，在复杂性和对参数的要求上都有所区别。例如，在一些模型中，允许在不同的水深、状态(固/液态)、位置(基质/大孔隙)或反应类型(例如水解、光解、生物分解)的条件下赋予模型不同的降解率。然而，这样的参数往往并不容易得到(Styczen 和 Villholth，1994；Bostch 和 Boesten，1994a)。这也说明模拟结果的高度不确定性和对结果进行验证的必要性。

另外，不同的位置、土壤类型和水深条件下，吸附系数、降解率差异较大。会不会因为不了解土壤中与杀虫剂模拟有关的参数的变动，而影响合适参数的选择和对模拟结果的解释？

总之，应该在不同条件下对模型进行检验和验证。Pannel 等(1990)，Jarvis 等(1994)，Styczen 和 Villholth(1994)，Bostch 和 Boesten(1994b)描述了一些模型评价和比较的例子。表 7-3 介绍了部分模拟非饱和区中杀虫剂迁移转化的方法。

表 7-3　综合性杀虫剂模型概况

过程	PELMO	PESTLA	MACRO	LEACHM	RZWQM	WAVE	MIKE SHE
水流	容量模型	理查兹方程	矩阵形式的理查兹方程	理查兹方程	格林安普顿公式/理查兹方程	矩阵形式的理查兹方程	矩阵形式的理查兹方程
优先水流	无	无	有	无	有	无(正在考虑)	有
低边界条件	自由排水	日地下水水位,日流量,前述的水流,日潜水量,零流量,自由排水	自由排水,固定的潜在量,固定的水力坡度,在根区的地下水或零流量	固定的潜水量,自由排水,零流量,测渗计	自由排水,固定潜水量	自由排水,地下水位,测渗计,流量,压力水头	自由排水,固定潜在量,前述的水流,在根区的地下水,日常地下水水位
溶质输移	活塞置换	对流/扩散方程	对流/扩散方程	对流/扩散方程	对流/扩散方程+自由水/不流动水体	对流/扩散方程+自由水/不流动水体	对流/扩散方程
热量	经验 $f(T)$	热通量计算 $f(T,C,\delta T/\delta z)$	热通量计算 $f(T,\theta,\delta T/\delta z)$	热通量计算 $f(T,\theta,C,\delta T/\delta z)$	热通量计算 $f(T,C,\delta T/\delta z)$	热通量计算 $f(T,C,\delta T/\delta z)$	经验 $f(T)$
吸附作用	线性吸附,Freundlich 吸附,动力学 $f(z)$	线性吸附+Freundlich 吸附	线性吸附,用深度定义的 K_d	线性吸附,Freundlich 吸附,两点线性:平衡/动力	两点:线性和动力	两点,线性+动力	线性吸附,Freundlich 吸附,Langmuir 吸附,用深度定义的 K_d
降解作用	n 级,$f(\theta,T,z)$	1 级,$f(\theta,T,z)$	一级 $f(\theta,T)$,根据深度,矩阵/宏观空隙,固相/液相分别定义	一级 $f(\theta,T)$,分别在固相/液相定义	一级,$f(\theta,T)$,不同的反应类型	一级,$f(\theta T)$	一级,$f(\theta,T)$,分别在深度定义
挥发作用	+	−	−	+	+	+	−
植物吸收	被动吸收,$f(Tr)$	被动吸收,$f(Tr)$	被动吸收,$f(Tr)$	被动吸收,$f(Tr)$	被动吸收,$f(Tr)$	被动吸收,$f(Tr)$	被动吸收,$f(Tr)$
其他功能			地下排水,大孔隙的膨胀/收缩。1、2 区域间的转换	多种化合物的同时模拟	包括生物降解,氧化反应,络合作用,光解作用,水解作用,重碳酸盐缓冲作用	滞后作用	地下排水,在流域尺度模拟三维地下水和地表径流
参考文献	Klein (1993)	Boesten 和 Van der Linden (1991) Boesten (1993)	Jarvis (1991, 1994)	Wagent 和 Hutson (1987); Hutson 和 Wagenet (1992)	DeCoursey 等 (1989, 1992)	Dust 等 (1994); Vereecken 等 (1994); Vanclooster 等(1994)	Abbott 等 (1986); Refsgaard 和 Storm (1995)

注：+为在未来版本计划添加，θ 为土壤含水量，T 为温度，z 为深度，Tr 为蒸腾，C 为热传导率。

表中列出的模型的主要区别在于模拟不同水文条件的能力及其描述化学反应过程中的复杂程度。模型应用到标准的注册程序中的一个重要前提是，能够模拟研究区域的不同水文情况。举一个"丹麦"条件的例子，这个条件要求模型能够提供较低的边界条件(如根区地下水)，以及地下排水条件等特殊性质。表 7-3 中提到的模型(PELMO)仅包括渗漏边界，而其他模型可以设定的边界条件个数在 4~9 个不等。在所有提到的模型中，只有MACRO、RZWQM、MIKESHE 提供了地下排水条件参数。

模拟化学降解反应的最普遍方法是，假设其为受温度、土壤含水量影响的一级衰减反应。而有的模型(RZWQM 和 LEACHN)可以考虑不同的降解反应，MACEO 允许不同的基质和大孔隙采用不同的降解速率，但这些不同的输入降解速率不容易得到，这就使参数估计有一定难度。在描述吸附过程时也会遇到相似的问题，如 PESTLA，考虑了动力学的吸附作用且需要一个吸附速率。

通过对现有杀虫剂模型的综述评价，总的来说，现有杀虫剂模型可以作为研究和风险评估的强有力工具，但当前的验证水平还不足以达到在不同水文条件下预测环境浓度(PEC)以满足立法目的的要求。

7.3 田块和流域尺度模拟

7.3.1 尺度转换的方法与问题

前面两节提到的模拟方法主要描述单个土柱中农业化学物质的输移过程，称为点尺度方法。这些模型是研究迁移和转化过程的极有价值的工具，但是用来预测不同农业系统的杀虫剂对河流和含水层中的污染物负荷时却有一定的局限性。这些模型不考虑水流和溶质在地下水层二维或三维的扩散过程，也没有考虑土壤中水力和化学性质的水平变化，或是地质、地形、排水特性和农业管理上的分布特性。

对于以大地理区域为研究区的项目，例如研究农业管理政策对地下含水层或河流中溶质浓度时，将这种小尺度模型推广到大尺度会十分困难，因为这种模型只能对大尺度流域中的多种特性(如土壤类型、不饱和层深度、植被等)进行有限的描述。但是覆盖大区域的模型也许能够对管理政策的制定提供更好的决策基础。另一方面，究竟怎样描述研究区域的特征才算充分？随着模拟尺度的增大，不能直接得到(通过测量)运行模型所需的信息，且模拟结果只是简化过程描述以及对某些特征空间变异性忽略的基础上得到的近似解。此外，模型的验证也是很困难的。由于代表性(或有效性)参数的使用，将模拟结果在不同地点与实测数据进行比较是不可能的。因此，模型使用者应识别并分析模型预测的不确定性和局限性。

第 4 章已经提到，20 世纪 70 年代以来，描述含水层水流和输移机制的地下水数学模型已经发展并应用到许多污染研究中。这些模型主要模拟稳定溶质的水平对流和弥散作用。最近，地球化学和生物化学反应也开始用以模拟点源形式排放的污染物(如工业和生活废弃物堆放点)的迁移转化(见第 5 章)。然而，目前对模拟化肥等农业化学物质所形成的非点源污染的研究并不多，主要问题是如何对大尺度区域进行物理、化学和生物学特征的描述。另外一个与地下水模拟有关的问题是需要估计由非饱和区输入到地下水的溶质量。如果不以淋溶模型的结论为基础，那么硝酸盐通量的时间变化和总量就很难估计，因为这两者取决于许多因素，如非饱和区的深度等。而这将会严重影响地下水中硝酸盐浓度的模拟值。在地下水位较浅的地区，地下水硝酸盐浓度对地表化肥施用的时间变化反应比地下水位较深的地区敏感得多。

近年来产生了两种基于不同原理的对农业管理系统进行更大尺度模拟的方法。与第 2 章中所提到的两种水文学模型分类相类似，分别称作集总概念方法和分布式物理方法。

集总概念方法认为研究区(通常是田块或小流域)在水平方向上具有相同的土壤属性，一致的降雨分布以及一种土地利用方式和管理措施，其对土壤根区输移和转化过程的描述与单个土柱模型相同，而其对地表径流的描述却进行了扩展，将坡面流和土壤侵蚀处理为面积和地形的函数。从根区渗漏的水被认为进入地下水层，而侧向地下径流则没有被考虑。相似地，由地下水向非饱和区的补给作用也没有被考虑。

分布式物理模型方法考虑了水平方向物理和化学参数的分布，如降雨量、土地利用、地形等因素，同时也包括侧向流和壤中流。

下面分别简要介绍和比较这两类模型的几个实例。

7.3.2 集总区域模型

将集总方法应用在大尺度的农业地区时，需要研究区域气候条件，地形、地质、土地利用、管理措施、土壤性质等进行概念化描述。这表明在这种方法中，水文单元代表一个田块、山坡或者子流域。

大多数集总模型用简单的水文模型来描述水平衡，例如用容量方程描述垂向水流，其主要原因在于集总方法的空间分辨率和假设条件对于复杂物理模拟而言过于粗糙。这种简单的水平衡方法不考虑地下水和地表水之间的直接作用，只考虑流出概念水文单元的水流，同时应用经验方程计算流到江河或地下水的量。由地形和土壤特征不均匀性造成的单一单元和局部现象(如周期性的池塘)之间的水流通量也不在考虑之列。

美国农业部开发出一系列以改进后的 SCS 曲线为基础的模型，适用于评价农业系统的典型集总概念模型。这些模型包括简单描述水文、硝酸盐和杀虫剂输移的 CREAMS 模型(Knisel 等，1980；Knisel 和 Williams，1995)，从化学角度分析杀虫剂的 GLEAMS 模型(Leonard 等，1987)及被称为模拟水流、硝酸盐、磷和杀虫剂的流域模型——SWRRB 模型(Aronld 等 1990；Arnold 和 Williams，1995)等。SWRRB 包括了 CREAMS 的水文部分 和 GLEAMS 的杀虫剂部分，并可以对流域中具有不同土地利用类型和农业管理措施的不同子单元同时进行计算。

有的模型可以进行连续模拟，而有的模型，如 ANSWERS(Beasly 等，1980)和 AGNPS(Young 等，1995)只能模拟单次暴雨事件。对于单次暴雨事件模型，流域的初始条件是比较难估计的，而这对模型预测的可靠性恰恰是很关键的。

7.3.3 分布式流域尺度模型

应用分布式物理模型以评价农业管理效果，可以体现不同农业管理措施在一个完整流域的分布特点，同时可以对水和溶质在流域内部的通量进行详细的描述。其中，水文单元包括了在流域结构中独立定义的大量内部栅格，这些栅格反映了流域气候条件、地形、地质、土地利用、农业管理措施等在空间分布上的复杂性。栅格尺寸的大小可以由模型使用者根据模型参数的可得性和研究目的来确定，以此决定模拟的复杂程度。水和溶质在根据流域空间特征定义的内部栅格之间进行演算，并且这种方法对物理过程的描述允许模拟地下水和地表水之间的联系。

这种模拟方法需要大量的参数来描述一个流域的空间差异，如果不能获得这些参数，那么用集总概念方法就可以了。然而，对于要详细评价溶质通量和浓度的研究而言，这种算法的空间描述和物理基础特征具有重要意义。

MIKE SHE(Refsgaard 和 Storm，1995)是一个完全分布物理模型的例子。Bogardi 等(1988)、Storm 等(1990)、Styczen 和 Storm(1993)都描述了将非饱和区和饱和区模型结合，以评价农业管理政策对河流和含水层中硝酸盐负荷影响的例子。

7.4　案例研究：流域尺度氮迁移转化模拟

7.4.1　引言

这个案例是丹麦的一个综合研究和发展规划(1986~1990)项目的成果，此规划旨在研究农业营养物和有机物造成的污染。大量的研究机构参与了这个研究规划，具有多学科性。这一研究包括野外调查、过程研究和模拟。

这里简要介绍在 440 km^2 的 Karup 河流域内进行的硝酸盐迁移和转化的分布式模拟。氮模拟包括完整的陆地水文循环过程——由土壤表面污染源，通过土壤层和地下水作用，直至汇入河流。本研究中流域过程的模拟是基于 MIKE SHE，土壤根区氮的动力学模拟基于 DAISY 模型(Hansen 等 1991)。图 7-1 解释了将一维淋溶模型(DAISY)和三维模型(MIKE SHE)进行耦合的概念。Styczen 和 Storm(1993)对本案例给予了更详细的描述。

7.4.2　模型启动

通过三维河网结构对 Karup 河流域进行描述。在水平方向上的离散尺度是 500 m，而在垂直方向上，非饱和地区离散尺度由 5~40 cm 不等，饱和地区则为 5 m。基于大量观测井位的资料，收集和处理了土壤和植被性质的信息，并特别叠加一个三维的地质图于模型栅格之上以提供水文地质参数。将地形和河网资料数字化，并收集所有相关的气象数据，以确定土地利用情况。

7.4.3　结果

7.4.3.1　流量和地下水位图

1969~1988 年期间，从不同位置对河道径流进行了模拟。图 7-2 比较了 1971~1974 年间在流域出口处观测到的流量值。图 7-3 则对选定的观测井的地下水位模拟值与实测资料进行了比较，结果表明，模型对水文机制模拟的精确度是可以接受的。

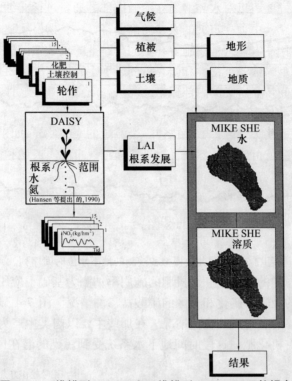

图 7-1 一维模型(DAISY)和三维模型(MIKE SHE)的耦合

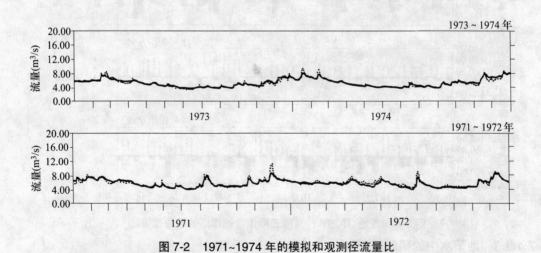

图 7-2 1971~1974 年的模拟和观测径流量比

7.4.3.2 根系区的渗漏

为了模拟在地下水和河流中硝酸盐浓度的变化趋势，获得化肥的使用记录是非常必要的。但是，要得到详细的信息是很困难的，如估计过去某一特定年份在某一特定田地上生长的作物类型是不可能的。不同作物的空间分布比率，以及该地区的农业类型可能是能够得到的最详细的信息了。在这个基础上选了 14 种农作物轮作方案，并假设其在此地区随机分布。

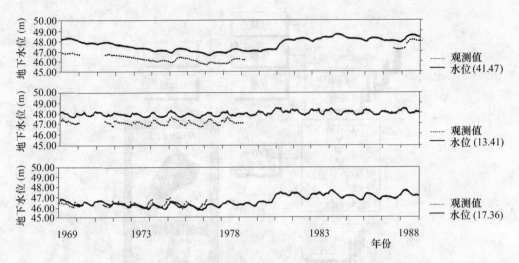

图 7-3　不同井位模拟和观测的地下水位时间序列

　　以每年对每种作物的有机肥和无机肥的施用率估测为基础，应用 DAISY 模型模拟了作物生长，根部的吸收、矿化和根区的硝酸盐渗漏情况。图 7-4 显示了选定作物轮作方案的化肥使用和渗漏随时间的变化情况。在那些主要以肉类生产为主的农场，经常会在秋季使用大量的有机化肥，这段时间地下水系统受到污染的潜在风险较大。

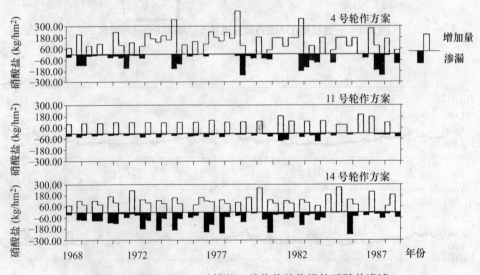

图 7-4　通过 DAISY 计算的三种作物轮作场的硝酸盐渗滤

7.4.3.3　地下水中的硝酸盐浓度

　　根区模型一般只能模拟单一土柱，而综合模型可以用来研究硝酸盐浓度在一个区域内的时空差异。图 7-5 举例说明了在三种不同作物的耕作制度下，选取 Karup 流域上层地下含水层中不同深度非饱和区中两个点，模拟得到的硝酸盐浓度的时空差异。可以看出，较深的非饱和区一年的硝酸盐浓度变化较大。

　　图 7-6 显示了特定时间内浅层地下水模拟的硝酸盐浓度的空间差异，观察到的空间和时间上的浓度差异都很大。

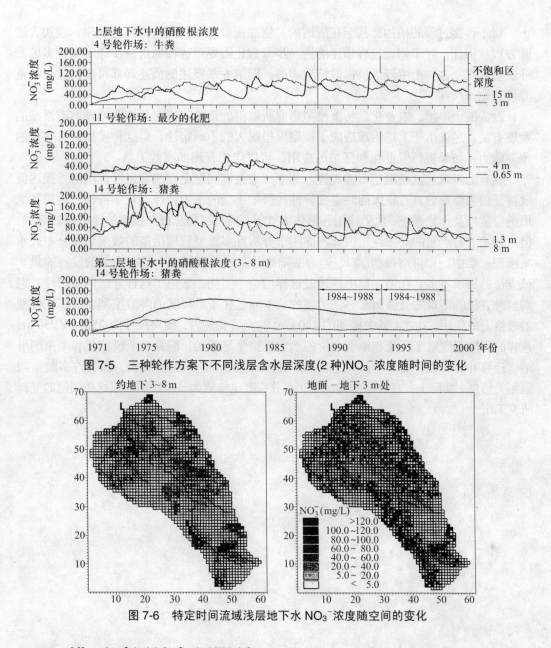

图 7-5 三种轮作方案下不同浅层含水层深度(2 种)NO$_3^-$浓度随时间的变化

图 7-6 特定时间流域浅层地下水 NO$_3^-$浓度随空间的变化

7.5 模型适用性和局限性

与纯水文模拟相比较而言，农业化学污染模拟还不能达到相同的可靠性和适用性。造成这一问题的原因是复杂的，因为不仅仅涉及水文问题，同时也涉及对农业化学污染的过程理解、实测数据可得性以及模拟方法等问题。在过去十年已经取得的重要进展的基础上，以及目前对于农业化学模型的需求不断增长，在未来几年里会有重大的进展。

这里需要指出的关键问题是：对局部尺度过程理解的不充分，野外实测数据不足以及处理具有空间异质性效应的过程参数和变量的描述方法匮乏。

对于许多过程的描述，甚至在所谓的"物理模型"中，既包含理论框架，也包含经验方程。因此，对于物理过程描述的进一步参数化需要对过程的进一步理解和更多的野外试验数据。这与土壤侵蚀模拟的情况类似，即第6章概述的描述局部尺度的过程的重要性和困难所在。

过去的十年里，农业化学污染模拟研究所取得的最重大进展与综合物理淋溶模型的发展有关。尽管由于上述困难造成了模型模拟很大的不确定性，但这种模型具有一定的预测能力，如果进行专业化和仔细的应用，可以作为管理的有效工具。

现有的流域尺度模型还不够先进。其中一个关键问题是在流域尺度范围内，描述流域特征的重要参数具有很大的时空变异性，例如土壤的水力特性、化学特性、地质和地形的参数以及作物系统、化肥施用和耕作方式等。现有的集总概念模型的操作比较简单，但是理论上有严重的局限性，因此不能用于分析许多重要管理措施的效果。在分布式水文模型框架中，以淋溶模型(点尺度)为基础的分布式物理模型，具有很大的发展前景。该方法的例子不多，在第4章中描述过这样的一个实例，表明了这种方法的实用性，但对这种方法的困难之处强调不够，关键的基本问题在于点尺度的淋溶模型在分布式模型的栅格上的应用。在7.4节中提到的440 km^2的流域实例内，栅格尺寸为$250 \text{ m} \times 250 \text{ m}$，这样的离散程度对于径流和地下水位的水文模拟是足够的，但是对于模拟氮和杀虫剂淋溶、迁移和转化也许是一个问题。涉及到国家或更大的(如欧盟)规模，需要许多政策问题相关信息。实际上，在这样的例子中，离散程度也许更大，今后要加强这些问题的基础研究工作。

第8章 气象雷达降水数据及其在水文模型中的应用

8.1 引 言

水文循环中许多变量的时空变化幅度很大，也极为频繁，其中特别重要的是降水。在尽可能多的点上连续观测降水是许多水文研究和应用的必然要求。

单点观测的降水资料并不能充分代表流域尺度的降雨状况，用这种资料对水文过程进行了解或模拟十分困难。因此，水文观测的基本要求是区域观测，而区域的面积可大可小。

对降水观测的水文要求如表8-1所示，它给出了不同分辨率、频率和精度(与偏差无关)所要求的相应最大值、最小值及最常用值，其选择取决于实际应用。

表 8-1　降水观测的水文要求(部分源自 Herschy 等，1985)

参 数 量		降 雨			降 雪	
		(a)点	(b)面		(a)深度	(b)相当水量
			乡村 (> 20 km²)	城市/乡村小区 (< 20 km²)		
分辨率 (km)	最大值	0.1	0.5	0.25	0.03	0.03
	最小值	5	5	2	10	10
	最常用值	1	2	1	0.2	1
频 率	最大值	5 min	5 min	1 min	1 h	1h
	最小值	1 个月	1 个月	5 min	1 个月	1 个月
	最常用值	1 h	1 h	2 min	24 h	24 h
精 度 (%或其他)	最大值	2	10	5	2 cm	1 mm
	最小值	10	30	20	10 cm	100 mm
	最常用值	5	20	10	5 cm	10 mm
精密度 (%或其他)	最大值	1	5	1	1 cm	2 mm
	最小值	5	20	5	30 cm	30 mm
	最常用值	3	15	3	2 cm	4 cm

注：对降雪观测的要求取决于点(最大)和面(最小)两方面。

观测精度涉及降雨在空间、时间和数量上的重现性。精度可定量表示为相同条件下重复试验结果的标准偏差。因此，一项观测在数量上可能是精确的，但却是不精密的，反之亦然。其原因在于分辨率、频率和数值精度的内在关系(见实例，Chatfield，1983)。雨量站观测可能在空间上是精确的，但在时间和数量上却是不精确的。因此，在表 8-1

中我们补充了精度的要求，以作为分辨率、频率和精度平均要求的标准偏差。同时，观测要求必须在容许范围内。

8.2 降水观测在分布式水文模型中的应用

集总模型试图将水文过程的特征与自然地理要素间的关系表达为净雨和直接径流间的简单关系，其主要缺陷是假定集水区内降水分布均匀或者至少其空间分布不变，而这种假定与实际不符。半分布式模型由相互联系的单元组成，每个单元代表集水区内相应的部分或一个区域单位(见实例，Diskin 和 Simpson，1978)。图 8-1 展示的是美国亚利桑那州 Walnut Culch 试验流域的第 8 和第 11 子流域单元划分情况。以单元为单位接受净雨输入，净雨输入随时间而变化，但假定其在单元上均匀分布。单元分为边界单元和内部单元两种。边界单元没有河道径流输入，只有净雨输入。内部单元既接受上游单元的河道径流输入，又接受净雨输入。如图 8-1 所示，各单元之间的关系组成了树状结构，与流域水系基本一致。

图 8-1　划分为模型网格的 Walnut Gulch (Arizona)
试验流域第 8 和第 11 子流域

(据 Karnieli 等，1994)

这种模拟方法可扩展为一种模式，包括用于表述控制物理过程的空间偏微分方程和地表水、土壤水运动连续方程。SHE 模型(Anderl 等，1986)是其中一例，方程的应用是基于 250 m × 250 m 的栅格。但经验表明，即使用流量资料进行充分的率定，这些完全分布式模型仍不能完全提高模型的预测精度。这是因为降水输入必须与栅格空间尺度相匹配，这只有通过使用雷达数据才能实现(实例见 Anderl 等，1976；Moore，1987)。然而，Obled 等(1994)发现，对于乡村这样的中等流域(71 km²)，尽管考虑降水的空间变化十分重要，但在模型进行空间和时间处理时并没有得到很好体现，其坦化作用和弱化作用掩盖了模型对降水数据的敏感性。他们承认在较小的城市流域或较大的乡村流域实际情况可能并非如此。但在一般情况下，水文模型有如一个宽带滤波器，可使输入资料的误差达到某种可接受的水平。这一点对雷达反演降水相当重要，因为误差特征会随时空变化而变化。不过，这并不意味着输入数据的误差不重要，而只是说误差的一致性与绝对误差本身同样重要。

8.3 单频单偏振雷达观测

8.3.1 技术概述

地面雷达在点上对大区域内降水进行准实时观测。雷达观测的要素有四种，即雷达回波强度(雷达反射率)、两个正交辐射偏振间的的反射率差或位相差、雷达能量的衰减及同一时间两个波长的反射率和衰减。由于在实际中仅第一项被广泛应用，所以我们的讨论仅限于该方法。

当雷达波束绕某垂直轴转动时，在半径为 100 km 或更大的圆内的不同距离和方位上探测雨滴反射回波能量。给定波长 λ，假定球形雨滴直径为 D，按 D^6/λ^4 比例定义反射回波截面 $\sigma_b(D)$ 和总衰减截面 $\sigma_a(D)$，从而引出物理参数雷达反射系数 Z，定义如下

$$Z = \int_0^\infty N(D)D^6 \, \mathrm{d}D \tag{8-1}$$

式中 $N(D)$——网格内雨滴大小分布(DSD)；

Z——雷达反射系数；

D——球形雨滴直径。

如果沿雷达路径没有衰减，根据 Rayleigh 理论，单元网格的雷达回波强度与 Z 成正比。但当比率 $\pi D/\lambda$ 大于 0.1 时，应以 Mei 理论代替 Rayleigh 理论。为此，一般考虑等量雷达反射率因数 Z_e，表示如下：

$$Z_e = \frac{\lambda^4 Z}{\pi^5 |K|_w^2} \tag{8-2}$$

式中的下标 w 表明有关水的参数值，按照惯例选取(在常用的气象雷达波长下，通常将该值确定为 0.93)。采用这一惯例是因为当进行雷达探测时，通常不能确定粒子的相态是水还是冰。

对于冰粒子

$$Z_e = \frac{|K|_i^2}{|K|_w^2} \cdot Z \tag{8-3}$$

Smith(1984)对 $|K|_i^2$ 的常用值进行了讨论，根据不同情况下的粒子尺寸，可能"准确"的值有两个。若粒子尺寸是融化后的雨滴直径，则 $|K|_i^2$ 值为 0.208，且

$$Z_e = 0.224Z \tag{8-4}$$

若粒子尺寸为等量冰的球形直径，则 $|K|_i^2$ 值为 0.176，且

$$Z_e = 0.189Z \tag{8-5}$$

通常，雷达采用由 $|K|_w^2 = 0.93$ 定义的"等量水" Z_e，而且当降水形式由液态变为固态时，介电因子也不会改变。表 8-2 对降雨和降雪的等量雷达反射系数进行了对比。对于降雨，当雨强 R 为 1～10 mm/h 时，由 Marshall-Palmer 关系计算；对于降雪，采用 Sekhan-Srivastava(1970)关系(见 8.3.4 节)计算。当 $R=1$ mm/h 时，雪的 Z_e 值为 3 dB，高于雨水的值。因此，尽管降雪强度小于相应的雨强，但降雪的雷达回波强度通常并不弱于降雨的。

表 8-2　降雨和降雪的 R 和 Z_e 的实例值

项目	雨强 R(mm/h)	
	1	10
Z_e(降雨)(dB)	23	39
Z_e(降雪)(dB)	26	48

Z 与雨强 R 的关系如下

$$Z = AR^B \tag{8-6}$$

式中的 A 和 B 取决于降雨类型。尽管许多人给出了 A、B 的值(Battan，1973)，但通常情况下取 $A=200$，$B=1.6$(Marshall 和 Palmer，1948)。

降雨的推求可直接利用 R 和 Z 的关系，并适当修正 A、B 值。但雷达测雨与降雨本身还存在诸多问题，主要在于所使用的雷达结构和特定的气象条件两方面，谁更重要往往难以分辨。

8.3.2　雷达特性和雷达位置问题

对雷达系统的稳定性维护极为重要。幸运的是，借助现代技术，其实现过程变得相对简单。但雷达位置往往会影响雷达测雨的精度，特别是部分雷达波束在地面反射引起的回波以及部分波束在空间较远处的消失两方面，即地物反射及波束屏蔽(见实例，Collier，1989)。这些影响不利于对地表降水的观测。

雷达的波长决定了波束在降水期间的衰减程度。在 S 波段(10 cm 波长)，波束衰减可忽略；但对于较大的降雨，在 C 波段(5.6 cm 波长)波束衰减不可忽略；而在 X 波段(3 cm 波长)，即使是很小的雨，波束衰减也会很大。另外，当发生中到大雨时，雷达天线的保护屏蔽器上会产生薄水膜，这时也能看到类似的效果。

8.3.3　降雨特征问题

如果雨强时空变化较大，对雷达回波进行平均时则会引起误差(Joss 和 Waldvogel，1990)。Febry 等(1994)研究了雷达短期累计降雨精度对采样时间的依赖性。如果累计降

雨计算不当，采样引起的误差将比任何误差都大。研究表明，高时间分辨率数据可以获得最好的累计降雨。给定时间分辨率，则存在使降雨累计误差最小的最优空间分辨率，见图 8-2。

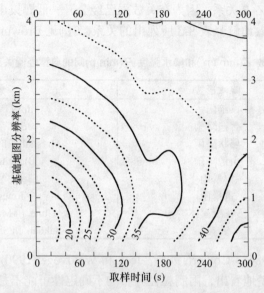

图 8-2　5 min 累计降雨绝对误差(%)与采样时间及空间分辨率的关系

当雷达波束到达水平距离较远的位置时，其距离地球表层的高度会相当大。对于一个仰角为 0.5° 的波束，其水平距离为 130 km 时，波束的轴心高度为 2 km；水平距离达到 200 km 时，其轴心高度为 4 km。在此高度，降水增加、降水蒸发、空气垂直运动和冰雪融化(当雪花融化时，存在增大反射率的"亮层")等将引起反射率在垂直方向的变化。

Joss 和 Waldvogel(1990)得出的结论是，雷达测雨误差取决于反射率在垂直剖面的变化。因为这种变化依像素点而变，所以，任何对像素点进行逐个修正的方法似乎都可能有极大的潜在效益。Kitchen 等(1994)讨论了进行距离和"亮带"效应修正以提高雷达估算降雨能力的三种方法。

(1)雨量站修正的方法：所有这些方案都受到随机误差和系统误差的影响，这些误差来源于雨量站和雷达观测对比时的代表误差。Rosenfeld 等(1995)最近所做的工作提供了一种可能更加稳定的方法。

(2)仅用雷达资料的分析方法：推求不同高度波束的平均反射率，以此进行资料修正(实例见 Harrold 和 Kitchingman，1975；Andrieu 和 Creutin，1995；Andrieu 等，1995)。

(3)使用独立气象资料的物理基础方法：应用地面资料或微物理模型推求带参数的反射率剖面(实例见 Kitchen 等，1994；Hardaker 等，1995)。

方法的实际可操作性也很重要，物理基础方法可能最好，但没有哪一种方法能够完全解决问题。

8.3.4　Z~R 关系

8.3.1 节讨论的经验关系，可用雷达反射率推求降雨。然而，这一关系的准确形式取决于降雨类型。Battan(1973)列出了 60 种 $Z \sim R$ 关系,所有这些关系都只适用于特定的环境。幸运的是,除那些适用于山地降雨的关系以外,当雨强在 20 ~ 200 mm/h 之间时大多数关系没有太大差别。表 8-3 所示的是特定降雨条件下的最典型的 $Z \sim R$ 关系。值得注意的是,山地降雨的 $Z \sim R$ 关系,因为有关数据已经公开,低海拔山地降雨增加的结论已得到认同,这可以有效地解释表 8-3 所列出的关系(实例见 Browning,1990)。

表 8-3 反射率系数 $Z(\mathrm{mm}^6/\mathrm{m}^3)$ 和降水强度 $R(\mathrm{mm/h})$ 间的典型经验关系(据 Battan,1973)

关系	降水形式	参考
$140R^{1.5}$	细雨	Joss 等 (1970)
$250R^{1.5}$	普遍降雨	Joss 等 (1970)
$200R^{1.6}$	层状降雨	Marshall 和 Palmer (1948)
$31R^{1.71}$	山地降雨	Blanchard(1953)
$500R^{1.5}$	雷暴雨	Joss 等 (1970)
$486R^{1.37}$	雷暴雨	Jones(1956)
$2\,000R^{2.0}$	雪花凝聚体	Gunn 和 Marshall (1958)
$1\,780R^{2.21}$	雪花	Sakhan 和 Srivastara(1970)

根据 Zawadzki(1984)、Collier(1986)、Joss 和 Waldvogel(1990)及 Rosenfeld 等(1992)所做的研究,可以清楚地看出,雨滴粒径分布的不确定性可能不是雷达测雨最主要的误差根源。Collier 等 (1983)认识到对于不同的降雨状态,需要应用不同的 $Z \sim R$ 关系。

8.3.5 窗概率拟合方法(WPMM)和其他雨量站修正方法

近年来,在利用地表雨量站修正雷达测雨方面,许多研究项目致力于研究面平均雨强(R_c)与大于给定阈值(τ)的反射率所覆盖区域 $F(\lambda)$ 间的高相关性。Doneaud 等 (1981,1984)根据下式导出降雨量 V

$$V = \int_\tau \int_A R \, \mathrm{d}a \, \mathrm{d}t = R_c \int_\tau \int_A \mathrm{d}a \, \mathrm{d}t = R_c \sum A_i \Delta t_i \tag{8-7}$$

式中　R——局地瞬时雨强;
　　　$\mathrm{d}a$——面积增量;
　　　$\mathrm{d}t$——时间增量;
　　　R_c——平均雨强。
对整个区域面积 A 和整个时段 T 上进行双重积分(ATI)。

此后,Chiu 和 Kedem(1990)开发了一个回归模型,根据雨区面积百分率(考虑共变分值的某区域上雨强超过给定阈值的条件概率)估计降雨。试验表明,这种方法优于多元回归法。但如果将该技术用于雨强估计,还必须考虑气象参数的变化。

Atlas 等(1990)提出了一种统一理论。通过计算某值域范围雨强等值线或相应雷达回波强度等值线内暴雨覆盖面积,进而根据降雨过程中各个对流暴雨计算总降雨量,并根据多个这样的对流暴雨计算区域范围内的瞬时雨强。式(8-7)可归纳为

$$V = [\overline{A}(\tau)T]S(\tau) \tag{8-8}$$

式中　$ATI = A(\tau)\phi T$;

τ——阈值；

$S(\tau)=R_c(\tau)\phi$，并可根据概率密度函数(pdf)定义，例如 $\int_{-\infty}^{\infty}RP(R)\mathrm{d}R/\int_{\tau}^{\infty}P(R)\mathrm{d}R$ ；

ϕ——占总量的百分率。

图 8-3 所示曲线与 Rosenfeld 等(1990)在德克萨斯的 GATA 和南非所发现的类似。雨强阈值 τ 内的降雨量百分率和面积分别为 ϕ 和 $A(\tau)$；该区域的平均雨强为 R_c。曲线符合 $\lg R=1.1$ mm/h 的对数分布(根据 Atlas 等，1990)。

Sauvageot(1994)发现 $P(r)$ 可用对数分布描述，同时解释了 $S(\tau)$ 的稳定性。

用区域面积 A_0 除以式(8-8)，则 V/A_0 为区域平均雨强 $<R>$，$A(\tau)/A_0$ 为阈值 τ 所覆盖的面积百分率 $F(\tau)$，即

$$<R>=F(\tau)R_c(\tau)\phi \tag{8-9}$$

Rosenfeld 等(1990)考察了瞬时区域法的通用性，并发展了利用暴雨高度的方法，以提高仅通过暴雨区域估算降雨的准确性。他们定义了如下的"效率系数" E_c

$$E_c=(Q_b-Q_t)/Q_b \tag{8-10}$$

式中　Q_b、Q_t——暴雨底部和顶部的水汽混合率。

因此，E_c 就是可能被从云层底部携带上升的水汽百分率，而该部分为潜在的降水。Q_t 由暴雨的实际高度决定。随着 E_c 逐级增大，$pdfs$ 就会整体进行平移，雨强相应变大，如图 8-4 所示。在图 8-4 中，由在 31~90 km 范围内的高分辨率雷达数据所得到的降雨强度的概率密度函数，对于具有不同平均深度的对流降雨，由间隔 0.1 的 E_c 指示。最薄对流层为 0.5，最深对流层为 1.0(根据 Rosenfeld 等，1990)。因此，有可能同时根据 E_c 和相应的最佳 τ 对 $<R>$~$F(\tau)$ 关系进行分级。

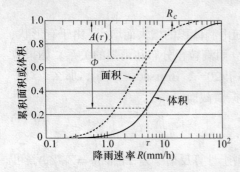

图 8-3　降雨面积(虚线)和体积(实线)的对数
累积分布曲线

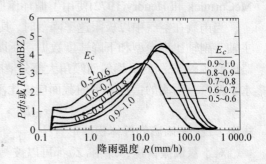

图 8-4　$pdfs$~R 系统图

这一技术称为窗概率配对法(WPMM)。Rosenfeld 等(1995)进一步发展了该技术。根据水平径向雷达反射率梯度、有效效率所指示的云层深度、雷达域窗口内的"亮带"百分率和凝固层的高度对降雨进行分类，这在澳大利亚和以色列的试验结果都有很高的可信度。作者认为，在点和面雨量观测方面，这种方法相对于其他单一雷达反射率法有较大的进步，但是在这种情况下，雨量站修正方案中采用雨量站资料与雷达资料的比率进行内插的范围就值得怀疑。

WPMM 不需要消除距离效应，也不要求在雷达图像中对亮带进行修正，所需要的只

是鉴别亮带的存在以及在接近 0 ℃高度时所增加的回波的百分率。这仅要求一个确定 0℃高度或亮带高度的方法。最后，Rosenfeld 等 (1995)定义并成功测试了识别被地物反射回波或虚假回波污染的窗口的方法，这些方法比用干扰回波图更简单。尽管这种方法有很大的潜力，但仍需要进行进一步的改进，检验其实用性。同时也需注意，该方法中地面有一定数量(不需要太多)雨量站仍是最基本的要求。

如果站网密集，WPMM 方法就可能不比那些以率定雷达地表降雨(R)与雨量站降雨(G)比率为基础的方法优越(实例见 Moire 等，1991)。而且必须注意，雨量站修正虽能明显提高降水观测的准确性，但在部分个案中并非如此。事实上，在对流性降雨情况下雨量站修正反而会降低精度。Kitchen 和 Blackall(1992)注意到点观测雨量和雷达观测雨量的差异往往是雨量站采样造成的。他们得出结论，即当地形因素占优势时，雨量站修正是有用的，但是在其他地区或其他情况却并非如此。即便雨量站密度较高，对雨量站降雨—雷达降雨对中代表误差引起的随机误差和系统误差仍十分让人头疼。此外，实际站网不能完全解决亮带或地形作用所引起的误差。然而，雨量站修正的优点是，在建立雷达测雨与地表观测降雨的关系时，部分误差可以在单个过程中予以消除。时间积分、G/R 可能是最佳的修正因子。然而，点雨量并不能代表雷达观测的区域，在方案中考虑面积积分十分重要。

8.4　多参数雷达技术

降水粒子形状与球形的差异导致不同的反射率特征。Seliga 和 Bringi(1976)在正交线性双偏振平面(水平为 V，垂直为 H)中建立信号与双参数雨滴粒径分布的关系。类似地，McCormick 和 Hendry(1972)使用了循环偏振。

当雨滴在空气中以极限速率降落时，其扁率随雨滴体积的增大而增大。由于有形状、主轴—副轴比率模型和下降速度数据，所以可建立雨滴粒径分布和雨强的关系。如果忽略雨滴倾斜(观测的平均斜面倾角大部分情况下小于 20°，Brussad，1976)，那么，对于水平偏振，雨滴的雷达水平横截面应该比垂直偏振横截面要高。

$$\sigma_H(D) > \sigma_V(D) \tag{8-11}$$

式中　D——雨滴的等体积球形直径。

对于双偏振雷达，Z_H 和 Z_V 都可以被测量并用于计算反射率差 $Z_{DR}(Z_{DR}=Z_H/Z_V)$，可以看出，Z_{DR} 仅与 D_0 有关。因此，可用来确定 D_0。有了 D_0，式(8-1)就可以用来确定第二个未知的分布式参数 N_0(见 8.3.1 节)。

$$\bar{Z}_{H,V} = \frac{10^{18} \lambda^4 N_0}{N^5 |K_0|^2} \int_{D=0}^{D_{max}} \sigma_{H,V}(D) \exp(-3.67D/D_0) dD \tag{8-12}$$

Z_{DR} 有一个量级为 5 dB 的变化范围，而且在 C 波段 D_0 的灵敏度明显略高。因此，在精度高于 0.2 dB(标准偏差)的范围内测量 Z_{DR} 是实际应用中的主要问题。例如，如果 Z_H 和 Z_V 分别作为 100 个独立单脉冲反射率的积分均值来计算，Z_H 和 Z_V 的误差可能为 10%，约为 0.5 dB。这对于推求给定精度要求的 Z_{DR} 明显不符合要求。可以通过以下方法进行改善：

(1)增加积分数量，单元探测时间控制在以秒为单位的水平上。

(2)近乎同步地获得双偏振的单脉冲回波，使在计算 $Z_{DR}=Z_H/Z_V$ 时，Z_H 和 Z_V 的波动偏差相补偿。

实际中应用的是方法(2)。由于雨滴的重新排列，它依赖于关于单脉冲回波在常载波频率中的剥离时间的经验公式(Atlas，1964)

$$Z_{DH} = \frac{\overline{Z}_H}{\overline{Z}_V} = \frac{\int_{D=0}^{D_{max}} \sigma_H(D) \exp(-3.67D/D_0) \, dD}{\int_{D=0}^{D_{max}} \sigma_V(D) \exp(-3.67D/D_0) \, dD} \qquad (8-13)$$

从以上分析可以看出，Z_{DR} 雷达技术似乎可以不需要任何雨量站修正即可准确地观测雨强。然而，Jameson 等(1981)却指出，Z_{DR} 的观测与雨强有密切关系。尽管有两个雷达变量(Z_H、Z_{DR})，但仍要考虑两个附加参数(雨滴最大粒径和雨滴形状)，这样，在定量信息方面收益甚少，同时需要更多的雷达参数(Atlas 等，1982)或时间和区域均值，甚至特定气象条件的修正。因此，该技术开始遇到与单反射率技术相同的问题。Goddard 等(1982)曾提到过这些问题，他们建议用经验方法减少其所引起的误差。此外，Hendry 和 Antar(1984)注意到由传播作用引起的困难，Herzegh 和 Conway(1986)及 Liu 和 Herzegh(1986)还讨论了由旁瓣作用引起的问题。

总之，雨强的梯度、雨滴粒径偏离指数关系、雨滴扁率与模型结果的偏离、风的剪切和湍流引起的雨滴倾斜等均会使 Z_{DR} 产生问题。微分反射率技术与其他雷达技术一样会受到雷达波束以下反射率梯度的反作用,这在孤立暴雨或山地降雨的情况下非常明显。换句话说，即便高空雷达波束观测的雨强极为精确，其结果仍不能代表地面上的雨强。窄波束宽度(0.5°～1°)会有所帮助，但不能完全克服这个缺点，尤其是在雷达周围 100 km 范围内，水文学家特别感兴趣的山区情况更是如此。

基于多偏振雷达可得到其他参数的范围(Doviak 和 Zrnic，1994)，并用于识别水汽凝结体的倾斜效果并修正 Z_{DR}。此外，径向交叉接收的值取决于识别水汽凝结体形状的可能性。而且，Holt(1988)指出位相参数的差异(与方向角均值有关)可由非转换的循环偏振系统估计，这为研制更适用的雷达提供了新的可能性。Sachidananda 和 Zrnic(1987)指出，如果波相能够准确测量，这一参数则可用于提高大强度降雨估计。目前，所有这些技术还没有应用于实际。

8.5　基于雷达测雨的水文预报精度

雷达对水文预报精度的影响将取决于所用资料的时间、空间和强度分辨率。Kouwen 和 Garland(1989)发现在 3 250 km^2 范围的流域内，10 km × 10 km 的雷达分辨率能够满足模拟由雷雨或锋面雨引起的洪水。然而,Ogdan 和 Julien(1994)通过研究两个大小为 32 km^2 和 121 km^2 的流域，发现雷达空间分辨率的效果取决于两个过程即"暴雨模糊"和"流域模糊"的重要性。

当降雨资料所代表的空间区域的长度尺度接近或超过降雨相关长度(对于对流单元约为 2.3 km)时，会产生暴雨模糊，即在高强度区域雨强趋于减少，在接近低强度地区雨强增加，从而有效地减小雨强梯度。这与流域大小无关。而当雷达栅格尺寸接近流域特征尺寸(流域面积的平方根)时会产生流域模糊。在这种情况下，流域内降雨位置的不确定性增加。

因此，对于存在着较大雨强梯度的对流雨，使用 1 km × 1 km 的雷达栅格尺寸是必要的。对于每一个小的城市流域(排水系统)，如果要避免流域模糊，使用较小的栅格尺寸是必要的；然而，对于大的城市或乡村水域，2 km × 2 km 甚至 5 km × 5 km 的栅格尺寸就相当合适了。Michaud 和 Sorooshian(1994)发现对于对流雨，在干旱地区，4 km 像素降雨的空间平均会导致洪峰流量的一致下降，平均来讲，约占观测流量的 50%。

作为模型的输入数据，降雨的时间变化对预测水文过程也有显著影响。Ball(1994)注意到流域汇流时间取决于超渗雨的时间特征，与超渗雨强不变时所作的预测相比，可能会大于 22%或小于 19%。因此，确定流域汇流时间时必须考虑超渗雨的大小和特征。但我们发现洪峰流量与超渗雨的特征无关。由此可得出这样的结论：如果降雨数据的时间分辨率不能正确地反映降雨的真实状况，水文预报过程必然会出现明显的时间误差。在实际工作中，对于对流降雨，降雨数据的时间间隔不能超过 5 min。即使如此，有些情况还是较粗略，如图 8-5 所示。

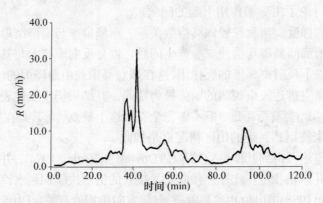

图 8-5　利用雨滴粒径测量器得到的雨强变化

Cluckie 等(1991)研究了雷达数据所要求的强度分辨率。其结论是，对于大多数乡村流域和大多数城市流域，8bit(8 个强度水平)就已经足够了。大量的过程描述信息聚集在光谱的低频端，虽然强度分辨率降低，水文预报模型仍可辨析这一部分信息。然而，在对流雨中，低强度分辨率可能会有和导致暴雨模糊的空间分辨率一样的效果，从而减小雨强梯度。

早期对雷达数据作为水文预报输入的估计是乐观的(Anderl 等，1976；Barge 等，1979)，与仅用雨量站资料的结果相比，其结果也有相当大的改进。然而，有人(Gorrie 和 Kouwen，1977)却注意到，对对流雨而言，改进是非常有限的。Collier 和 Knowles(1986)使雷达测雨误差的效果得到关注。Roberts 也给出了相似的结论，他强调了在实际中无论使用什么方法也不能准确地修正雷达数据。

降雨预报输入水文模型时会遇到更多的问题。Schulz(1987)研究了降雨预报方案中的变化对水文预报的影响。在其研究中，一种实时适应模型(观测和预报水文过程的偏差平方和最小)得到检验，被证明是很有应用前景的方法。同样，Cluckie 和 Owens(1987)应用适应变换函数模型，得到了令人鼓舞的结果，但有时模拟结果不尽人意。最近越来越多的适应分布式模型被提出，如 Chandar 和 Fattorelli(1991)，但这些仍需要进一步实时验证。

8.6 结 论

　　雷达能在单点位置较好地提供其覆盖范围内的降水时空分布，尤其可以提供 1 km^2 或更小面积和 1 min 或更短时间间隔的降水分布。

　　然而，在这些数据输入水文模型前，必须进行数据整理分析和全面的质量控制。雷达并不能直接进行降水测量，而是对水汽凝聚体的反射率进行测量。

　　雷达系统的反演算法将不确定性引入降水，对利用这些数据进行水文预报产生很大影响。然而，除非雨量站非常密集，否则地面系统观测的雨量同样存在采样误差。

　　在单点收集资料，同时获得对降雨的时空分布的全面理解，虽然在精度方面与高密度雨量站网相比存在问题，但在大部分情况下，还是可以接受的。这并不是说不需要提高精度，而是说雷达数据的局限性并不能成为将这些数据用于分布式水文模型的阻碍。需要确保的是，模拟中要包含与雷达资料误差特征相匹配的误差修正反馈机制。

　　最后，有一点仍不能确定，那就是若使用雷达测得的降水数据，分布式水文模型是否比集总模型得到的模拟结果更准确。尽管目前水文模型专家和雷达水文气象专家已开展了一些联合研究，但仍需进一步加强。

第 9 章 遥感在水文模型中的应用

9.1 引　言

　　长期以来,人们便认识到流域水文模拟的结果在很大程度上依赖于输入数据的质量。水文研究的主要问题在于没有足够的、精度较高的数据来定量描述水文过程。只有获得详细的地形、地质、土壤、植被和气候资料,才有可能对较大流域的气候变化和土地利用产生的水文效应进行研究。随着遥感技术的进步,与水文相关的流域资料可以通过不同的传感器获得。使用者在使用这些数据时面临的主要问题是如何有效地将遥感数据转换为水文研究和模型中可用的数据。

　　和传统的数据收集方法相比,遥感技术的优点可归纳为以下几点:

　　(1)观测设备和被观测对象互不干扰。

　　(2)区域分布观测代替了点观测。

　　(3)时空分辨率较高。

　　(4)以数字形式获得相关数据。

　　(5)可获得人类无法到达的偏远地区的信息。

　　遥感的主要缺点在于不能直接提供水文模拟所需要的数据。这些传感器所获得的数据通常是一些电磁信号,这些信号必须转换成相应的水文数据。将遥感数据解译成水文信息的可行性技术仍在发展当中,但在为水文过程研究选择合适的光谱数据以及用合适的方法解译这些数据等方面仍存在许多困难。

　　遥感在水文和水资源管理上最直接的应用是土地利用类型的分类。根据可见光和近红外观测资料,可以获得较大区域(如中等尺度流域)内对水文模拟较重要的地表特征值。由于对土壤—大气交换过程的尺度问题理解不够(从水动力学到流域和区域尺度),从而阻碍了遥感数据的应用。由于地表土壤水分制约着大气与土壤之间的水分和能量交换过程,同时也受其影响,在水文模拟中研究尺度问题的关键应该是对土壤水分的微波遥感观测。由于土壤含水量影响表土层的绝缘性能,微波遥感可以观测表土水分。迄今 20 年来,用于表层土壤水分观测的微波探测器一直在发展中。航空微波探测器可校准和验证在观测和处理土壤水分方面的各种技术。航天微波遥感由于有较高的时空分辨率而引起许多学者的兴趣,目前已有几种卫星(如 ERS-1、ERS-2、JERS-1、RADARSAT 等)从太空得到了地球大面积的 SAR(合成孔径雷达)观测资料。

　　本章将首先对遥感在水文和水资源管理中的应用现状作一个简单的概述,继而介绍一些在应用微波遥感进行土壤水分观测方面的重要发展和研究结论,最后用几个例子阐述土壤水分变化信息在分布式水文模型中的重要性。

9.2　遥感在流域水文研究中的发展现状

9.2.1　遥感的物理探讨

遥感是一种不直接接触目标探测信息的方法,和实地探测正好相反(实地探测需要和目标物体直接接触)。目前在遥感系统中最常用的测量方法是测量目标物体发射出磁场能量的数量。遥感系统可分为被动遥感和主动遥感两类。在被动遥感中,测量装置只探测和记录从目标物体发出的自然能量,而主动遥感系统是在发射电磁信号后接收反向散射或反射信号。

电磁辐射是指电磁能以波的形式传播,这对遥感来说非常重要,因为辐射是能量的一种形式,它不仅可以以某一波长通过介质(例如水和大气)传播,而且可以通过真空(例如太空)传播。所以具有绝对零度以上温度的物体都具有辐射的特征,辐射信号的外观特征由辐射源的物理属性决定,这种信号通常用波长(或频率)或位相来描述。

与波长相关的电磁波特性如下:

(1)波长越短,能量越高。

(2)物体的绝对温度越高,总能量越高,辐射峰波长越短。

(3)能量和质量的相互作用依赖于波长。

当辐射到达目标物体时,可能发生四种情况,即穿透、吸收、反射和散射。理解有关这四种情况的综合作用有助于选择合适波段,并利用遥感技术分析目标物体特性。

9.2.2　水文学研究中的遥感数据应用环境

9.2.2.1　传感器和应用平台

水文学研究中的遥感传感器通常情况下可分为以下 6 类:

(1)摄像机。摄像机是最简单的遥感传感器,在电磁波谱的可见光区(VIS)和近红外区(NIS)工作,是制图中应用最早的传感器。

(2)光导摄像机。在光导摄像管摄像机中,光学影像在光电导器件表层聚焦并暂时保留,然后被电子扫描,并以连续变化的电信号形式进行记录、传送。

(3)辐射扫描仪。利用扫描装置、扫描平台的滚动或摆动、接收信号位相的调整来扫描目标区域,从而随着平台路径的前进建立数据带。辐射扫描仪主要用于 VIS、IR(红外光区)和微波辐射波带。许多卫星带有这类传感器,包括 MSS、AVHRR、NOAA、SSM/I、DMSP 等

(4)推动刷。用于减少当需要扩展阵列时引起的几何和机械复杂性。顾名思义,固态传感器的扩展阵列主要安装在头部,沿着子卫星轨道扫描。推进传感器帚状头部的概念在 SPOT 里已有采用,这样可以获得立体图像。

(5)分光仪。用于选择或分散入射光,主要采用棱镜、平面镜、光栅、滤镜等为目标光谱信号的详细分析提供多谱线数据。

(6)微波雷达。和其他装置不同，微波雷达是主动辐射系统，测量的是从装置本身发生辐射的反射回波。雷达在多云地区是非常重要的，这是因为某些波长的微波辐射不会被大气中的水分削弱。欧洲的遥感卫星 ERS-1 和 ERS-2、日本的 JERS-1 和加拿大的 RADARSAT 上的 SAR 装置都是微波雷达。

水文学研究应用的平台主要有：

(1)地面观测平台，例如天气雷达系统。

(2)航空平台，包括气球和飞机。气球可达到离地面 30 km 的高空，飞机主要用于地形勘察、洪水灾害监测评估以及其他水文研究。有人驾驶的飞机一般可达到 15 km 的高空。

(3)航天平台。包括穿梭太空飞船(200~300 km)、卫星、低空极轨卫星(800~1 500 km)和高空赤道同步卫星(35 500 km)。

9.2.2.2 遥感卫星系统

对许多水文研究来讲，区分地球资源卫星和环境卫星十分重要。地球资源卫星，以相对高的空间分辨率(例如陆地卫星)和数天一次的频率对同一地区进行重复循环监测，适用于遥感制图和一般的地表特征监测；环境卫星，以小时为监测频率，但是空间分辨率相对较低，适用于需要提供天气状况(Meteosat、GOES)和大尺度地表现象信息的水文学研究(NOAA/AVHRR)。

地球资源卫星系统有如下几种：

(1)Landsat MSS，TM：Landsat 由美国国家航空宇航局(NASA)发射控制，自 1972 年(Landsat 1、2、3)起，在 4 波段内通过多波谱扫描仪 MSS 提供植被、作物和地表覆盖层的数据，分辨率为 80 m。1984 年始，Landsat 4、5 在 7 波段内用 Thematic Mapper(TM)探测，分辨率为 30 m(波段 6 为 120 m)。Landsat 6 于 1993 年 8 月发射，带有 Hanced Thematic Mapper，包括 Landsat 5 的 7 个波段和分辨率为 13 m × 15 m 的全色波段。但 Landsat 6 发射后不久便失踪。

(2)SPOT：第一颗 SPOT 卫星于 1986 年由法国 CNES 发射成功，是地理信息的一个重要的数据源，在太空遥感领域具有重要的位置，全色波段地面分辨率达 10 m，多波谱段达 20 m，对于地球表层的任何地点几乎都能极为灵活地获取信息，而且还可以获取立体图像，并具有很高的几何精确度。目前 SPOT-2 和 SPOT-3 号正在运行中。SPOT 卫星具有两套成像装置，即高分辨率可视成像仪 1(HSV1)和高分辨率可视成像仪 2(HRV2)，二者可以独立工作。HRV 主要进行两种模式的遥感，即全色模式 10 m 分辨率和 3 波段多波谱 20 m 分辨率模式。

(3)ERS-1/SAR：欧洲遥感 1 号卫星于 1991 年由欧洲航天局发射成功，利用先进的微波技术，可全天候重复获得地球的观测信息。除其他装配外，ERS-1 还携带一个主动微波遥感器(AMI)。AMI 由合成孔径雷达和一个风散射仪组成。SAR 是 C 波段(5.3 GHz)雷达，具有垂直发射和垂直接收偏振，全天候获取对海洋、极地、海岸及其他地表图像。1995 年 4 月，ERS-2 发射成功，它带有和 ERS-1 同样的装置。日本 JERS-1 卫星和加拿大 RADARSAT 卫星与 ERS/SAR 相同。JERS-1 带有 L 波段(1.27 GHz)的 SAR，于 1992 年发射成功，最近(1995 年 11 月)，带有 C 波段 SAR 的 RADARSAT 已发射成功，它可变换发射波的入射角。

环境卫星系统有如下几种：

(1)NOAA/AVHRR：分辨率为 1.1 km。自 1978 年以来，在 5 个光谱带内为水文学、海洋学以及气象学研究提供信息。

(2)地球同步气象卫星：包括欧洲航天局的 Meteosat 卫星、美国同步环境卫星(GOES)东星和西星、日本同步气象卫星(GMS)以及印度的 INSAT。

(3)DMSP：1978 年发射的美国空军防卫气象卫星计划 F8 和 F10 卫星，具有对水文学研究非常重要的传感器。SSM/I 在 4 个波段内用测量海洋表层风速、冰盖和冰龄、云层水分含量、降水和土壤水分。SSM/I 在 3 个波段(19.35、37.0、85.5 GHz)的双偏振形成了 7 频道，另一个是频率为 22.23 GHz 的垂直偏振。

9.2.3 遥感数据在水文学中的应用

9.2.3.1 降水

遥感测雨技术包括地面雷达方法、卫星可见光/红外线观测云层指数方法以及被动微波遥感方法(Browning 和 Collier，1989)。Klatt 和 Schultz(1983)、Collinge 和 Kirby(1987)等给出了地面雷达在降雨监测中的应用，主要用于洪水预报领域。可见光和红外线技术主要依赖于云层顶部的辐射，而被动微波探测技术为降雨的各项特征提供了更为直接的测量方法。在低于 20 GHz 的微波区，有关降雨的信息通过光的吸收和发射过程得到；在高于 60 GHz 的微波区，降雨信息主要来自光的散射。被动微波技术要比可见光和红外线技术优越得多(Barrett，1973)。

9.2.3.2 冰雪

在许多高山地区，冰雪融水是河流春、夏季的主要水源。然而，冰雪往往分布在遥远的、难以到达的地区，在那里进行大范围野外观测既困难又非常昂贵，此时遥感技术就有了明显的优势。遥感技术在这方面近二十年的发展包括可见光和 SAR 遥感对雪盖区域的绘图和微波遥感对积雪量、雪水当量和积雪反射率的监测以及由遥感数据和水文模型得出的积雪层消退曲线和融雪径流预报等(Chang 等，1991；Martinec 和 Rango，1991；Rango，1993)。

9.2.3.3 蒸(散)发

蒸(散)发在流域水量平衡模拟中极为重要。它不能用遥感技术直接测量，但可以利用能量平衡方程(例如太阳辐射入射量、表层反射率、表层温度、地表层、植被密度和土壤水分)得出计算蒸(散)发所需的参数和变量。尽管这方面的研究很多(Menenti，1983；Nieuwenhuis，1986；Seguin 等，1990；Feddes 等，1993)，但基于遥感技术确定蒸(散)发还没有切实可行的方法。

9.2.3.4 土壤含水量

土壤含水量是水文、农业、气象和气候研究中的重要变量。土壤含水量测量的传统方法既费时又费力，而且在大流域内开展起来非常困难，而遥感技术为估算地表空间分布式土壤含水量提供了可能。

近地表土壤含水量的遥感测量主要基于以下几点：

(1)利用波谱的可见光和近红外区测量裸地的反射率。由于土壤反射率在很大程度上受土壤质地和颜色的影响，所以如此得到的土壤含水量指标精度不高。

(2)利用波谱的热红外区测量地表温度。这类测量的局限性主要在于云量、植被和气象因素的影响。

(3)利用微波测量地表的亮白温度。这种被动的方法主要是利用水和干燥土壤介电常数的差别来决定表层土壤(5 cm)含水量(Schmugge，1985；Jackson，1993；Hollenbeck 等，1996)。由于微波辐射的削弱随着植被密度的增加而增加，所以这种方法只能用于植被稀少地区。

(4)利用主动微波遥感测量回向反射系数。测量近地表土壤含水量的技术已投入了大量的研究，在微波频率选择、土壤粗糙度以及植被覆盖度影响的定量化方面已取得了进步(Ulaby 等，1978；Ulaby 等，1984)。最近，正在开发利用遥感断续近地表土壤含水量遥感探测模拟剖面土壤含水量的程序。关于剖面土壤含水量的一些重要问题将在 9.3 节作进一步的阐述。

9.2.3.5　地表水和径流

遥感数据通常可以改进地表水分类和那些用来计算总量的传统方法，包括地表水覆盖范围的测绘、洪泛区和洪灾损失的确定以及内陆水域的管理等。尽管很难直接测出流量，但遥感数据对分布式水文模型的数据输入有着重要的作用，如土壤水分等状态变量和模型参数估计等，从而可以更精确地模拟径流量。

9.2.3.6　流域特征

结合地理信息系统，遥感卫星为测绘流域特征提供了可能(Su 等，1992；Su 和 Schultz，1993)。当在分布式水文模型中应用遥感流域特征时，要充分考虑模型结构和时空分辨率。由于遥感数据在本质上是空间分布的，所以用分布式模型最合适。但由于遥感数据通常描述的是地表特征，与地下过程相关的模型参数不得不用一些子流域上的水文实测数据进行率定。在这种情况下，半分布式模型通常更好。为了有效地利用数据，减少模型的复杂性，可以将像素组合并在一起组成"水文相似单元"、"代表基本单元区"或"组合反应区"。

9.3　土壤水分的微波遥感

9.3.1　引言

土壤是大气圈和岩石圈之间的薄层多孔物质。土壤含水量的保持及由降雨、融雪或灌溉引起的径流是社会食物和能量产品生产、供水、运输及其他工业生产的基本过程。另外，土壤含水量通常是决定生态系统对物理环境反应的主导因素。近地表土壤含水量很大程度上控制了能量在地表的分配及其与大气的感热和潜热交换，因而将地表的水量和热量平衡与土壤的水、热状态联系在一起。尽可能多地了解土壤含水量和蒸(散)发对于理解和预测地表过程和天气及气候之间的互相影响是非常重要的。尽管如此，土壤含水量的全球性监测和分析还是低效的。

最近的研究表明，遥感可用于测量各种地形和地表覆盖的地表土壤水分。在某种程度上，土壤含水量遥感探测可以在电磁波谱的全部区域内实现，但只有在微波区可以借助航天或航空工具实现真正的定量测量。微波遥感具有较大吸引力的主要原因是土壤介电性对土壤含水量的依赖及其对大气界面的相对不敏感性。土壤含水量测量的微波技术包括主动遥感和被动遥感两种方法，它们各有特点。

9.3.1.1　被动遥感系统

具有绝对零度以上温度的物质由于其原子或分子中带电粒子的运动而发射电磁辐射，被动微波遥感系统则用辐射测量工具在微波波段的频带测量这种辐射。通常用目标物体的亮白温度来表示物体自然辐射的强度，这种亮白温度被定义为目标物体物理温度和辐射率的乘积。许多研究通过各种各样的目标物体和不同的遥感参数，利用微波辐射测量计已证实了亮白温度和土壤含水量之间的关系(Newton 等，1982；Njoku 和 O'neill，1982；Wang 等，1983；Schmugge 等，1992；Jackson，1993)。同时，地表的粗糙度和植被将减弱遥感器对土壤水分变化的灵敏度。被动微波遥感系统的空间分辨率是目标远近和天线大小的函数。除非天线非常大，否则，从太空平台上不可能获得米级的空间分辨率。

9.3.1.2　主动遥感系统

与被动遥感器不同，主动微波遥感系统是雷达发射能量脉冲，然后测量从目标物体表层反射回来的信号。这种从被照亮区域反射或反向散射回来的能量通常以反向散射系数 σ^0 来表示，即单位面积的平均散射截面。对于土壤含水量和雷达回波之间的关系，许多研究者进行了研究(Ulaby 等，1978；Ulaby 等，1982；Pultz 等，1990；Wood 等，1993)。这些研究表明，相对于被动系统，主动遥感系统对地面粗糙度和植被更敏感(Ulaby 等,1979)，而且其空间分辨率要比被动系统高得多。SAR 系统的分辨率不再依赖平台的高度(Colwell，1983)。

9.3.2　土壤水分的恢复算法

9.3.2.1　逆向问题

既然微波遥感器不能直接测量土壤含水量，那么就需要一种恢复算法从所监测到的信号中(这些信号通常受到噪音的干扰)提取有用的信息。从数学角度来看，这相当于解决一个与正向模拟过程密切相关的逆问题。正向模拟发展了一套数学关系来模拟仪器对给定模型参数的反应。在土壤含水量遥感中，这些参数通常包括土壤属性以及植被覆盖的几何学和生物气候学特征。为解决逆向问题，能够描述观测结果的正向模拟程序十分重要。同样，模型中描述测量目标所用的参数个数以及弄清哪个参数最能影响反射回的信号也很重要。

下面将集中介绍几种从主动微波遥感器获取土壤含水量的逆向算法，然后用 ERS-1/SAR 数据对裸地情况下的土壤含水量进行敏感性分析。

9.3.2.2　微波散射模型评价

考察雷达发射器发出的微波遇到粗糙地表上的植被覆盖问题。波束穿过植被并与不同植被层的各个部分以及土壤表层基质相互作用，导致一系列的吸收和散射反应。部分散射波按照雷达接收器的方向返回，并携带着植被—土壤介质的信息。

实际上，这种反向散射过程可以细分为三个部分：①代表植被覆盖层散射贡献的部分；②代表表层体之间相互作用的部分；③代表地面反向散射的部分，包括由植被引起的双向衰减。

每部分的相对重要性取决于雷达微波的频率、偏振和入射角、植被和土壤含水量、植被密度和方位、土壤表层粗糙度和土壤质地以及其他地表参数。

最简单的模型由雷达测量结果和某些地表特征的经验关系构成，通常由试验数据拟合得出。许多文献描述了这类模型，如 Ulaby 等(1978)、Ulaby 等(1979)和 Piltz 等(1990)等。最近，Wood 等(1993)建立了一个经验模型，该模型将 NASA 航空合成孔径雷达(AIRSAR)的反向散射信号和三种不同地表植被覆盖的表层土壤含水量结合起来。这些模型结构简单且易于操作，但是这类模型也有缺点。首先，其所用的回归参数和经验系数并非物理变量，不能在现场实测得到；其次，由于模型与具体地点有关，其有效范围相对有限；再者，由于来自不同平台的取样导致不同的响应，这些模型的经验关系仅适用于特定的仪器装置。

波在任意粗糙表层的散射问题在理论上已有研究，研究方法主要是高频和低频近似方法。在高频散射模型中，KF 公式(Kirchhoff formulation)应用最为广泛(Beckamnn 和 Spizzichino，1963；Sancer，1969)。该方法的基本假定是，表层任一点的总散射场与入射波在切于该点的无限平面所产生的总散射场相同。对于具有较大表层高度标准差 s 的表层，KF 与稳态位相近似结合可得到分析解，对于坡度和表层高度标准差较小的表层，利用标量近似得到分析解。

对于相关长度和标准差 s 比波长小得多的地面，微波动方法(SPM)是一种低频方法，可以用来估计反向散射率(Valenzuela，1967)。Wineberner 和 Ishimaru(1985)利用表层场位相波动扩张，扩大了 SPM 有效性的范围，使之适合于较大的 s 值。

也有人尝试将 KF 和 SPM 统一以扩大适用范围，称为双尺度模型(Wright，1968；Leader，1978；Brown，1978；Bahar，1985；Fung 和 Pan，1987)。最近，Fung 等提出了基于表层场积分方程的地面散射模型，称为积分方程模型(IEM)。当表层光滑时，IEM 可简化为 SPM；当 s 比入射波长的时候，可简化为标准 KF 模型。由于 IEM 模型和表层散射相关，在地面发生散射时(例如水分含量较低和(或)低频时)，应用该模型就应该慎重(Le oan 等)。

植被覆盖的微波散射模型可分为两类：经验模型(或现象模型)和物理模型(或理论模型)。经验模型是基于对各种植被参数相对重要性的直观理解，然后将这些直观理解的结果进行累加(Ulaby 等，1979；Engheta 和 Elachi，1982；Mo 等,1984；Richards 等，1987)。物理模型是基于对微波和植被覆盖各种散射因素相互作用的模拟。模拟时主要困难在于决定植被层的几何形式和多次散射形式。通常的做法是，将植被层作为具有特定介电特性的连续介质或各向异层随机分布的离散成分的混合体。

9.3.2.3 ERS-1/SAR 探测资料恢复裸地土壤含水量的敏感性分析

在最近的研究中(Altese 等)，由 Fung 等开发的 IEM 模型用于分析雷达回波(以反向散射系数表示)对裸地地表参数的敏感性分析，ERS-1/SAR 传感器配置为频率 5.3 GHz，

VV 偏振，23°入射角。在 IEM 模型中，反向散射系数表示为雷达相关配置(频率、偏振和入射角)、土壤介电常数和土壤粗糙度(地表均方根高度、地表高度标准差 s、相关函数 $\rho(\xi,\zeta)$ 和相关长度 L)的函数。研究中作了一些更简单的假设：只考虑相对介电常数 ε 的实部，地表相关方程各向均匀并可用高斯函数或指数函数表示。

利用高斯函数(如图 9-1(a)所示)和指数函数(如图 9-1(b)所示)，给出了反向散射系数 σ^0 对均方根高度的依赖程度。曲线表明，σ^0 对地表粗糙度的敏感性在地表均方根高度较低($s<1$ m)时非常强，随着粗糙度的增加，敏感性降低。同时可以看出，模型在很大程度上取决于相关函数的选择，用高斯函数要比用指数函数的灵敏度高。

图 9-2 给出了当 s 保持不变(0.6 cm)、相关长度 L 在 3～15 cm 之间变化时的模型特征。曲线在(a)、(b)两种情况下有很大不同：用高斯函数时，σ^0 对地表粗糙度的灵敏度很强，尤其是在高 L 值时(L 每增加 3 cm，灵敏度变化 10 dB)；而用指数相关函数时，灵敏度要低得多(L 每增加 3 cm，灵敏度只变化 1 dB)。

从图 9-1 和图 9-2 均可看出，σ^0 对介电常数 ε 的敏感性不强，当 ε 从 5 变化到 25(分别相应于干、湿土壤)时，σ^0 只变化了大约 5 dB，几乎与粗糙度参数无关。利用 IEM 模型作进一步的分析也表明，从获取土壤含水量数据的可能性来看，ERS-1/SAR(C 波段)的雷达参数配置接近最优(Altese 等，1995)。

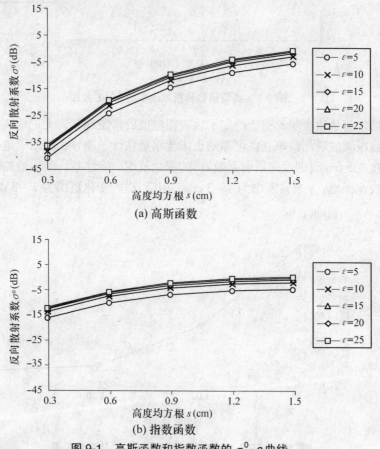

(a) 高斯函数

(b) 指数函数

图 9-1　高斯函数和指数函数的 $\sigma^0\sim s$ 曲线

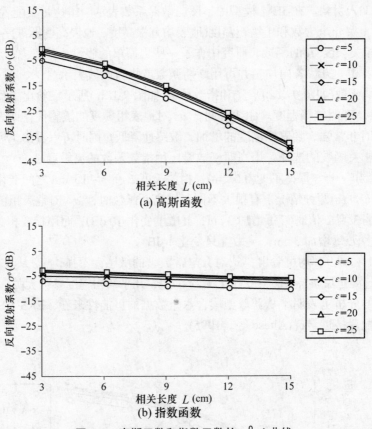

(a) 高斯函数

(b) 指数函数

图 9-2 高斯函数和指数函数的 σ^0~L 曲线

上述结果清楚地表明，对于给定了地表粗糙度的特定地区，无论地表如何光滑，从单频、单偏振微波观测很难获得可靠的土壤含水量估计。图 9-3 给出了地表均方根高度观测误差在 0.2 cm 时的反向散射系数 σ^0 的变化范围。应注意，当 s 增加时，$\Delta\sigma^0$ 显著减小。对农业裸地，s 通常考虑为 1~3 cm，相应 σ^0 的变化范围为 1~3 dB。

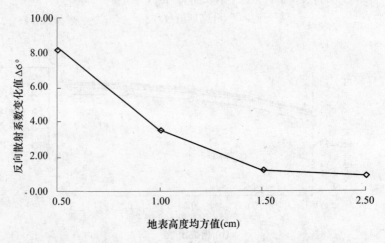

图 9-3 ERS-1/SAR 反向散射系数 σ^0 的变化范围

9.4 土壤含水量遥感和分布式水文模型

9.4.1 引言

    水文模型在相关理论的提出、验证以及数据的收集等方面是必不可少的工具，但不能弥补在自然过程理解上的不足。水文模拟的基本核心问题之一仍然是水文观测。水文模拟中一个重要的状态变量就是土壤水分的空间分布，它控制地表水量和能量的平衡。尽管如此，它尚未广泛地直接应用于水文模型中，部分原因是大多数水文模型没有将土壤含水量作为可测量的状态变量，而且传统方法在测量连续空间的土壤含水量也极为困难。水文学界若能在利用微波遥感技术，在流域尺度获得表层土壤含水量分布，并改进现有模型或开发新模型，在传统点数据中加入空间数据等方面达成共识，将对水文学科的发展起到重要作用(Engman，1990)。下面介绍水文模拟中引入土壤含水量遥感监测信息方面的最新研究内容。

9.4.2 水分和能量平衡的多尺度模拟

    Famiglietti 和 Wood(1994)详细描述了一个十分吸引人的模拟方法，该方法用来研究田间、集水区和区域尺度土壤水分时空特征。他们在地形框架中跨尺度集成简单土壤—植被—大气交换模式(SVATS)，并建立了这些尺度的水分和能量平衡方程。

    局部模型将地表分为裸地和植被覆盖两部分，可计算湿润和干旱条件下两种地表的蒸(散)发。模型中有超渗和蓄满两种产流机制。地表以下土柱可分为两层：上层为较活跃的根系层，下层为不活跃的传输层。该模型标准气象数据的时间分辨率较高，足以表示土壤—大气间的昼夜动态相互作用。

    空间分布式模型用数字高程模型(DEM)描述流域地形。根据 DEM 分辨率，整个流域被离散为网格单元，并对每个网格单元应用局部 SVATS。由于模型参数的空间分布及输入数据能够与 DEM 相匹配，因而模型输出的空间变化也能表示出来。由于 SVATS 需要地下水埋深作为下边界，空间分布式模型结构要求在流域尺度上地下水埋深应与网格单元相匹配。Beven(1986)地形—土壤指数用于地形参数化和描述土壤空间特性，同时网格单元之间的地下水埋深也要作相应处理。

    为了在大尺度上进行综合，Famiglietti 和 Wood(1994)假设地形和土壤特征在子网格内的变化决定大尺度土壤含水量的空间再分布过程。大尺度上的另一个假设是，当超过临界模拟尺度时，在大尺度模型中不需要明确描述地形和土壤的不均匀性，有其变化的统计值即可。因此，地形—土壤指数统计分布可用于大尺度模拟。该指数的分布被离散为许多区间，并在每个区间应用局部 SVATS。

9.4.3 水文遥感试验最新研究

9.4.3.1 MACHDRO'90

    MACHDRO'90 是 1990 年 7 月，由美国农业部东北流域研究中心在 Mahantango

Greek 流域局部(研究范围为 7.4 km²)进行的多传感器航空试验。研究区域包括 Mahantango Greek 流域东部面积大约为 60 hm² 的一个子流域(WD38)。WD38 南面是森林，是一个土地利用多样化的区域(小麦、玉米、燕麦、牧草和干草地)。在为期 12 天的试验中(1990 年 7 月 9~20 日)，获得了该子流域详细的水文和气象资料。另外，还组织了现场调查，收集到了地面实测资料(土壤水分、地面粗糙度、植被特征等)。试验中使用的微波遥感器是被动推动刷微波雷达仪(PBMR)和主动航空合成孔径雷达 AIRSAR。PBMR 为 L 波段，交叉轨道分辨率大约是 90 m，AIRSAR 是一个全偏振雷达，频率是 0.44、1.25 GHz 和 5.33 GHz。处理后的 AIRSAR 影像的方位和倾斜范围分辨率分别是 12.1 m 和 6.6 m。

　　图 9-4 给出了 WD38 子流域表层土壤水分的实测值和计算平均值(基于 9.4.2 节中的流域模型)，并点绘了降雨过程用以对比。模型初始化采用了两种方法：①流域初始湿度采用 Troch 等(1993a)提出的方法计算，该方法通过基流分析计算初始水深；②流域初始湿度采用试验第一天的遥感检测数据计算。由两类初始化条件得到的模型结果分别用虚线和实线在图中表示。从图中可以看出，虽然两种模拟结果都精确地反映了气象条件对土壤含水量变化的影响，但基于基流分析的初始化条件的预测结果要比第二种方法大得多。遥感初始化数据的应用很大程度上改善了表层土壤含水量的模拟精度，该结果加强了遥感技术在水文模拟中的应用。

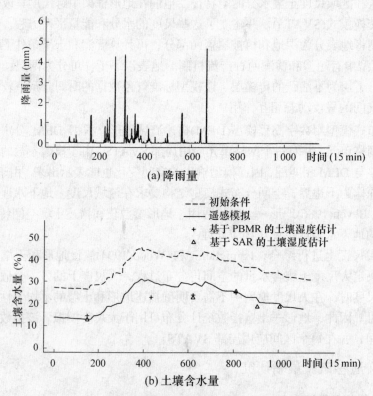

图 9-4　降雨量和表层土壤含水量随时间变化情况

虚线为基于基流推导的初始条件，实线基于遥感模拟。基于 PBMR 和 SAR 的土壤含水量估计分别用三角形和交叉线表示

9.4.3.2 MACEUROPE'91

1991 年夏天，在欧洲的两个流域进行了类似的试验，即 MACEUROPE'91。第一个试验流域 Slapton Wood 位于英格兰西南部的 Devon 郡，总面积约为 94 hm^2，地表覆盖多样化：14%为森林，25%为耕地，其余为永久牧场。流域内的土壤主要为粉沙壤土和壤土。第二个试验流域 Virginiolo 位于意大利的 Tuscany。Virginiolo 是 Arno 河的一级子流域，流域面积为 4.5 km^2，是意大利亚平宁山脉的典型丘陵地貌。该流域主要地表覆盖是橄榄树、葡萄园和裸地，土壤主要是沙土。

试验中只用到了 AIRSAR，三个波段(C、L 和 P)以及三种偏振方式(HH、VV 和 HV)。对于 Slapton Wood 流域，分别在 1991 年 6 月 29 日和 7 月 5 日进行了两次飞行试验，通过复合方位(330° 和 45°)和中扫描带入射角(25° 和 40°)获取图像。在 Virginiolo 流域共进行了三次飞行试验，分别是 1991 年 6 月 22 日、6 月 29 日和 7 月 14 日。飞行路线固定在西经 275°，这样可使雷达能够扫描整个山谷，中扫描带入射角为 25°。

对于 Slapton Wood 流域的草场覆盖区，Lin 等(1993)发现土壤水分的估计可以通过简单的回归算法从 L 波段图像获得。Mancini(1993)用 Oh 等(1992)建立的经验转换模型得出 Virginiolo 流域的土壤含水量估计值。Giacomelli 等(1995)使用 Famiglietti 和 Wood(1994)建立的分布式模型，对水文模拟和 SAR 得出的土壤含水量分布进行了比较。他们在报告中指出，现场抽样、模型结果以及 SAR 模拟的土壤含水量结果进行比较时，其结果可以接受，但通过分布式模型和 SAR 图像预测的土壤含水量空间分布明显不同。他们声称这种不同是由于模型结构和其初始条件造成的，需考虑一些重要的地表参数的变化，如植被和土壤水力学特性等，需作进一步的研究，进而改进模型的内部结构。

9.4.3.3 EMAC'94

EMAC'94(欧洲多传感器航空试验)是欧洲航空署和欧共体联合研究中心(JRC)的合作项目。EMAC'94 的目标是多方面的，涉及农业、森林、水文、冰雪、海岸和海洋研究等。项目中用到的航空装置包括合成孔径雷达(ESAR)、图像分光仪(ROSIS)和微波雷达装置。

ESAR 是一个试验性的多频、双偏振合成孔径雷达，由德国航空空间研究中心(DLR)(无线电频率研究所)研制，专为中尺度的涡轮推进飞行器设计。对 EMAC'94，ESAR 在垂直和水平偏振下的 4 个频率波段(X、C、L 和 P)运行。飞行中频率和偏振可以改变，但不能进行交叉偏振。在 EMAC'94 试验中用到了宽带模式(标准景像大小为 6 km × 6 km，几何分辨率为 4.5 m × 4.5 m，中带宽入射角为 52°)。光学反射图像分光仪(ROSIS)是一种航空压缩分光仪，可在不同模式下运行。EMAC'94 在收集试验数据时用的是图像模式。

EMAC'94 的"植被和土壤"课题组选择了比利时的一个试验区 Zwalm Creek，它是 Scheldt 河的一个支流。Zwalm 流域位于 Flanders，在 Ghent 以南约 20 km 处，流域总面积为 114 km^2(如图 9-5 所示)。ESAR 飞行分别于 1994 年 4 月 9 日、6 月 30 日和 8 月 19 日进行，ROSIS 在 1994 年 7 月 12 日(无云条件下)进行。

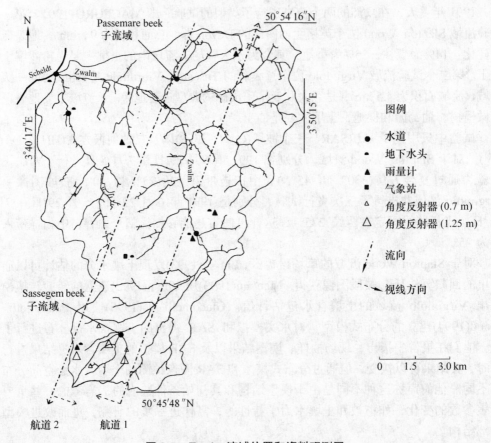

图例

● 水道
- 地下水头
▲ 雨量计
■ 气象站
△ 角度反射器 (0.7 m)
△ 角度反射器 (1.25 m)

流向

视线方向

0   1.5   3.0 km

图 9-5　Zwalm 流域位置和资料观测网

　　在收集遥感数据的同时，也收集了两个子流域的地面实测数据，两个子流域分别为 Passemare beek 和 Sassegem beek。Passemare beek 位于流域北部，流域总面积为 2.5 km²，平均坡度为 5%，土地利用类型主要为农业用地，但在流域东部有部分城区；Sassegem beek 位于流域南部，流域总面积为 2.7 km²，其中森林占 40%，有部分农业用地，平均坡度为 8%。从 ROSIS 上获得的数据主要用于建立详细的子流域土地利用类型图。

　　基于 Altese 等(1995)建立的 IEM 版本，从 ESAR 数据中已获得初始土壤含水量(Su 等，1996)。如图 9-6 所示，将实测得到的表层土壤含水量数据(如介电常数)作为输入数据，在不同地区用 IEM 预测平均 ESAR 反向散射系数是合理的，虽然在有的地区 C 波段和 L 波段都有低估的趋势。考虑到 IEM 对粗糙度参数很敏感，造成这种低估的原因主要是由于使用的是传统方法，粗糙度计算不准确，所用的是 1 m 长的金属板，网格是 5 cm×5 cm。但逆向算法的目的是为了从 SAR 测量的反向散射系数中获取土壤含水量。因此，用一组 ESAR 数据(C 波段)作为 IEM 的输入，用来反演粗糙度参数；并且使用另一组 ESAR 数据(L 波段)和"率定"过的粗糙度参数(代替金属板测量粗糙度)作为反演土壤含水量输入。两组数据从同一天的数据中提取。从反向散射系数改进的结果看，这种方法是有效的，如图 9-7 所示。

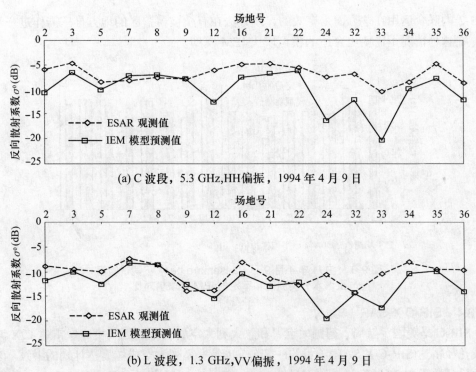

(a) C 波段，5.3 GHz,HH偏振，1994 年 4 月 9 日

(b) L 波段，1.3 GHz,VV偏振，1994 年 4 月 9 日

图 9-6　Passemare beek 不同试验区使用率定和未率定的
IEM 得到的反向散射系数预测值和观测值对比

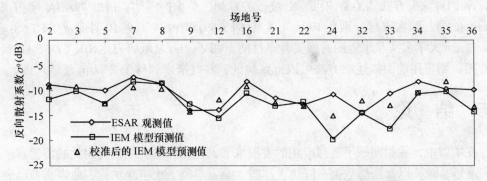

图 9-7　1994 年 4 月 9 日 Passemare beek 不同试验区使用率定
和未率定粗糙度参数计算的反向散射系数值和观测值的对比

　　图 9-8 对反演的土壤含水量和表层土壤实测值进行了比较，表明该方法是可行的。进一步改变逆向分析顺序(L 波段反演粗糙度参数，C 波段反演含水量)可获得相似的结果，表明了该方法的稳定性。部分试验区(如图 9-8 中的 2 号、24 号和 33 号试验区)反演的粗糙度参数超出了 IEM 模型的有效范围。

　　为了将"率定粗糙度参数"的方法推广到航空 SAR 数据(如 ERS-1 和(或)ERS-2SAR获取的数据)，需要考虑 SAR 装置的单频和单偏振问题。在这种情况下，需用到多时段数据，要求土壤含水量在多时段数据序列的时间跨度内只随时间变化的参数。ERS-1 和

ERS-2 的联合运用在这方面是有效的，该方法在有植被覆盖区的地方推广需作进一步验证，在这种情况下需要更合适的模型取代 IEM 模型。

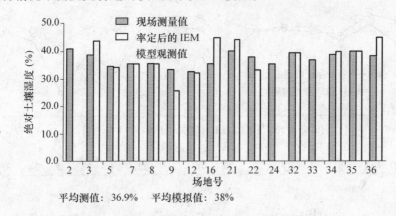

平均测值：36.9%   平均模拟值：38%

图 9-8   1994 年 4 月 9 日 Passemare beek 不同试验区
土壤水分实测值和率定的 IEM 反演值对比

9.4.3.4   SIR-C/X-SAR

SIR-C 是美国宇航局、德国太空署和意大利太空署合作航天飞机成像雷达-C/X 波段合成孔径雷达(SIR-C/X-SAR)项目的一部分，也是一系列太空成像雷达计划的继续。该系列项目开始于 1978 的海洋探测卫星 Seasat，继而是 1981 年的 SIR-A、1983 年的德国微波遥感试验和 1984 年的 SIR-B。它是 20 世纪 90 年代后期地球观测系统(EOS)SAR 和全球地形使命(GTM)的先驱。SIR-C 的天线包括一个双频雷达(L 波段 1.3 GHz 和 C 波段 5.2 GHz)和四种偏振方式，X-SAR 是 X 波段的单频、单偏振雷达。借助 NASA 宇宙飞船 Edeavour 号，两次飞行分别在 1994 年 4 月(STS-59)和 1994 年 9~10 月完成(STS-68)。

Ghent 大学水文和水资源管理实验室目前正在 Zwalm 流域研究用 SIR-C/X-SAR 获得的数据，期望用前面描述的方法可以得到验证，并可推广到整个 Zwalm 流域尺度。

9.5   结   论

在本章中，我们回顾了遥感应用的发展水平，包括和水文学研究相关的传感器、平台和遥感系统，以及遥感数据在降雨、冰雪、蒸发蒸腾、土壤含水量、地表水及地表径流、流域特性等研究中的应用。

本章的重点在微波遥感，尤其是主动微波遥感和土壤含水量遥感监测。在回顾了一些有代表性的电磁反向散射模型之后，给出了在估计裸地土壤含水量时 ERS-1/SAR 数据敏感性研究的个例。通过积分方程模型 IEM，得出了用单频、单偏振仪器难以获得精确的光滑裸地土壤含水量的结论。同时，进一步说明了对于普通农业用地，雷达测量对地表粗糙度的敏感性在粗糙度接近实地观测值时迅速下降，这表明粗糙度参数可以事先得到并且具有足够的精确度，对正常的农业用地反演土壤含水量是可行的。

本章还给出了几个最近的水文遥感试验，即 MACHDRO'90、MACEUROPE'91、EMAC'94、SIR-C/X-SAR，并给出了使用这些试验数据得到的结果。同时证明了应用遥感数据初始化分布式水文模型可以显著改善表层土壤含水量模拟的精确度。基于 ESAR 多频探测数据集，给出了采用"率定土壤粗糙度"特性反演表层土壤含水量的建议。该方法为克服现场测量地表粗糙度参数(这些参数是反向散射理论模型的输入)的困难提供了替代方案，并为遥感土壤含水量在水文模拟中的实际应用提供了可能性。

总之，遥感数据可以不同的方式用于分布式模拟：

(1)数字化输入，包括地表数据如土地利用分级和土壤特性(主要由被动遥感装置获得)、降雨数据(主要由地面天气雷达系统获得)。

(2)初始条件数据，如流域初始含水量(最好由主动微波遥感确定)。

(3)水文状态变量数据，如土壤水分、和蒸发(蒸腾)相关的植被情况、雪盖层等，但由遥感系统获得数据的方法还需要进一步发展。

原则上，第(1)类和第(2)类数据可直接应用于分布式模型中，而第(3)类数据在分布式模型中的应用还需要新的方法，如数据同化(Ottle 和 Vidal-Madjar，1994)，此时遥感反演数据和模型估计两方面的不确定性均需要考虑。

希望本章能为读者提供关于遥感技术在水文学中应用现状的全面叙述。特别希望的是，目前的成果和未来的遥感试验结果能为进一步理解基本的水文过程做出贡献。

第 10 章　地质模拟

10.1　引　言

本章主要论述的内容包括地质数据的收集、整理以及在此基础上建立的三维地质模型，该地质模型用于三维水文地质模拟输入。

地质模型以理想化的概化支持对复杂自然现象和自然过程理解。地质模型的构想可以帮助我们掌握环境因素之间的相互关系，同时可以勾勒出环境的发展过程和预测其发展状态。本章论述以下三种不同的三维地质模型建立方法：

(1)通过从地质数据库中人工提出数据，建立以分层为基础的地质横断面图和剖面图。

(2)随机模拟产生统计模型。

(3)由钻孔采样获得的"硬"地质数据与由地质知识和间接的地球物理数据等"软"数据相结合，形成三维地质模型。

一般地讲，进行三维水流、输移模拟时，最不确定的因素就是地质模型。因此，最关键的就是从"硬"数据中提取尽可能多的空间地质信息，充分利用"软"数据建立实测数据间的关系。

在建立地质模型时，应该知道自然情况远比由钻孔数据所得到的复杂得多。图 10-1 表示的是丹麦南部 Ærø 岛典型的丹麦悬崖剖面图，从图中可以看出，钻孔数据在建模时存在局限性。

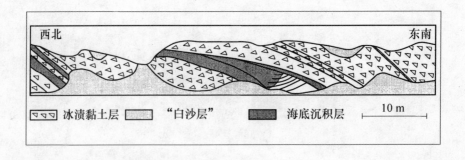

图 10-1　典型丹麦南部 Ærø 岛丹麦海岸悬崖剖面图(Hansen，1987)

本章中的例子来自日德兰半岛东部的 Grundfør–Hinnerup 地区和哥本哈根西南的 Amager 岛。"硬"数据主要来自丹麦地质勘测中心(Geological Survey of Denmark)已有的地质数据库 ZEUS。这个地质数据库中拥有大量的数据，所以丹麦地质勘测中心的模型研究主要集中在如何利用这些已有的高度结构化的地质数据库。

10.2 地质数据

10.2.1 数据类型

地质模型可以用所谓的"硬"数据和"软"数据建立起来。"硬"数据主要是指在野外可直接得到的数据，例如钻孔样品数据和地表岩相数据等；"软"数据主要是指通过地质知识和基于地质测量的地表信息。

本章描述的实例全部来自丹麦，模型中的"硬"地质数据来自地质数据库ZEUS(Gravesen 和 Fredericia，1984)。ZEUS 数据库中的钻孔资料来自丹麦地质勘测中心的观测井资料档案，包括大约 250 000 个钻孔数据，其中 175 000 个钻孔数据已储存在ZEUS 数据库中。ZEUS 数据库中的钻井分类见表 10-1。

表 10-1   ZEUS 数据库中钻井根据试验目的进行的分类

地下水补给	地壳构造勘察	原始数据调查	物理爆破井钻孔	监测井
61%	20%	9%	7%	3%

这些钻孔包含的大量信息对人工和计算机建模十分有用。这些地质信息主要通过分析钻孔样品和钻机收集的数据而来。通过钻孔样品分析可以得到岩层(沉积物)类型、岩化情况、粒度、颜色、矿物、化石、沉积环境、沉积构造、地层年代等信息。Grundfør–Hinnerup地区由辐射记录和电阻系数记录分析获得的数据也是模型的重要数据源。同时，这个地区的地电测量和地磁测量数据也扩充了钻孔数据。

不同时期或基于不同目的的钻孔有不同的采样时间间隔，相应的信息量也有差别。因为 ZEUS 数据库中所包含的钻孔有不同的起源和年代(近 100 年以来的数据)，所以模拟过程中应该对这种不同一性进行处理。

在采样点获取的"硬"数据很容易就可以应用到地质模型中去，但其空间分布和变化却难以描述。大量的地质测量数据(Christensen 和 Sørensen，1994)和地质知识(如第四纪前谷系的位置和方位)等典型的"软"数据可以很容易地被应用到人工模型中，但是却很难用于计算机模型中。

10.2.2   地质数据的存储和恢复

由于获取新的地质数据比较困难，所以应尽量利用已有的数据，并分析在何处钻孔可得到尽可能多的信息。如何存储地质数据以保证数据的准确恢复并允许搜索该区域的地质信息也非常关键。如果地质模型是在提取已有地质数据的基础上建立的，那么就要注意将数据及处理结果保存下来，使用断面图、数据文件和程序脚本进行地质数据的重建。

10.3   模拟方法的选择

在选择模拟方法时，尽管主要标准是研究尺度和过程，但决定模拟方法的常常是地质数据的数量和质量。

利用有限的"硬"数据来建立确定性地质模型是可行的。例如，已知白垩纪顶部的沙层上冰渍覆盖物厚为 5 m，就足以建立模型。当然，数据更多些则模型会更详细些。若数据非常多，实际上也并不可能利用所有的数据，而要对数据进行筛选。如果采用等高线模型方法，就需要对每一层了解得更多一些，需要应用的数据信息也会更多。

对于统计模型，"硬"数据是关键。若要得到地质单元及其变化的统计值，就必须有与模拟的地质单元更接近的采样分析资料。但是，这种资料一般难以得到，所以以统计模型通常必须依靠相似地区或裸露岩层收集的数据。表 10-2 给出了不同模拟方法所需要的"硬"数据的情况。

表 10-2　不同模型方法所采用的数据

方法	所需"硬"数据	
	少	多
确定性方法	....	
等高线模型		....
统计模型		....

10.4　传统确定性地质模型

模拟含水层概况通常采用传统的人工地质模型，该模型是基于经验丰富的地质学家对数据的解释上而建立的。地质、水文地质、地球物理等基础数据可作为地质模型的输入数据，地下水化学数据可用于模型的评价和验证，其中最重要的数据是沉积岩分析数据和钻孔采样数据，这些数据包含地层、颜色、岩石纹理及化石的详细资料。对地质模型来说，地球物理钻孔资料的解释也很重要。由于需要根据沉积岩的沉积环境和沉积年代的资料确定钻孔与钻孔之间沉积层相关关系，故这些资料的确认和解释也很重要。这种相关单元相当于隔水层或岩石层，或含水层上、下及其相邻的承压层。

二维、三维地质模型的建立需要对大量的因素进行分析和整理。例如，钻孔间孤立含水层的分布是建立在对沉积相模型(可以大致了解沉积层的位置)的分析基础上的。含水层的异质性往往难以描述和解释，但大量的钻孔和地球物理勘测数据已经给出了确定岩相参数的合理标准。从已有的概念性沉积相模型所获得的经验和知识，对于描述含水层状况有很大的帮助。例如，在冰河和冰川冲积扇地区，可以建立起比较详细的模型(Miall，1977；Eyles 等，1983)。三维沉积结构模型的概念(Miall，1985；Miall 和 Tyler，1991)就是在这些地区建立起来的。在地相模型的基础上，可以模拟地下碎屑或碳沉积环境(Tillman 和 Weber，1987)。沉积相模型可以用来建立和扩展地质水文相模型，如同在冰川和冰河沉积区那样(Anderson，1989)。沉积相模型还可以描述大尺度的异质性状况，但不能描述各相或各层内的小尺度异质性状况。但模型中由地表岩层状况确定的粒度分布和结构对了解地下的情况也能起到重要的指导作用。

用沉积模型对异质性进行总体尺度和类型考察有助于对模型的理解(Gravensen，

1994)。但是，由于在任何地方理想的沉积序列都不存在，所以用概念性地相模型的模拟结果来预测含水层内的异质性异常困难(Anderson，1990)。Anderson(1990)同时也强调，用概念性模型预测含水层沉积物的区域连续性是可能的，也是有必要的。在小区域内，拥有了大量和详尽的钻孔数据和地表岩层状况调查数据后，模型就能够生成关于含水层异质性的数据，这些数据可以用来进行数学模型模拟(评价异质性所用的地质单元之间相互联系的信息也要包括在内)。模拟河相沉积和冲积扇沉积的例子在 Poeter 和 Gaylord(1990)、Ritzi 等(1994)以及 Nelton 等(1994)的研究中都可以找到，而且新的地球物理方法进一步完善了结构异质理论，这些数据也验证了地表岩相调查和钻孔试验结果(Auken 等，1994)。

10.4.1 二维和三维模型

二维地质模型通常建立在特定断面上，有关钻孔资料可以进行综合同化处理，模拟结果也可以用地表岩相研究成果及地球物理勘测数据进行验证。作为模型的一部分，可以产生不同高程和不同主题的地面等值面图。最近在丹麦 Grundfør 进行的研究工作包含以下步骤(见图 10-2)。

第一步是应用钻孔的数据，包括钻孔采样时情况的记录、辐射探测和电阻系数记录以及地表岩相研究综合分析(见图 10-2(a))。主要工作是将同一起源和同一年代的地层连接起来，但往往很难，因为许多沉积层找不到化石，也就难以确定其具体年代，所以一般通过研究岩石参数来确定地层之间的联系和相互关系。因此，如果能够获得该地区岩石类型、沉积物和构造结构的形式、规模等信息，那么研究地表岩相就变得非常重要和有意义了。研究地表岩相也可以获得岩层异质性和相关性等重要信息。可根据经验估算钻孔之间地区的关系，了解沉积环境、地层分布及其在模型中可能的变化范围，从而构造地质断面。

第二步是将地球物理数据输入模型。在丹麦，新的地电和电磁层面分析法十分重要，它不仅可以描绘地下至少 200 m 深沉积物的水平和垂直电阻系数(Christensen 和 Sørensen 1994)，而且还能将地震、地球引力和地质雷达所测定的数据提供给模型。这些数据对于含水层内中尺度结构异质性和含水单元间是否相通方面的研究有很大帮助。岩石和不同沉积类型电阻系数的分析结果，能够验证主要岩相单元的基本特性和分布情况。含水层不同深度的地球物理数据都可以用图形显示。地电方法可以测量地表以下 30 m 深的区域，地磁方法可以测量至剖面底部区域，这两种地球物理测量方法结合起来，就可以得到与地质剖面同位的地球物理剖面。根据丹麦的经验可得到不同电阻值所代表的沉积类型，从而在地球物理剖面中划分出主要岩层单元(见图 10-2(b))。

第三步是将两种剖面图结合起来，分析岩石单元的分布，最终建立详细的地质剖面图。钻孔试验中没有记录岩石单元的位置，而是采用地球物理分析获得(见图 10-2(c))。

第四步是简化从地质模型的物理剖面获得的详细信息。简化的范围取决于研究类型。主要是合并黏土—粉沙体数据，强调沙层、砾层和石灰层中地下水流的相互作用(见图 10-2(d))。有时地下水化学参数分布可以用来验证模型，如在 Grundfør 地区，含水层中硝酸盐分布与沙—黏土分布模式相吻合(见图 10-2(e))。

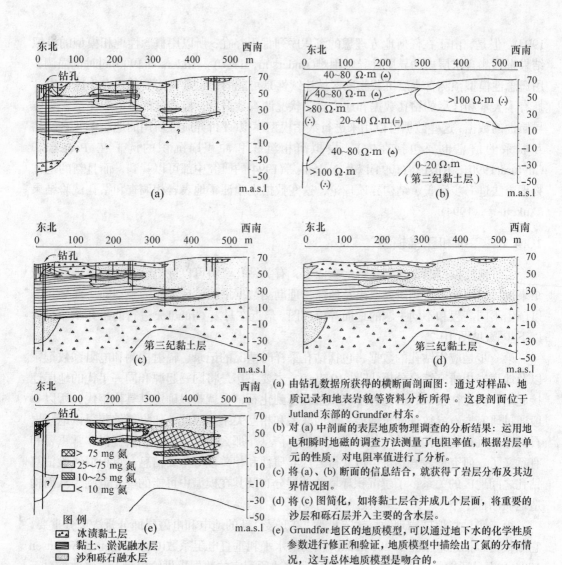

(a) 由钻孔数据所获得的横断面剖面图：通过对样品、地质记录和地表岩貌等资料分析所得。这段剖面位于 Jutland 东部的 Grundfør 村东。

(b) 对 (a) 中剖面的表层地质物理调查的分析结果：运用地电和瞬时地磁的调查方法测量了电阻率值，根据岩层单元的性质，对电阻率值进行了分析。

(c) 将 (a)、(b) 断面的信息结合，就获得了岩层分布及其边界情况图。

(d) 将 (c) 图简化，如将黏土层合并成几个层面，将重要的沙层和砾石层并入主要的含水层。

(e) Grundfør 地区的地质模型，可以通过地下水的化学性质参数进行修正和验证，地质模型中描绘出了氮的分布情况，这与总体地质模型是吻合的。

图 10-2　地质模型

　　将横断面结合起来，形成方块图或栅格图，就可在三维地质模型中建立含水层的空间分布状况。其中的一项重要工作就是用横断面的各点拟合岩石的组成以及各层在垂向和侧向上的分布(见图 10-3)。

　　由此空间模型可以转化为水文地质数学模型，其地质结构是地下水流体系。岩石类型和性质也是估计水力参数如水力传导度的起点，更高级的模型将包括数字化的地质剖面。

10.4.2　评论

　　确定性地质模型直接建立在地质学家经验的基础上，其详细程度取决于数据量的大小。获取新数据(钻孔)虽然很昂贵，但新的数据对于理解基于单元相关性的空间结构却十分关键。开展钻孔数据与钻孔间水平和垂直方向的地球物理数据相结合的研究，是非常有意义的，也是很有发展前景的。

　　确定性地质模型的缺点在于只能在模拟的最后给出建议，而且模型不能改动，也就难以适应新的数据输入格式。在将地质模型应用于数学水文地质模拟之前，需将数据转入模拟程序内，或以数字化断面形式表示，或以块或网格内地质或水力学参数的形式表示。传统的确定性模型的优缺点见表10-3。

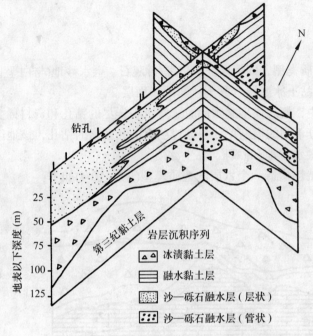

说　明

含水层大致分两层：底层是束窄河道沙—砾石含水层，位于冰渍黏土层中，上面覆盖厚的融水黏土层（第三纪黏土层埋藏谷）；上层是冰水沉积平原的沙—砾石含水层，与融水黏土层交替排列。沙—砾石层上面覆盖了冰渍层，但是这一层中有许多的地质裂口和钻孔（部分结果来源于Gravesen等）。

图 10-3　描述 Grundfør 村东空间三维状况的栅格图

表 10-3　传统确定性模型的优缺点

优点	简单，直接 地理知识很容易输入 无需先进软件支持
缺点	新数据很难输入 难以进行三维模拟 难以转入水文地质模拟程序 高度依赖地质学家的实际经验，只有一个模型产品

10.5　面模型/等高线模型

　　人们通常认为这种方法具有方便快捷的特点。传统的确定性模型方法使地质学家不得不去考虑每一条地质信息，而这种方法允许大量的地质数据不用详细审查就可以直接从地质数据库应用到地质模型中。

　　地质模型中面模型最容易处理大量数据。地质模型可以由面、等厚图或两者结合表示。本章以丹麦 Copenhagen 西南部地区的 Amager 为例。该地区是丹麦钻孔最为密集的地区，在 95 km^2 的范围内地上钻孔超过 3 500 个。1992 年丹麦地质勘测中心在该岛开发了区域性三维地质模型(DGU 和 GI，1992)，作为用 MIKE 模型进行三维水文模拟的输入。

由于有明确的地质(水文地质)单元划分和大量的地质数据，因此可以用从 ZEUS 地质基础数据库中提取的等高面来建立地质模型。不同层的等值化可由 MIKE SHE 的等值化程序完成。

10.5.1　概念模型

Amager 地区主要存在四类地质类型，即第四纪前白垩/石灰石、融水沙地(与白垩直接接触)、交替分布的融水沙地和黏土冰渍层、黏土冰渍的表面层。

由于地质数据储存在数据库中，概念模型必须同时了解资料详尽的钻孔和资料稀少的钻孔，因此检索标准必须能区分不同的模型单元。通过已有的和新增的钻孔，该地区发现的不同的沉积层包括白垩、融水沙地和砂砾、黏土冰渍。

根据沉积物的岩性和水力学特性构造一个六层的地质模型(见图 10-4)如下：

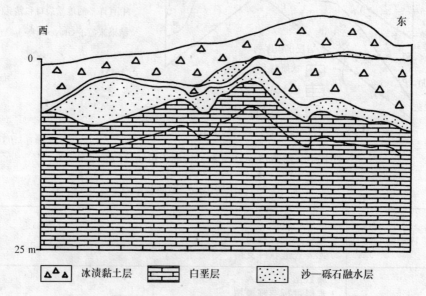

图 10-4　Amager 地区地质模型横断面

(1)无断裂白垩层。

(2)白垩层最上部为 3 m 厚的冰裂白垩层。

(3)直接位于白垩层上或被最多 0.5 m 的黏土(冰渍层)与白垩层隔开的是融水沙土层。该层被认为与白垩层有水力联系，是主要蓄水体的一部分。

(4)次一级冰渍层在厚度上等于除表层冰渍层以外所有冰渍层厚度的总和。最低冰渍层的底部即为该层的底部。

(5)表层冰渍层和小于 0.5 m 的沙土层可忽略不计。

(6)有了这一地区的大量地表数据，建立数字化地图最简单方法就是采用钻孔处地形高程实测数据绘制等高线。

10.5.2 提取数据的方法

当直接用地质数据库中的数据建立地质模型时，检索程序必须包括地质知识，同时也必须处理掉无关紧要的层或样品的数据。这样做通常比较困难，因为针对某地区所编的程序通常不能用于另一地区。

当使用地质数据库中的数据提取模型中某一层数据的时候，知道哪些类型的钻孔数据在计算时可以忽略是十分重要的。如果某点地下有开凿的浅井，地表钻孔的测量数据中就没有上层沉积物的信息，其钻孔数据在计算上层冰渍层厚度时就应该予以排除。在 Amager 模型中，信息是否被采用的标准简要地列于表 10-4 中。

表 10-4　钻孔数据的提取标准和规则

地层	应包括的情况	应排除的情况
1. 白垩层	钻孔深度达到白垩层	从地表到白垩层的深度内，岩性未知
2. 破裂的白垩层	钻孔深度达到白垩层	从地表到白垩层的深度内，岩性未知
3. 白垩层上的沙层	钻孔深度达到白垩层	地下有开凿井的钻孔和在岩石序列中有未知岩性的钻孔
4. 次一级的冰渍层	钻孔深度达到白垩层	地下有开凿井的钻孔和在岩石序列中有未知岩性的钻孔
5. 表面冰渍层	钻孔穿透厚度超过 0.5 m 的非冰渍层	地下有开凿井的钻孔和在岩石序列中有未知岩性的钻孔
6. 地表	所有钻孔	无

10.5.3 等高线地图的修正

等高线地图建立后，必须用地质知识去验证，去掉不一致的数据，而在数据较少的区域，加入新的标志数据(虚数据)，以指导等值化程序。实际上，利用等高线地图可以很快发现错误数据。等高线地图上的错误通常并不是由地质数据本身引起的，而是由不同的数据质量造成的。因此，改变数据文件一般比改变数据好。

由于等值化程序在处理河谷和陡坡数据对时会出现问题，所以在绘制等高线地图的过程中，常需要添加虚数据强制等值化程序绘出河谷而不是"洞"，同时也避免因绘制陡坡产生人为的"洞"和"峰"。

如果数据库中的数据文件和经过修正的数据文件存储方式比较一致，模型就很容易修正，应用简单的程序脚本就可以重建地质模型。表 10-5 ~ 表 10-7 列出了从数据库提取数据、修正数据和设定虚数据的有效方法。

由于模型各个层面的等高线是分开绘制的，故常遇到这样的问题：层面之间会出现相互交叉或产生负厚度。因此，确保模型的完整性十分必要。在 Amager 例子中，所有厚度小于 0.5 m 的网格都作为 0.5 m 处理。当两层相互交错时，其边界定在层间距的一半处。图 10-5 为建立层面等高线模型的流程图。

表 10-5　ZEUS 中提取样品数据文件应用于第四纪前界面顶部				表 10-6　修正后用于第四纪前界面顶部的数据文件	

钻孔 ID	坐标		数据值	钻孔 ID	数据值
	X	Y			
208.2001	725 809	6 170 764	- 45	208.2001	- 30
208.2007	726 472	5 170 863	- 30	208.2007	- 15

表 10-7　绘制等高线图前对于第四纪前界面顶部建立添加虚数据的文件

钻孔 ID	坐标		数据值
	X	Y	
Gh-0001	725 300	6 170 550	- 23
Gh-0002	725 350	6 170 600	- 18

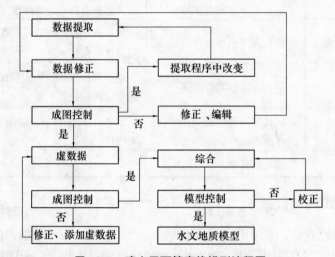

图 10-5　建立层面等高线模型流程图

10.5.4　结论

如果将地质模型所需数据储存在一个地质数据库内，可通过面模型来建立特定形式的三维地质模型，并可向水文地质模拟工具转化，这种方法最容易。因此，如果保证模型完整性所需的数据(包括变化的数据)和程序结构化存储，则有新资料时更新模型就非常容易。这种方法的缺点是地质结构中层的数量有限，是简化的地质模型。

10.6　地质统计模型

地质统计模型在采矿工程中已经应用了几十年(David，1977；Journel，1974；Journel和 Huijbregts，1978)，在石油蕴藏模拟中也已应用了许多年(Beg 等，1994)。随着地质统计模型在石油蕴藏模拟应用中的不断推广，相应的模拟应用程序也从较小的独立程序，如 ISIM3D(Gómez-Hernandez 和 Srivastava，1990)及程序库、Geostat Toolbox(Froidevaux，1988)和 GSLIB(Clayton 和 Journel，1992)发展成综合商业程序以及 Heresim(Galli 等，1990)、Storm(Bratvold 和 Waagbø，1994)和$(RC)^2$($(RC)^2$，1994)。这些程序界面友好，采用可视化的工具和数据数理统计模块，同时采用输出程序产生储量模拟程序，从而生成所需的输入文件。近几年，这些技术也被用于地下水存储研究。在水文地质中地质统计模型主要是作为一种工具来检验岩性的变化(de Marsily，1986； Ritzi 等，1994；Ribeiro，1993；Schafmeister 和 Pekdeger，1993；Webb，1994)，但也可能用它来建立三维地质模型，从而模拟三维水文地质。

在石油储量工程中地质统计模型成功地模拟了将石油流量作为模型输入的情况(Tyler 等，1994)。虽然石油工程师主要关注的是石油大流量值，但他们同时也关注水或气体的出现及首次出现时间。因此，他们的一些方法也能应用于地下水模拟。应用地质统计模型可以建立包括地质变化在内的地质模型，同时也可考虑众多控制着水流路径和到达时间的微地质层。

10.6.1 使用地质统计模型的理由

在地质模型中，只有随机模拟方法考虑了地质的变化。进行区域性水文地质模拟时，这种变化也许并不重要。但在模拟输移过程时，微地质层可能严重影响污染物到达供水井的时间。同时，统计模拟还给出了数据的统计分布，这也意味着由此建立的地质模型中，不同类型的沉积层与建立模型所用的资料具有相同的总体分布。一些地质统计包可能还包含了地质知识，如趋势(如 ISIM3D 中的垂直概率曲线)、描述不同沉积类型的频率随位置变化情况的二维和三维地图或在概念模型基础上用图表示的孔隙区域分布(例如 GSLIB)。Almeida 和 Frykman(1995)在 Dan(丹麦北海)野外孔隙模拟时对应用"软数据"进行了阐述。假定两组数据具有很好的相关性，趋势图被用于指导空隙率值模拟。在水文地质中，以地电和地磁地下探测为基础，可以用相似的方法来指导沉积类型模拟。

10.6.2 地质统计模型分类

地质统计模型的三个主要模拟方式是布尔(实体)模拟、序列高斯模拟和序列指标模拟。

布尔模型主要用于模拟已知尺度和方位的实体分布情况，例如破裂层、充沙水道或黏土层。如果数据量较大，这种模型通常很难处理。

序列高斯模型给每一个模拟单元赋一实数，在石油存储模拟中用来分析存储层孔隙度和渗透率分布。

序列指标模型给每一个模拟单元赋一整数，常用来模拟不同沉积层和岩相的分布。与高斯模拟相同，序列指示模型用于模拟有限类型的孔隙度和渗透率。

序列高斯模拟和序列指标模拟都能处理"硬"数据，但高斯方法不适合对极值情况进行模拟。因此，极值(高值或低值)对所研究的问题影响较大时(如污染物首次流达供水井等)，高斯模拟方法的可行性较差。

10.6.3 随机模型举例

在 Grundfør-Hinnerup 地区已经开发了一系列基于 ISIM3D(Gómez-Hernandez 和 Srivastava，1990；Hansen，1994)的二维和三维随机模型。当进行三维模拟时，程序对 CPU 要求相当高。对于本文中的三维矩阵，在 66MHz 的 486PC 机上每 50 次模拟需要近三个小时的时间。应用 PREVR2D，VARIO2DP 和 MODEL(Pannatier，1993)拟合了变量记录图(详见后面论述)。对于三维模拟，由于缺乏数据，只进行了二维变量记录计算。只有当水平相关性是垂直相关性的 30 倍时，第三维才被作为各向异性的因素考虑在内。为了使矩阵可视化，应用了 SPYGLASS(Spyglass，1994)和 IMAGEX(Hansen，1995)程序。模型模拟需要的数据如下：

(1)二维模拟。x 和 y 坐标以及最上层 2、4 m 或 6 m 深内的沉积物是否为黏土的布尔值(是或非)，观测资料之间相关性的变量记录图(Isaaks 和 Srivastava，1989)。

(2)三维模拟。x、y、z 坐标以及每一个地质观测单元(沙地或黏土)布尔值，以及方差图、显示在每个深度黏土沉积物的垂直概率曲线(VPC 曲线)。

从 PC Zeus 数据库提取数据，并采用 dBase 数据库程序进行格式化(Hansen，1992)。该程序忽略了土壤层和冰河期后的泥炭层。黏土冰渍、沙冰渍、融水黏土、融水泥沙层等统称为黏土；沙土层和砾石层统称为沙土层。

二维模型模拟概率图的研究区域面积为 7 km × 6 km，分为 280 × 240 个单元(总共 67 200 个单元)，每个单元为 25 m × 25 m。三个图(2、4、6 m 深度内)中的每一个均进行了 50 次模拟，计算各单元在 50 个矩阵中含黏土的数量和不含黏土的数量，可得到其概率图。如果单元[1,1]在 50 个模拟中有 20 个存在黏土，则这个单元为黏土的概率为 40%(100 × 20/50)。图 10-6 显示了三个概率分布图。

三维地质模型进行的三维模拟涵盖了该地区二维模拟区域的一部分(5 km × 4 km)，深度为海平面至海拔 80 m 以内的范围。用于模拟的单元数量为 200 × 160 × 40(总数是 1 312 000 个单元)，分辨率为 25 m × 25 m × 2 m。获得三维概率的方法与上述二维相同。

三维模拟矩阵分析的是沙土和黏土，包括了地面以上和第四纪层面以下的一部分。消除该部分的方法是，高于(低于)某等高面的单元用空白表示。图 10-7 显示了 50 次模拟中某次的东西向剖面，图 10-8 显示的是相应的三维概率计算剖面。

50 次模拟采用不同数目的初始化值，得到了不同的地质模型。这些不同的模型均与钻孔"硬"数据符合，显示了相同的黏土和沙地层的总体统计分布规律。通过综合这 50 个系列的模拟结果，可以计算黏土层的区域或空间分布概率。这些概率地图(二维和三维)显示了黏土或沙地的可能集中分布地区；同时，也显示出了地形描述中哪些区域最不确定，以及在哪个区域收集的数据会对地质信息的扩充最有帮助。

传统二维模型只能显示某一区域较薄且约束黏土层的分布情况。与其相比，三维随机模型可以很好地给出地质环境变化的情况，而这些变化对局地径流过程的模拟十分重要。

这种模拟的主要问题在于缺乏约束第四纪层状况的统计数据。由于这些层尺寸较小，光靠钻井收集所需数据是不现实的。这样就有必要进行野外观测，收集出露岩层的范围、方向和空间分布等资料，与模型中的类似岩层信息相匹配。

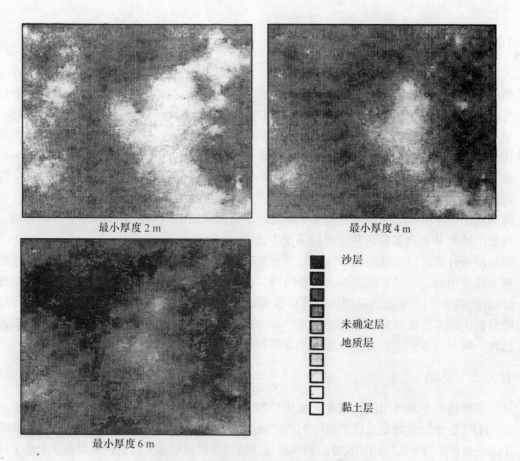

最小厚度 2 m   最小厚度 4 m

沙层

未确定层
地质层

黏土层

最小厚度 6 m

图 10-6　某地区上层黏土层的概率分布图

(最小厚度分别为 2 m(左上)、4 m(右上)和 6 m(下面))

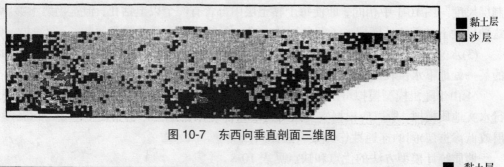

黏土层
沙 层

图 10-7　东西向垂直剖面三维图

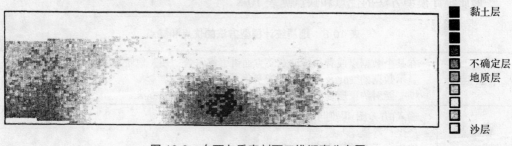

黏土层

不确定层
地质层

沙层

图 10-8　东西向垂直剖面三维概率分布图

10.6.4　模型等级划分

由于随机模型不能产生"真实"模型,而只能产生一系列"等概率"模型,所以分析不同模型的模拟效果十分必要。几年前曾通过观察低(高)渗透层的连通性对模型进行分级(划分等级)。其实,分级也可以通过粗略的二维模型进行。随着计算机功能的加强,模型发展为三维模型或更为复杂的形式,必须重新进行分级。在石油储藏状况模拟中,用简单的二维径流模型模拟由注水井到出水井的浓度变化,由此实现分级(Tyler,1994)。由于这种分级是依照水流由一个井到另一个井的流动状况进行的,因此只能在特定位置使用。如果井的位置发生变化,分级结果将可能发生变化。对于水文地质模拟而言,这种方法则过于简化。因为水文地质中水流并不是简单地由一个井流向另一个井,而是在由数个抽水井和众多观测井组成的系统中运动。

由于分级是以控制参数和特定过程为基础的,所以一般没有通用方法。分级必须根据实际应用而定。如果是地下水回灌问题,可以根据低渗透层的覆盖范围和一致性进行分级(区域分级);如果污染源沉积体位置未知,要对污染物向供水井的迁移状况进行风险分析,则需要依据高透水体的连通性和方向来进行分级(区域分级);如果沉积物位置已知,则可以根据沉积物到众多取水井的粒子轨迹进行分级(半区域分级)。

10.6.5　总结

随机模型不是通用的标准水文地质模拟方法。以下问题需要引起注意:

(1)尺度变化(主要是尺度扩大)。为描述地质变化,地质建模时所划分的单元格必须远小于描述地质结构分级所用的尺寸。但如此建立的地质模型对水文地质模拟而言又太过于详细。石油储藏状况模拟中扩大尺度问题已讨论了很多年,在水文地质学中这个问题同样存在。

(2)在地质单元(分级)的相关长度内缺乏数据。如果进行污染物质迁移模拟,迁移控制层尺度与图10-1中相同,即使每个黏土层中都含有一个以上钻孔,但这仍然不够。在这种尺度下进行统计模拟,了解各层的大小、形状、走向是非常必要的。

(3)水文地质模型的率定。由于随机模型给模型中的每个单元赋初值,所以如果区域的某一处地下水位较高,则模型很难改变。

(4)由于随机模型模拟可产生数个"等概率"模型,在实际中不可能用所有的模型进行水文地质模拟,所以应根据主要的水力学指标对模型分级。可以用水流控制层(高渗透层或低渗透层)间的连通性作为分级指标。

地质统计模型方法的优点和缺点见表10-8。

表10-8　地质统计模型方法的优点和缺点

优　点	在某个数据点或者从统计意义方面讲,都符合"硬"地质数据 显示数据的变化及地质的可能变化 惟一能对约束层和薄地层及其详细变化进行表述的方法
缺　点	输入(方差图)很难与地质背景关联起来 产生"等概率"模型 地质知识必须用图或曲线表现

10.7 结 论

本章简要讨论的三种地质模拟概念在数据要求和模拟结果上差异很大。传统的确定性方法可以很容易地将地质知识结合起来；等高线模型可以很容易地转为水文地质模拟工具，地质统计模型则可以在模型中反应出地质变化来。传统确定性模型不足之处在于模型难以改变和修正，等高线模型过于简化，统计模型则主要是需要大量的数据。

尽管在选择地质模拟方法时，主要依据是模型是否好用，但是一般情况下，数据(或缺乏的数据)将成为主要的影响因素。

本章讨论的三种模型都可作为水文地质模型输入。由于多数三维水文地质模型是建立在地质分层的基础上，等高线模型最易作为地质输入。传统确定性模型必须进行数字化才能转化为水文地质模拟工具，应用统计方法生成地质模型，可以使其单元格与水文地质模型的单元格相一致。

第 11 章 GIS 和数据库在分布式模型中的应用

11.1 引 言

面对水资源日益匮乏，甚至引发冲突的局面，水资源综合管理已成为一项错综复杂的任务。为了解决日益增多的种种问题，水文学家需要和生态学、农业、经济、城市规划等其他领域的专家密切合作，只有这样，才能得到合理的、现实的、经济可行的解决办法，因为这些专家可以对水文学家所提出的建议进行全面评估。由于利益冲突，各种建议剧增，其可行性必须经过验证，哪怕是其极小的影响也必须定量化。对这些建议所包含的水资源方案进行模拟可以解决上述问题。减少水文模拟过程中的主观因素，在随机条件下研究模型效果已成为一种趋势。这在对建议进行交叉评估时尤其重要，因为定量化的最大或最小影响可以避免水文学家用错误的模型作出错误的选择。现在水文学家提供的最终结果已不再是纯数值，这些结果必须整体转换为水文效应，既而表示为社会相关量。例如，农业生产的变化可能与夏季缺水和冬季排水不畅引起的水量过剩造成农作物减产有关。水文学家应该能够为利益各方就模型质量提供清楚的见解。

由于水文问题越来越复杂，必须更多地考虑来自不同领域、不同专家的各种数据。诸如遥感之类的新的数据获取方法在水文学中已普遍应用(Schultz，1993)，这意味着水文过程模拟所用的数据量已有相当的增长。在过去的十年里，模型代码已得到发展，足以满足水资源综合管理所需的新的定量和定性要求。但在有效地为模型提供及时准确的信息仍存在问题，甚至还相当严重。庞大的数据量已使水文学家面临着从基础数据获取水文模型概念的挑战，而通过和其他大量专题数据结合，快速准确地转换模拟结果是水文学家面临的另一重大挑战。

显然，水文学家不能再只用列表格表达数据，现代化地理工具的引入已成为必然，数据库和地理信息系统(GIS)工具的综合使用至少可以解决部分问题。在模拟环境中成功引入这些工具取决于下述因素，即使用这些软件工具的意愿、所面对的水文问题的规模以及建立水文模型的方法等。

11.2 水文数据库

当涉及到大量数据时，采用数据库管理系统存储这些数据有许多优点：数据的可读性和可靠性增强，冗余减少。目前，关系数据库管理系统已成为实际的工业标准(Date，1983)。尽管在 20 世纪 80 年代末 90 年代初，面向对象的数据库极具吸引力，但直到现在，这项新技术也没有在数据库市场获得一席之地。商业关系数据库在水文学中的应用也比较普遍，投资为水文数据建立专用数据库系统的做法并未成功。尽管当前在模型环境中应用数据库系统并不普遍，但仍可期望模型工具发展到第五代时，信息管理将会成为模拟过程的中心(Nachtnebel 等，1993)。这就意味着数据库将成为这些系统结构的中心内容，包括模型代码在内的一系列工具将和这个中心数据库联系以从中提取数据或向其增加数据。数据库系统将会用于区域数字水文模型的建立和维护(Deckers，1994)，包括模型代码在内的工具从不同角度支持模型(Furst 等，1993；Fedra，1993)。

11.3　水文学中的 GIS

地理信息系统是在 20 世纪 70 年代末 80 年代初从制图和 CAD 程序中分离出来的独立的专业软件系统(Burrough，1986)。这类系统在 80 年代末 90 年代初以来备受欢迎，其原因可能与引入硬件结构(如 RISC 处理器)的强大功能有关，这些硬件系统为工作站及后来的 PC 机充分发挥软件潜力提供了强大支持。尽管 GIS 仍然被认为是图形或制图工具，但这种限定未免太过狭窄，其可视化性能早已通过强大的空间分析功能得到扩展。

出于运行速度的考虑，早期 GIS 系统的空间数据和非空间数据之间有清楚的界限。非空间数据通常储存在关系数据库中，而空间数据则以专用的形式存储，这样可快速检索空间数据。当时的认识是 GIS 的功能性能远比其数据维护性能重要。近年来，GIS 系统的开发者已开始将注意力放在数据维护方面，这导致了大量 GIS 产品的出现，这些产品被称为地理数据库管理系统。传统的关系型数据库开发者也对 GIS 市场越来越感兴趣(Nieuwenhuijs，1995)。这些趋势促使 GIS 从封闭的专业应用向开放地理数据库管理系统和 GIS 工具箱发展。

GIS 在水文学中的应用是随其通用性发展而发展的。早期 GIS 在水文学中主要用于水文制图，现在 GIS 在水文模拟研究中的作用越来越重要(Devantier 和 Feldman，1993；Ross 和 Tare，1993)，已成为水文研究的主要工具之一。HydroGIS 会议(只讨论 GIS 在水文学中应用的会议)的召开说明了这一点。尽管在许多组织中，GIS 的使用仍处于试验阶段，通常只与某项特定研究有关(Batelaan 等，1993；Biesheuvel 和 Hemker，1993；Hay等，1993；Kern 和 Stednick，1993；Klaghofer 等，1993；Stibnitz 等，1993)，但仍有人进行了大胆尝试，将模型代码的范围和基于 GIS 建立的中心信息系统相结合，以通过结合 GIS 的功能获取功能强大的建模环境。

在模拟过程中，GIS 不仅可以提供模型输入，在决策变量的结果显示上也起着主要的作用。在 GIS 帮助下，不同类型的信息可以很容易地以可视化的方式结合在一起。用平面等高线和土地利用的多边形信息叠加表示地表水系，其逻辑关系立即变得非常清晰。

森林通常在海拔比较高的地方，这样的地方正好水系较稀疏。集水区较大的江河通常在山谷地区，这些地区通常是具有良好排灌系统的草地和农场，沟渠密集。数据可视化结合的过程常为不同的子系统及其相关的水文过程提供许多内在解释。在模型建立阶段，GIS 也可用于基础输入数据的转换。例如用含水层的厚度和水力渗透性可重新计算其导水率，含水层厚度通过其顶部(表面高程)和底部(定义为黏土缝出现的地方)计算。通过这种方法计算的导水率可在 GIS 中空间定义。导水率将依赖于基础数据的空间变化，并可转化为地下水数字模型网格的输入数据。

11.4 Wierdense veld 流域模拟

11.4.1 研究主线

在荷兰东部 Nijverdal、Wierden 和 Hoge Hexel 之间的三角地区(如图 11-1 所示)，地下水取水存在着以下矛盾：

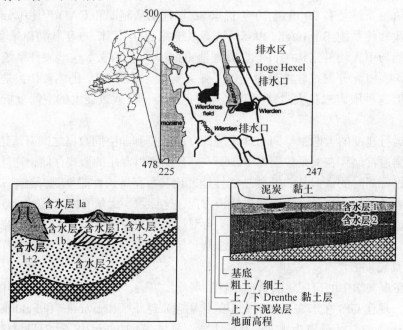

图 11-1 研究区位置与特征

(1)Wierdense veld 自然区正在干涸。

(2)Wierden 和 Hoge Hexel 的饮用水供应必须保证。

(3)为了农业和邻近城市的用水需求，地下水位和地表水位必须加以控制。

该研究的目的是为了在不同利益冲突之间取得平衡，需对下述建议进行评价：

(1)改变 Wierden 附近地下水取水位置或调整井的配置。

(2)完善地表水系统(如填埋水道或是改变水位)。

为了对建议进行比较，用地下水数值模型对不同的方案进行模拟。地下水水文模型基于 MODFLOW 程序包(Mc.Donald 和 Harbaugh，1984)，使用有限离散差分法，这样参数值和模型结果即可代表矩形块的平均值。在第一个例子中建立的是稳态模型并进行了率定，并用率定或验证动态参数对瞬时模型进行扩展。由于模型的复杂性，同时为了尽量减少主观因素，按下述过程进行率定：

(1)在率定过程中去掉对目标函数值不敏感的未知参数，保留其先验范围。

(2)在先验范围决定的自由空间中生成随机模型，并选择在蒙特卡罗分析中具有最大似然目标函数值(低于特定阈值)的模型(通常不止一个模型可用来表示实际系统)，以减小先验范围。

(3)通过分析后验概率(可接受参数的矩)识别不同的参数以及参数间可能的依赖关系，评估可接受模型的参数集。

后验概率统计作为新的先验范围，再从第一步开始进行率定。GIS 在模型建立和率定中的应用见 11.4.2 节的主要内容。

基于对模型建立和率定的基本认识，选择了四种不同的情景，必须对其进行细致的研究，从而衡量不同管理方案之间的差异。用瞬时模型对这些方案进行了时间长度为 14 天的模拟。为了进行描述和比较，同时还选择了两个重要时刻，一个是湿季末，一个是干季末。11.4.3 节给出了该研究用 GIS 作为显示和分析工具的部分结果。

为解释地下水位对农产品的影响，采用了 BODEP 程序。该程序描述了土壤含水量与某种农作物产量之间的关系。用 PATH3D 对地下水水流方式和滞留时间进行计算，从而确定地下水捕获区。以捕获区分析为基础，预测对饮用水水质的影响。KIWA 研究所就地下水流变化对生态的潜在影响进行了研究(Jansen, 1994)。为了比较不同的影响效果，人们将其转换为经济损益。这种损益大部分时间可以定量化，例如钻井或是重新钻井的费用、重建地表水系统相关费用、农产品的收益或损失等。但有时要做到这种定量化并不容易，或多或少要作一些政治上的选择。这是在评估经济活动对自然保护影响时要考虑的情况。GIS 将模型结果转换为定量的经济损益将在 11.4.4 节中详细介绍。

所有的数据准备、操作和可视化都在 ARC/INFO 系统中实现(ESRI，1992)。

11.4.2　建立模型

上、下层含水层的水文地质概况及含水层边界几何形状有关资料相对准确一些。水源地理位置、排水量、排水率、观测水位等所谓的"硬"信息，将诸如传导度、垂向阻力、地下水补给等"软"信息进行分区，将河床阻力、非测量水位等进行分级。将所有的地面信息(几何形状、水道、钻孔位置、井、分区信息等)都输入 GIS 数据库，形成所谓的层。不同的参数被存储在 GIS 的相关属性数据库中(钻孔信息、土地利用、夏(冬)水位、河床高程、河床阻力、给水、速度等)。

将所有的数据信息收集在一个系统内的主要优点是：

(1)可以很好地考察数据的质量和数量以及所研究模型的复杂性。

(2)可以对数据的错误值、一致性(例如基础应低于顶层)和逻辑关系(例如稠密的地表水系应和最低的地面高程相对应，变化的冰蚀黏土层应低于冰渍)进行验证。

(3)可以对数据进行修正和插值。

数据水平分类有以下四种：

(1)真实数据。可用的真实数据包括地表水系的几何形状、钻孔位置和描述、观测的地面高程、土地利用等。

(2)推导数据。包括内插的地面高程、从钻孔资料中得到的黏土层分布等。

(3)合成推导数据。合成推导数据由不同的数据综合推求而来，如由导电系数推导而来的传导度、由土地利用和非饱和带厚度等得到的地下水补给等。

(4)模型输入数据。分布在模型网格中的上述数据。

数据的实际操作只发生在第一种水平上，其他数据均通过 GIS 工具得到，如将逻辑关系转变为程序语言、综合不同的 GIS 图层等。

图 11-2 中给出了部分推导的模型参数(率定前和率定后)；图 11-3 中给出了模型的离散化情况及观测位置、出水量及观测的其他时间序列。

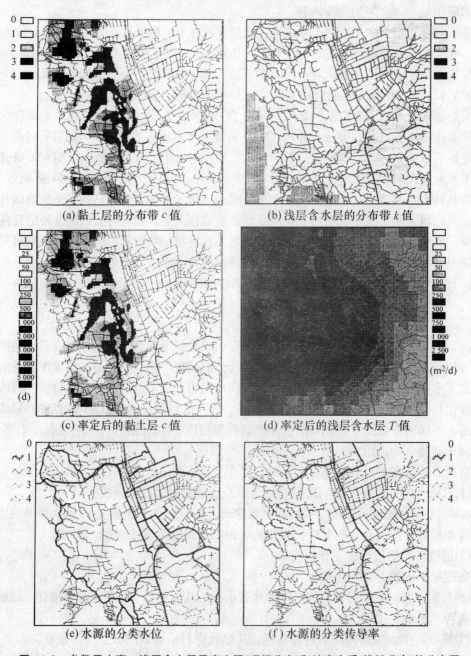

(a) 黏土层的分布带 c 值 　　　　(b) 浅层含水层的分布带 k 值

(c) 率定后的黏土层 c 值 　　　　(d) 率定后的浅层含水层 T 值

(e) 水源的分类水位 　　　　(f) 水源的分类传导率

图 11-2 　参数导水率、浅层含水层垂直电阻(理想分布)和地表水质(线性分布)的分布图

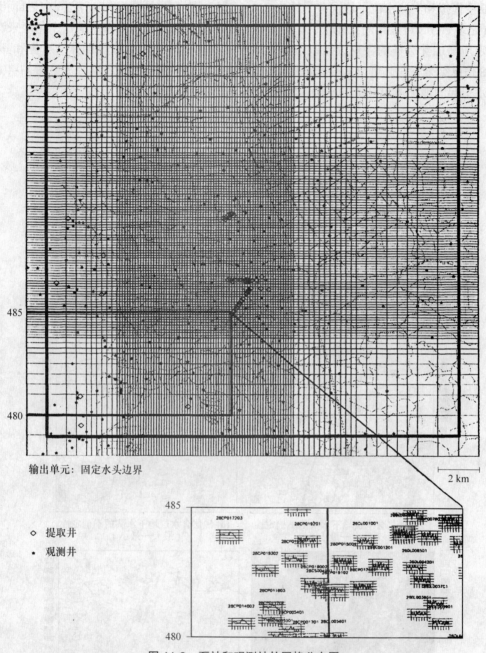

输出单元：固定水头边界

2 km

◇ 提取井

• 观测井

图 11-3 泵站和观测站的网格分布图

11.4.3 地质水文系统分析

GIS 帮助我们考察"软"参数对模型结果和目标函数值的影响，图 11-4 给出了一个敏感性分析的例子。

首先是模型的不确定性分析。除 26 个可接受模型(从 10 000 多次模拟中选取的)的平均地下水位(见图 11-4(a))外，还确定了其最大值和最小值范围。对所有可接受模型来讲，

189 个模拟和实测水位平均误差大约为 21 cm，但个别模型(见图 11-4(b))之间在局部相差 2m 之多。GIS 可以帮助我们认识这种不确定性的来源及其空间分布。从这个角度来看，确定应增加什么样的额外数据以最有效改善模型就变得极为简单。计算的水位和其他 GIS 信息结合在一起可以求得其他变量。关于地下水位深度的不确定性分析见图 11-4(c)，取水引起的地下水位降低的不确定性见图 11-5。

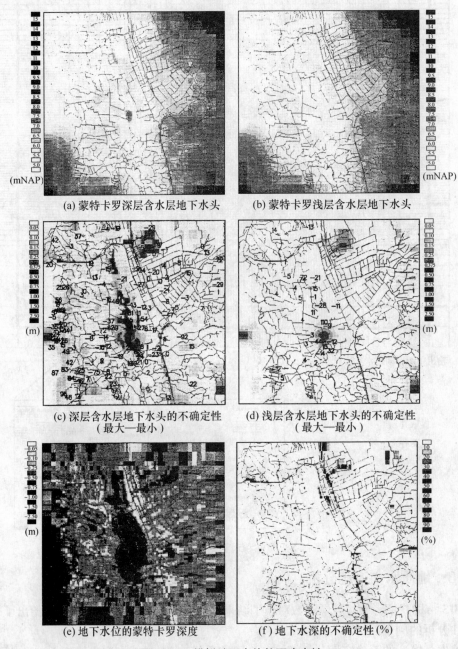

(a) 蒙特卡罗深层含水层地下水头   (b) 蒙特卡罗浅层含水层地下水头

(c) 深层含水层地下水头的不确定性   (d) 浅层含水层地下水头的不确定性
（最大—最小）   （最大—最小）

(e) 地下水位的蒙特卡罗深度   (f) 地下水深的不确定性(%)

图 11-4   模拟地下水位的不确定性

（"蒙特卡罗"指采用的 29 个模型的均值）

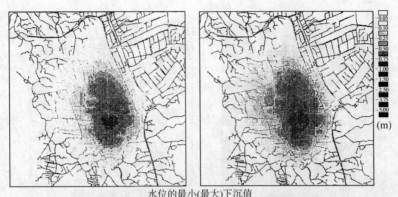

水位的最小(最大)下沉值

图 11-5 由于取水引起的地下水位下降的不确定性

另外，GIS 极大地提高了水流系统分析的质量。通过比较湿季末和干季末的状况(湿、干季末水位的差异见图 11-6)可以清楚地看到水流系统的动态变化。在此基础上，分析区域应确定在具有稳定下渗、渗流或间断下渗和渗流的地区。这种分类方法在确定潜在生态价值时很重要(见图 11-7 河槽和排水结合对系统流态进行分析)。为了确定建议方案的效应，研究了人为活动对地下水水文系统的干扰影响。在所谓的"历史方案"中，人工水道的影响通过 GIS 进行了计算，并形成可视化结果(见图 11-8)。

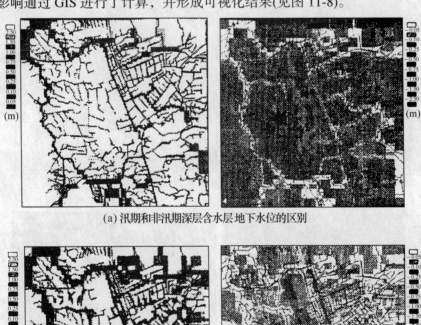

(a) 汛期和非汛期深层含水层地下水位的区别

(b) 汛期和非汛期浅层含水层地下水位的区别

图 11-6 水头的地下水水文学分析

(a)补水／排水结果图   (b) 汛后水系河网

图 11-7　通量的地下水水文学系统分析

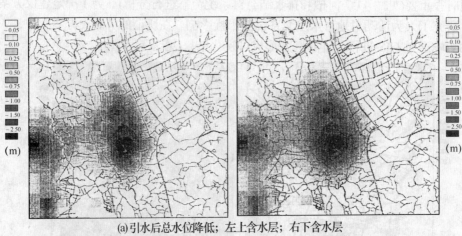

(a)引水后总水位降低；左上含水层；右下含水层

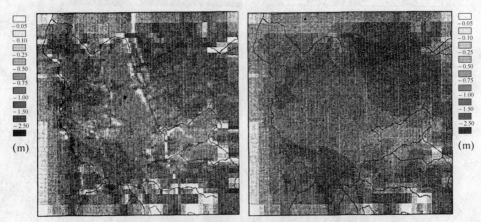

(b)由于地表水源引起的总水位降低；左上含水层；右下含水层

图 11-8　引水与地表水系对地下水头的影响

11.4.4　管理方案分析

通过对地下水水文系统的分析,可以清楚地看到可行的水资源管理措施的一般趋势:
局部改变 Wierdense veld 地区的水位,并对 Wierden 的取水站重新定位。对四个不同的
设计方案进行了详细的评估,并使用 GIS 对其在地下水位、下渗和渗流区、农业生产、
出水捕获区以及 Wierdense veld 自然保护区的潜在生态影响等进行了评估分析。最好的
方案建议,将取水站建在 Vriezenveen 附近,将 Wierdense veld 地区的水位提升 20 cm 并
填埋附近一个主水道。关于所选方案的情况见图 11-9。

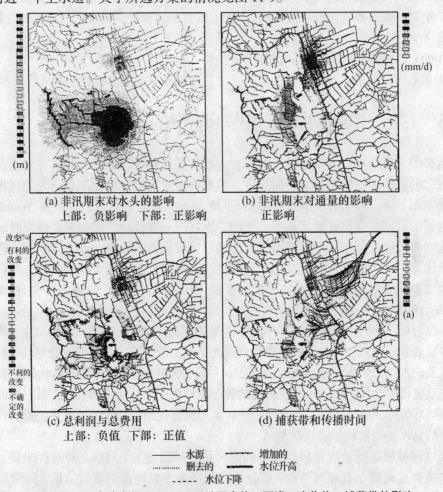

(a) 非汛期末对水头的影响　　　　　　　(b) 非汛期末对通量的影响
　　上部: 负影响　下部: 正影响　　　　　　　　正影响

(c) 总利润与总费用　　　　　　　　　　(d) 捕获带和传播时间
　　上部: 负值　下部: 正值

————— 水源　　　————— 增加的
············· 删去的　　　××××× 水位升高
----- 水位下降

图 11-9　汛末选定的 Scenario 对地下水位、下渗、农作物、捕获带的影响

11.4.5　评价

荷兰 Wierden 城附近的研究表明,要回答像"怎样才能防止自然保护区干枯"
这样一个简单问题,就必须考虑许多方面。该研究还表明,GIS 在模型建立阶段具
有明显优势。只有"真实数据"需要处理,而模型输入可以根据这些数据自动获得。
这增强了水文学家在模型建立过程中对模型的控制能力,从而减小了引入误差的风

险。进而，建模者必须详细考察从"真实数据"到模型输入数据转换过程中引起的数据丢失和增加，要求模型必须具有可重复能力，这样模型的内部结构就会变得更加透明。这一点对主要用户也很重要，因为他们希望这种付费的产品在质量上应该不存在问题。

尽管 Wierden 的案例研究清楚表明了 GIS 在水文模拟中的优点，但也应注意避免漫无目的地应用 GIS(Brilly 等，1993；Lam 和 Swayne，1993；Grayson 等，1993；Kemp，1993)。因此，应牢记以下几点：

(1)用极具吸引力的图片显示模型结果时，图像可能掩盖了模型结果的错误。

(2)结果一般被分为内插或外推两类，而 GIS 在这方面提供的方法通常比经过验证的地质统计学方法差。

(3)GIS 得到的数据不是真实数据。

(4)在 GIS 中，表示空间变化的传统方法总是基于对空间连续数据的离散表示。

11.5 GIS 和数据库在建模环境中的结合

模型的质量及在其基础上进行的水文管理主要依赖于数据的质量和在建模过程中使用数据的方法。在模型建立的研究中，数据准备所遇到的问题随着研究的规模和进行的频率而不同。但如果模拟研究是在不同的地质条件下偶尔进行，像在 Wierden 案例中用到的自动数据准备形式是不必要的。当在同一地理地区进行频繁研究时，建立一组连续有效的、可用于不同模拟研究的、可实时更新的数据，就十分有利。有人甚至考虑建立一个区域永久性数字化水文模型，该模型可用不断更新的数据，并可适应新的水文概念，这就要求引入基于数据库和 GIS 相结合的水文(地下水文)管理系统(Deckers,1993)。

可以看出，有两种极端的建模环境可供选择(见图 11-10)。在第一种环境中，模型源代码占据着重要位置。GIS 和数据库管理系统是独立的工具，在数据前处理和后处理过程中以及模拟结果中发挥或多或少的作用。在第二种环境中，水文(地下水文)信息系统占据着重要位置，用它来实现水文模型的数字化再现。模型代码和其他工具一起嵌入到系统应用环境中，建立方案并将水文特征转换为模型代码的功能由信息系统提供，模型代码由信息系统内部的驱动机制驱动。

从这两种极端的情况可以得到不同的可供选择的方案。对第二种选择来讲，信息系统和模型代码的结合相对松散，信息系统只用来为模型提供基础数据，而模型代码的控制完全在信息系统外部。斯洛伐克 Danubian Lowland 的模型就是这样(Sorensen 等，1995)。也可以设想有另一种选择，即用一种永久的单个数据文件和描述数据和模拟结果处理程序文件代替水文信息系统，然后引入功能有限的小软件模块(GIS 宏，数据转换程序)对这些过程进行补充。用这种方法对水文过程的构造往往是通过现有的软件模型实现的，这种方法最终将走向半自动模拟环境。利用 Wierden 案例的经验，TNO 已开发了这种半自动化的模拟环境(Hoogendoorn 和 Te Stroet，1992)。

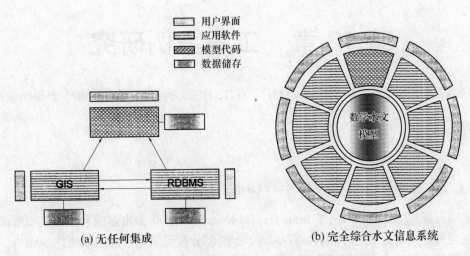

（a）无任何集成　　　　　　　　　（b）完全综合水文信息系统

图 11-10　模拟软件环境中两种极端的比较方案

11.6　结　论

　　GIS 和相对较小的数据库管理系统在资料准备和作为模拟研究组成部分的结果评估方面是很有价值的。目前的综合研究趋势更强调 GIS 这类工具的作用。数据库、GIS 和模型源代码集成为可操作性强的模拟环境是势头强劲的发展方向。这一点可以通过多种方法来实现，但其在某部门的实现取决于模拟研究的规模、频率及研究区域的地理环境。在数据库、GIS 和模型代码的集成上也有两种极端情况，一种是通过水文(地下水)信息系统高度集成，另一种实际上不存在这种集成。在这两种极端的情况之间，也可有多种不同的方案来补充。

第12章 工程案例研究

Gabcikovo 水电站对斯洛伐克 ZITNY OSTROV 部分支流河系水文和生态影响模拟。

12.1 引 言

12.1.1 多瑙河低地和 GABCIKOVO 水力发电方案

多瑙河低地(见图 12-1)位于 Bratislava 和 Komárno 之间,是由多瑙河泥沙沉积形成的内陆三角洲。整个区域为冲积含水层,每年上游部分接受多瑙河渗透水流约 $30m^3/s$,并在下游部分重新流入多瑙河或者进入排水渠道。该冲积含水层是城市和农业用水供应的重要水源地。

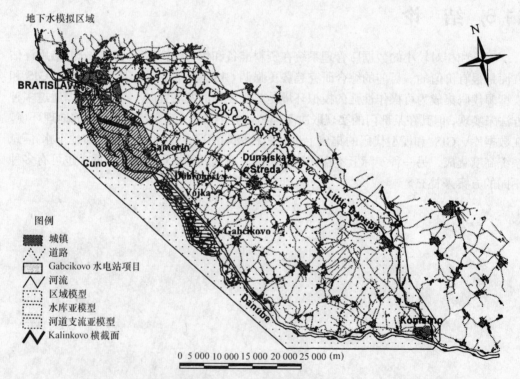

图 12-1 多瑙河低地区域,Gabcikovo 项目布局以及局地和区域模拟范围

人类影响逐渐改变了这个地区的水文情态。Bratislava 上游大坝的建成以及河流泥沙的开采,使河床明显加深,降低了河流水位。这些变化对地下水动态以及布拉迪斯拉发下游河岸森林有明显影响。尽管有这种负面倾向,但洪泛区冲积森林以及相应的生态系统仍代表着一种十分重要的独特景观。

Gabcikovo 水利发电方案在 1992 年投入实施。作为水利发电方案的组成部分,已经建设了大量的水利工程，主要有在 Bratislava 下游 15 km 处的 Cunovo 横跨多瑙河的群堰系统、在 Cunovo 筑坝形成的水库、一条与老多瑙河平行的长约 30 km 可供通航和为水电站供水之用的新运河、位于 Gabcikovo 的一个水电站和两座船闸、一座位于 Dobrohost 的引水建筑物，这些工程将新运河的水引到支流河系中去。整个工程方案已经明显影响了当地的水文情态和生态系统。方案是以前规划的，通过捷克斯洛伐克和匈牙利的联合工作，建筑工程的主体部分已经完成。而现在，斯洛伐克和匈牙利对 Gabcikovo 水电站产生了分歧，匈牙利已经向海牙国际法院递交了一些有争议的问题。

目前，已经完成了这个项目的环境影响监测和评价，参见 Mucha(1995)。

12.1.2 PHARE 项目"多瑙河低地地下水模型"

分析和理解多瑙河低地的地表和地下水情态的物理、化学和生物变化的复杂联系，要求结合多学科的专业知识与野外数据，并采用先进的数学模拟技术。为此，欧洲委员会和斯洛伐克联合政府在认同的 PHARE 计划中对"多瑙河低地地下水模型"进行了定义。

PHARE 计划的总目的是建立适用于该地区的全面的模拟和信息系统，以作为水资源管理的决策支持工具。开发综合模拟系统的目标是为各种管理策略的环境影响评价分析提供可靠的工具，进而支持水资源保护，促进地区生态健康发展的优化管理决策的形成。

PHARE 项目由斯洛伐克环境部负责，其他斯洛伐克组织有 Comenius 大学自然科学学院(PRIFUK)、水研究所(VUVH)、灌溉研究所(VUZH)和地下水咨询有限公司(GWU)。由丹麦、荷兰 6 个协会组成的集团当选为项目顾问，并由 DHI 领导。该计划于 1992 年启动，1995 年完成。

12.1.3 本章内容

本章的目的是描述先进的集成模拟和信息系统的总体结构、功能，概括复杂案例的模拟方法，并介绍展示在洪积平原和河道支流系统的一些应用实例。

分析由 Gabcikovo 发电站引起的地表水变化对水资源影响，其关键是对河流—含水层系统进行综合描述。本章介绍了河道支流系统和含水层系统模拟的详细情况，由 DHI 通过河流和水文模拟系统的耦合这一新技术进行模拟，这两个模型分别为 MIKE 11 和 MIKE SHE。

12.2 模拟方法

12.2.1 集成模拟系统

为了解决项目区域内的问题,通过综合运用现有的数学模拟系统,建立了以下模拟系统:

(1)MIKE SHE(Refsgaard 和 Storm，1995)。能够模拟流域尺度水文循环的主要水流和输移过程。水文循环通常分成四个独立部分，即非饱和带一维水流和输移、地下水三维水流和输移、地表二维水流和输移、河道一维水流和输移。以上过程完全联系在一起，允许不同部分之间的反馈和交互。除了以上提到的成分外，MIKE SHE 模型还包括饱和带多成分地理化学和生物降解反应模块(Engesgaard，第 5 章)。

(2)MIKE 11(Havnø 等，1995)。此系一维河流模拟系统，用于水力学、泥沙输移和地貌、水质等。MIKE 11 基于圣维南方程组的完全动力波形式，泥沙输移和地貌模块可处理黏性和非黏性的泥沙输移以及河床地貌的相应变化。非黏性模块考虑屏蔽效果，对多种不同粒径的泥沙进行处理。

(3)MIKE 21(DHI，1995)。系二维水动力模拟系统，用于水库模拟，包括水动力、泥沙输移和水质。泥沙输移模块能够处理黏性和非黏性泥沙，非黏性模块可处理不同的粒度级别。

(4)MIKE 11 和 MIKE 21。包括河流(水库)水质和富营养化模块(Havnø 等，1995；VKI，1995)，模拟氧、氨、硝酸盐和磷的浓度以及需氧量和诸如生物量生长、降解等富营养化问题。

(5)DAISY(Hansen 等，1991)。系一维根带模型，模拟不同农业管理措施和政策下土壤水分动态、作物生长和氮动态等。考虑的特殊过程包括水、热、碳和氮等的转化和输移。

模拟系统的集成通过在各模拟系统之间交换和反馈数据的形式实现。集成模拟系统的结构和不同模拟系统之间的数据交换如图 12-2 所示。

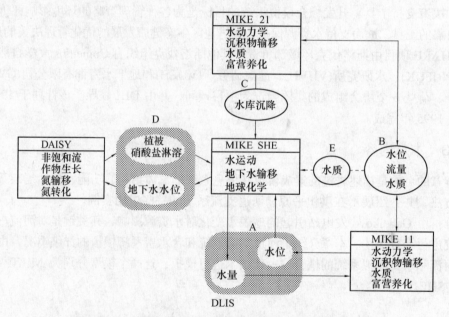

图 12-2　集成模型系统的结构及不同模型的相互联系示意

对不同模型之间的界面 A ~ E 简单描述如下：

(1)MIKE SHE 是集成模拟系统的核心，是所有单个模拟系统的界面。MIKE SHE 和 MIKE 11 之间是完全动态联结，在每个时间步长计算后都会进行数据交换。后面将详细描述该界面。

其余的模拟系统的联结方式较为简单，包括各模型的顺序执行以及模型之间边界条件的转换。下文将给出一些实例。

(2)MIKE 21 水库富营养化模拟，其结果用来估计进入多瑙河下游水库的各种水质参数浓度，以便使用 MIKE 11 进行多瑙河水质模拟。

(3)MIKE 21 水库泥沙输移模拟，提供水库底部泥沙数量，从而可计算渗漏系数。在地下水模拟中，MIKE SHE 用渗漏系数来计算水库和含水层之间的水量交换。

(4)DAISY 计算植被参数，MIKE SHE 模型使用植被系数计算实际的蒸(散)发。用 MIKE SHE 计算的地下水位作为下边界条件进行 DAISY 非饱和带模拟。因此，需进行迭代计算，并且需要几个模型进行模拟。

(5)MIKE 11 和 MIKE 21 模拟的水质结果用来估计从多瑙河和水库中渗入含水层的不同物质的浓度，其结果可用于 MIKE SHE 的地下水水质模拟。

多瑙河低地信息系统(DLIS)是在项目进程中开发的结合数据库和地理信息的综合系统，基于 Infomix(数据库)和 Arc/Info，为数据存储、维护、处理和显示提供了一个框架。另外，还建立了 DLIS 和 MIKE SHE 之间的界面以输入输出地图和 MIKE SHE 格式的时间序列文件。

对于洪积平原的水文和生态模拟，集成模拟系统的核心由 MIKE SHE、MIKE 11 及两者的完全耦合组成。

12.2.2　MIKE SHE 与 MIKE 11 耦合

MIKE SHE 的重点在于流域过程，其对河流过程的描述相对一般。相反，MIKE 11 对河流过程有较为复杂的描述，而对流域的描述则较为一般。因此，如果流域和河流均需重视时，需要实现两个系统之间的耦合。

MIKE SHE 与 MIKE 11 之间的完全耦合如图 12-3 所示。在这个集成模拟系统中，MIKE SHE 和 MIKE 11 的模拟同步进行，两个模型之间的数据交换通过共享的存储空间实现。MIKE 11 计算出河流和洪积平原的水位，并传给 MIKE SHE 中，通过对比计算的水位和存储在 MIKE SHE 中的地表地形信息，绘制洪水深度和范围图。随后，MIKE SHE 计算在水文循环剩余部分的水流。两个模型之间的水分交换可能由于地表水的蒸发、下渗、地表径流和河流—含水层交换而产生。最后，用 MIKE SHE 计算的水流量通过 MIKE 11 中圣维南方程组连续方程源(汇)项而与 MIKE 11 进行交换。

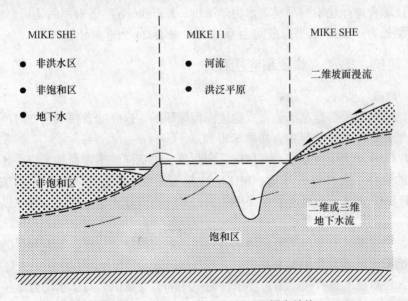

图 12-3　MIKE 11 与 MIKE SHE 耦合结构

MIKE SHE 与 MIKE 11 的耦合对于正确描述河流—地下水交互反应的动态过程非常重要。首先，河流宽度比 MIKE 计算网格大，在这种情况下，MIKE SHE 不适合河流—含水层模拟；第二，河流水库系统包含着大量的水利工程，MIKE SHE 无法考虑其运行；第三，具有环路和洪水单元的复杂支流系统要求具有像 MIKE 11 那样有效的水动力学表示形式。

12.2.3 模拟尺度

如图 12-1 所示，对不同的目标进行不同尺度的模拟，建立的地下水模型如下：

(1)建坝前区域地下水模型。

(2)建坝后区域地下水模型。

(3)水库周边区(建坝后)地下水模型。

(4)支流系统局部地下水模型(建坝前和建坝后)。

(5)Kalinkovo 附近横断面(垂直剖面)模型。

区域模型模拟面积为 3 000 km^2，水平离散间距为 500 m，垂向含水层按地质状况分为 4 个计算层。区域地下水模拟的主要目的是研究多瑙河筑坝对项目区域范围内水文情势的影响，特别是在地下水水位和地下水动态方面的影响，并为局部地下水模型提供可靠的边界条件。

水库区地下水模型是区域模型的子模型，局部模型的参数值同区域模型相同，惟一的变化是，局部模型中水平离散间距为 250 m，并有 7 个垂向计算层。水库周边区局部模型的目标是提供比相对粗略的区域模型更精确的结果，并为横断面模型提供边界条件。

类似地，支流区域的局部模型是区域模型的子模型，这种局部模型水平离散间距为 100 m。支流局部模型的目标是对不同的水文管理方案提供详细的水文情势预测，并能够对洪积平原未来的生态变化进行评价。

为了使综合地球化学模型具有水力学基础，Kalinkovo 附近采用的是局部水库模型，其截面模型长为 2 km，水平离散间距为 10 m，并有 24 个垂向分层。

12.2.4 建模、率定、验证和应用程序

12.2.4.1 建模

所有的应用模型都是基于分布式物理模型编码的，这意味着模型建立时所需的数据和输入数据都能够在自然界中直接测量得到。

MIKE 11 水动力学模型需要河流的几何数据，包括河流横断面和系统中各种不同水工建筑物的资料。在 Hrusov 水库，MIKE 21 模型需要水库底部的地形信息(测深)。

MIKE SHE 水文模拟要求数据类型相同，另外还需要土壤、地质、气象以及植被等数据。

因此，物理基础通常包括问题的几何描述和系统的物理特征，如饱和层的水力传导度、河流横断面或者库底的糙率系数。

另外，还需要掌握有关模型边界条件的一些静态变量值。对于水动力学模型来说，边界条件通常是给定的水位和流量。地下水模型原则上包括相同的内容，但是被称为地

下水位或者地下水流量。水质和地球化学模型必须知道进入系统的某种物质的浓度，例如硝酸盐和氧。

12.2.4.2 模型率定

物理模型的率定意味着进行一系列的模拟，并将模拟结果与同一时期的实测结果相比较。

MIKE 11 用实测水位和流量进行率定，MIKE 21 用流速进行率定，MIKE SHE 用实测地下水位、河流流量和水位进行率定。

应用物理模型时，几何、物理特征和边界条件描述越准确，所要求的率定量就越少。原则上，如果模型准确地反应了真实状态，就完全不需要率定。显然，这是理想状态，实际上通常需要进行模型率定。

项目区域内可用的数据量和数据质量为建模提供了坚实的基础。在建模时用到的几乎所有物理特征都依靠实测数据。这样，只要在相对较小的范围内调整一定数量的物理特征就能进行各种模型的率定。

对 MIKE 11 水动力学模型而言，河床的糙率系数(曼宁系数)是主要的率定参数。对一些模型结构来说，若涵洞的精确顶高未知，涵洞的实际泄水能力就不能确定，故几何特征的率定很有限。但一般而言，在率定过程中系统的几何特征不需作调整。

MIKE 21 水库水动力学模型的主要率定参数是库底糙率(谢才系数)和涡动黏滞系数。

MIKE SHE 地下水模拟的主要率定参数是饱和带的水力传导度。所有的其他物理特征总体上为测量值或者采用以前研究的经验值。

DAISY 非饱和水流模拟基于观测的土壤水分消退曲线和水力传导度。

12.2.4.3 模型验证

率定过程存在人为调整参数，因为在率定过程中得到的模拟结果较好，但并不能保证在其他时间的模型结果也好。因此，需要使用不同的数据对模型进行验证。

所有的模型都用率定期以外的实测数据进行验证。对于 MIKE SHE 区域地下水流模型，利用建坝前的条件进行率定，而用建坝后的条件进行验证。建坝后，水库、有关水工建筑物、渠道等使得一些地方的水流情态发生了明显变化。

12.2.4.4 模型应用——集成方案模拟

验证后的模型被用于模拟在不同管理方案下整个水工建筑物系统产生的水文情态。对 Gabcikovo 系统建筑物而言，共模拟了一种历史状况(建坝前)和三种假想的方案。鉴于模拟系统的整体性(见图 12-2)，方案模拟包括了一系列的计算。每一步计算对相应的水力学、生态、化学状态均进行了解释。集成模拟系统建立在同模型之间数据和结果交换的基础上。典型的集成方案模拟包括下列模型模拟：

第一步：MIKE 11、MIKE 21 水动力学模拟。

在给定的水管理方案下，进行水库(MIKE 21)和河流(MIKE 11)的水动力学模拟。MIKE 11 的建坝后水动力学模拟为水库 MIKE 21 模型提供边界条件。主要输出为水库、多瑙河、支流系统流速和水位。

第二步：MIKE 21、MIKE 11 水质、富营养化、泥沙输移模拟。

依据模拟的流场(第一步)的泥沙输移进行水质和富营养化模拟。水库的富营养化模拟为老多瑙河下游水质模拟和下游支流河道的富营养化模拟提供边界浓度条件。主要输出为水库底部泥沙颗粒级配和氧、硝酸盐浓度时空分布。

第三步：MIKE SHE、MIKE 11 区域地下水流模拟。

应用 MIKE SHE 与 MIKE 11 耦合进行整个模型范围的地下水流的模拟。水库包含在简化一维水动力学 MIKE 11 模拟中。依据库底泥沙分布信息(第二步)计算泄漏系数并直接用于 MIKE SHE 地下水流模拟中。泄漏系数在水库和含水层交换中起着重要作用。主要输出为地下水流量和水位的时空分布。

第四步：MIKE SHE、MIKE 11 局地水库模型模拟。

应用区域模型(第三步)中随时间变化的边界条件(地下水位)，用局地地下水模型对水库区域进行详细的模拟。模型使用第二步提供的泥沙层的详细信息。主要输出为详细三维地下水流情态，包含水库对地下水的补给。

第五步：MIKE SHE、MIKE 11 Stovak 洪积平原支流河道的局地模拟。

应用区域地下水模型(第三步)得出的随时间变化的边界条件进行支流河道详细的地下水流(地表水流)模拟。模型的输出结果构成支流河道系统生态状态描述的基础。主要输出为非饱和带的水分深度及范围。

第六步：DAISY 作物生长和硝酸盐淋溶模拟。

应用区域地下水模型(第三步)得出的随时间变化的地下水水位，进行 DAISY 非饱和水流、作物生长和硝酸盐淋溶模拟。主要输出为作物生长参数(叶面指数和根系深度)、作物产量，硝酸盐淋溶和灌溉要求的时空分布。

第七步：MIKE SHE 地球化学模拟。

依据局地水库模型得出的流场进行地球化学模拟。沉积输移模型和富营养化和水质模拟得出的结果分别用来估计从水库和多瑙河补给到地下水中的不同物质(氧、硝酸盐、有机物等)的浓度。DAISY 模拟的硝酸盐淋洗用来估计模型评估模型范围内其余地区渗透到地下水的硝酸盐浓度。模型主要输出为地下水中不同物质(硝酸盐、亚硝酸盐)的浓度。

12.3　多瑙河低地模拟研究的部分结果

PHARE 项目已经进行了综合的模拟研究(Slovak Ministry of Enviroment，1995)。这里介绍几个洪积平原水文模拟结果。

12.3.1　水库支流系统的模型结构

水库下游长 20 km 的河段内水系复杂，Slovakian 一侧有冲积森林。河段情形如图 12-4 和图 12-5 所示。为了能够预测洪积平原生态可能的生态变化，关于区域内地表水和地下水系统以及它们的交互作用的详细描述十分重要。为此,需要 MIKE SHE 与 MIKE 11 的耦合。1992 年在多瑙河筑坝前，当流量超过平均值时支流系统与多瑙河相通，但部分支流一年中仅在出现洪水的几天内有水，筑坝后老多瑙河的水位明显下降。因此，为避免支流河道因向老多瑙河汇集大量水流而干涸，除了在 1 820 km 处的支流外，多瑙河和其他支流河道之间的联系均被阻断。相反，支流河道系统接受到来自 Dobrohost 水力电站运河取水建筑物的水流(见图 12-4)。堰的设计流量为 234 m³/s，与支流系统的其他水工建筑物一起控制了支流系统和洪积平原的水力、水文和生态动态变化。支流系统和洪积平原的透视图如图 12-5 所示。模型的水平离散间距为 100 m，地下水分为两层。MIKE 11 中包括了支流系统的几百个横断面和 50 多个水工建筑物。

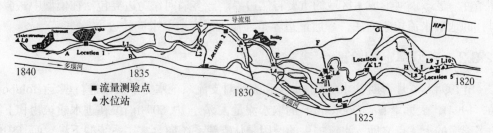

图 12-4　多瑙河 Slovakian 一侧水系结构

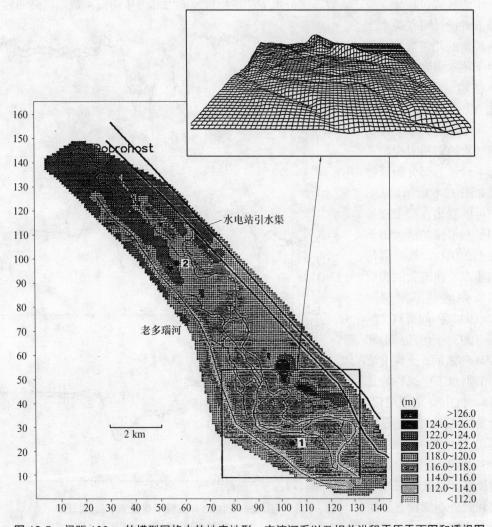

图 12-5　间距 100 m 的模型网格中的地表地形、支流河系以及相关洪积平原平面图和透视图

对于筑坝前的模型建立，地表水边界条件包括 Bratislava 的流量系列以及下游末端的水位—流量关系。对于筑坝后的模型建立 Bratislava 流量系列被分为三个流量边界条件，分别位于 Dobrohost(支流系统从电站运河取水点)、电站运河入水口和从水库到老多瑙河的出水口。对于地下水系统，区域地下水模型以模拟随时间变化的地下水位作为边界条件。老多瑙河形成了区域的重要自然边界。老多瑙河作为边界包括在模型中，假定对称的地下水流位于河底，零通量边界条件作为河底地下水流的边界条件。

12.3.2 模型率定和验证

用1994年6月为期3周的实测水位和流量对支流系统水力学模型进行率定(Holubova等，1994)，表面上看，Dobrohost 的取水流量大部分(达 80%)消失在进水建筑物和下游同多瑙河的汇流点之间。水流损失的原因是从支流系统向含水层系统的下渗，而其中的很大一部分又从含水层系统补给老多瑙河系统，因为支流系统的水位要高于老多瑙河。率定的参数包括河道曼宁系数、部分水工建筑物过流能力和河床渗漏系数。虽然通过测量或者设计可获得水工建筑物的几何数据，但由于枯木阻塞涵洞等又会使实际情况发生变化。

用 1993 年夏天实测的水位资料对模型进行了验证，部分验证结果如图 12-6 所示。从图中可以看出，模型模拟和实测水位的最大偏差在上游(L1)。其原因是描述水工建筑物的参数值采用的是率定期间(如 1994 年)的资料，但在 1993 年(验证期)和1994 年之间，支流上游的个别水工建筑物的几何尺寸(主要是顶高)有所变化。因此，建模采用的是新的顶高，而1993 年验证用的是老的顶高。尽管在模型参数和野外观测状态之间存在小的矛盾，但模拟

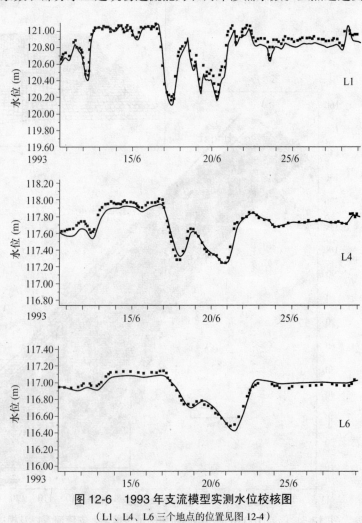

图 12-6   1993 年支流模型实测水位校核图
(L1、L4、L6 三个地点的位置见图 12-4)

结果与实测水位及其动态变化拟合得很好。

12.3.3 洪积平原动态模拟

为了说明 MIKE SHE–MIKE 11 洪积平原模型的复杂功能及地表水模型和地下水模型的相互作用，1993 年 6~7 月时期内的模拟结果见图 12-7 和图 12-8。图 12-7 显示的是支流系统上游点的引水流量，图 12-8 显示的同时期多瑙河和 Gabcikovo 下游电站出口运河汇合处的流量和水位。另外，图 12-7 还显示了地表下最上层 2 m 的土壤水分状况以及位置 2 的地表水深，图 12-8 显示了位置 1 的类似信息。土壤含水量高于 0.4(40% 体积)表明土壤已达饱和。位置 2 位于支流系统的上游，位置 1 位于支流系统的下游(见图 12-5)。

从图 12-7 可以看出，位置 2 的洪水泛滥(进水口流量超过 60 m^3/s 时)是水库泄洪的结果(地下水位升至地表之前地表被淹没)。土壤含水量对洪水的响应非常迅速，土柱很快变饱和。与之相反，多瑙河 7 月的洪水并不会在该地区泛滥或使土壤完全饱和，但会使地下水位升高。

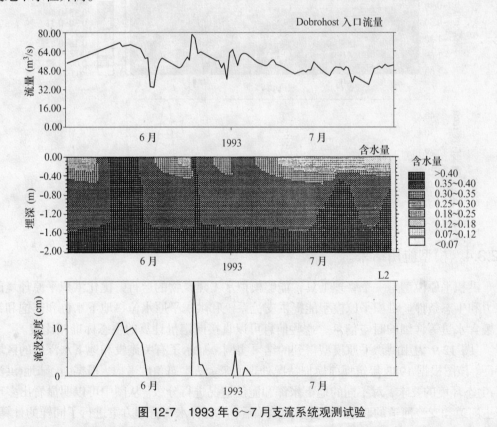

图 12-7　1993 年 6~7 月支流系统观测试验

位置 1(见图 12-8)的情形有所不同。在模拟期内，位置 1 没有因 Dobrohost 较大的入流量而淹没。但在多瑙河的 7 月洪水期，多瑙河的回水效应使得支流系统的水位较高，致使地下水位升高，位置 1 处洪水泛滥。位置 1 的地表海拔是 116.4 m，低于图 12-8 显示的汇水处(位置 1 下游 5 km 处)的洪水水位 0.4 m。可以看出，位置 1 处的淹没是由于地下水位升高引起的，而不是因为泄流造成的。

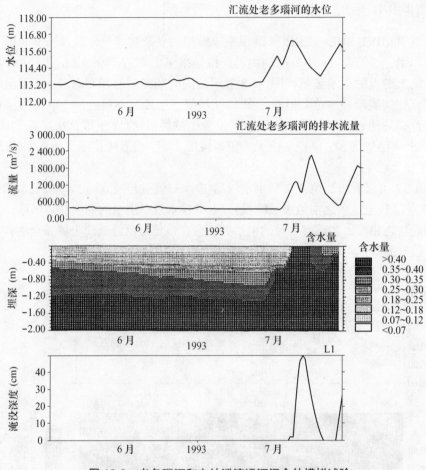

图 12-8　老多瑙河和电站泄流运河汇合处模拟试验

12.3.4　模型应用结果

　　洪积平原模型是一个管理工具，能够模拟水工建筑物的运行，优化洪积平原环境的水力和生态条件。洪积平原模型能提供支流系统和洪积平原水位、地下水位和非饱和带土壤含水量等详细的时空信息。这些信息可以直接同定量计算的生态标准相比较。

　　图 12-9 为用洪积平原模型得到的结果实例，显示了有关淹没和地下水深度的区域特征。该图根据 1988 年筑坝前模拟情况处理而来。从生态角度考虑，根据(半)陆地(洪泛区)生态环境的要求，对不同的地下水深和淹没情况进行分级。从图中可以明显看出多瑙河主河道和支流河道的联系。在多瑙河筑坝后，对各种水文管理方案进行了同样的计算。图 12-10 显示了一个假设的筑坝后水文管理方案的结果，以平均流量为指标，电站运河、老多瑙河和支流系统取水点分别为 1 470、400 m³/s 和 45 m³/s。对比图 12-9 和图 12-10，可以明显看出水文情态的差异。从水文情态这种变化中可以看出洪积平原生态系统的可能变化。

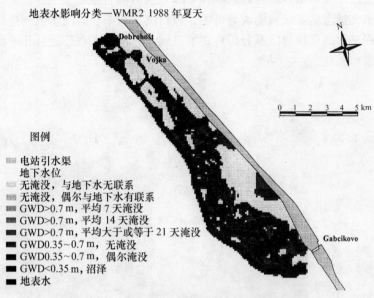

图 12-9　1988 年建坝前支流水情态的生态分级

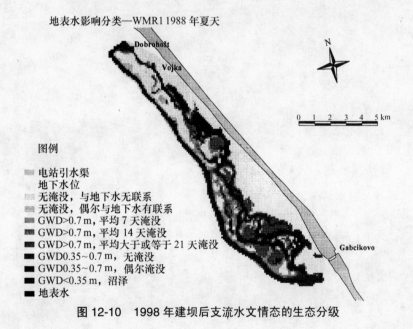

图 12-10　1998 年建坝后支流水文情态的生态分级

12.4　结　论

多瑙河低地生态系统较为复杂，地表和地下水文情态以及物理、化学和生物变化之间存在着多种交互作用。因此，需要一种分布式物理基础综合数学模拟系统来提供环境影响的定量评价。

目前，已经开发了结合综合数据库和 GIS 系统的耦合模拟系统，这使得洪积平原的地表和地下水文情态的定量预测成为可能，包括洪水频率、淹没量级和持续时间等。这些信息为洪积平原的动植物区系分析奠定了基础。另外，本章还通过几个洪积平原模拟结果说明了模拟系统的一些功能。

第13章(A) 关于分布式水文模型的讨论

13(A).1 引言：水文学分布式模型评论

由于计算机功能的加强以及地理信息系统和数字地图的发展，自1969年Freeze和Harlan第一次提出物理基础分布式模型框架以来，分布式模型在水文学以及其他领域如生态学中得到迅猛发展。正如Beven和O'Connell(1982)、Abbott等(1986)、Bathurst和O'Connell(1992)以及本书第1章所指出的，相关技术的发展使分布式预测成为可能。目前已有多个模型系统投入应用，如SHE模型(欧洲预报系统)的多个版本、水文分布模型IHDM等。这些模型均声称具有物理基础(与Freeze和Harlan1969年所述一致)且参数至少在原则上可以进行物理测量。

原则上，这里的限定词(与Freeze和Harlan 1969年所述一致)很重要。它在大量的论文中出现，其中部分论文对于目前的分布式水文模型的发展相当重要(Beven，1987，1989，1993)，另外的一些论文也促进了分布式水文模型的应用(Bathurst，1986；Bathurst和O'Connell，1992)。这表明，在进行实际水文过程的分布式机理描述时，存在一些基本问题。Freeze和Harlan(1969)的物理基础分布式水文模型的最初蓝图是根据一些过程描述建立的，在1969年，这些关于在试验条件下土壤水流、土壤表面水流以及河道水流的过程描述被认为是合适的。当时对野外过程的详细研究工作做得很少，人们简单地认为实验室条件下的真实性可以很好地推广到其他情况。但这种假设面对流域水流的异质性和复杂性时并不必然成立，参见Bhaskar(1989)、Cartwright(1983)等的讨论。

Emmett在地表水流方面的研究是一个很好的例子，其研究工作直到《山坡水文学》(Kirkby，1978)一书的出版才得以广泛推广。他指出，部分植被覆盖粗糙地表的地表径流的水力学特性在性质上和其他人研究的停车场、机场和均质草坪有所不同。为了在理论上计算糙率系数，这些不规则的水流一般用所谓的"层流"来表示，但这并不是很实际的描述。现在所有分布式水文模型系统所用的描述，至少部分地使之更容易和土壤表面边界的地下水模型相结合。现在更实际的过程描述允许这种不规则流的存在，但必然要求引入其他的参数(Dunne等，1991)。

同样，所有的物理基础地下水流描述依据达西定律和非饱和带理查德方程，二者很好地描述了实验室土柱水流。土柱是经过均匀混合后重新装入生成的，但对未扰动土来讲并不适用。对未扰动土，由于土柱中含水量不同以及优先水流的存在，沿已知水流方向观测的水力比降为负的情况相当普遍。达西描述对于这种土柱内局部范围内的有效性尚值得怀疑，而对土柱尺度或块尺度则绝对无效(参见Luxmoore等，1981；Schulin等，1987；Hornberger等，1991；Flury等，1994)，对分布式水文模型的网格尺度当然也无效。分布式水文模型应用这些方程时，要求其参数和变量在几十米甚至几公里的空间尺度上一致(参见Jain等，1992)。

因此，目前建立物理基础分布式水文模型所依据的基本方程在描述野外水文通量方面是错误的。既然如此，为什么它们又能奏效呢？这主要是因为尽管在原则上模型的参数值可以实际观测，但实际上中却很少这样做，特别是尚没有能观测模型所要求尺度参数值的技术，参数必须进行估计或率定。这通常通过对比观测值和预测值得到，和其他的概念水文模型没有什么不同。实际上，尽管目前的分布式物理基础模型以网格为单位进行计算，而不是像传统的集总概念模型那样在流域尺度上计算，但说它们也是集总概念性模型似乎也有一定的道理(Beven，1989)。

水文中的分布式模型是 Morton(1993)所谓的"中间模型"。"中间"处于基础理论(部分可能是对自然的定性或感性认识)与定量预测之间。因此，分布式水文模型具有 Morton 所分析的中间模型的一般特征：错误假设(参见关于达西定律的讨论：Schrader-Frechette，1989；Hofmann，1992；Oreskes 等，1994)；依目标而定的参数和辅助条件；反映物理直觉，但多少包含随意因素；有实际说服力，但不会发展为(也不应该被接受为)完整的理论结构。成功的模型结构会被后来的模型借用或精练。但这些模型的参数和预测结果在构建模型的特定范围外无效。

当然，我们应该希望这些模型随着我们对水文过程理解加深而有所改善，但目前还不能明显看出这种期望能否实现。水文系统的许多问题基本未知，尤其是结构化土壤中地下水流过程的本质。原则上完整的物理描述是可能的，并且如果有足够的关于多孔结构的几何知识(统计描述或许就足够了)和控制诸如不同有机层对湿润角和孔隙表面糙率影响等因素的参数，就能够解出孔隙系统水流的 Navier-Stokes 方程。其他过程如大气压力影响、微生物影响、土壤表面板结以及其他方面的时间变化也应参数化，至少对简单情况应这样。即使忽略这种模拟所需要的计算机能力问题，这样的描述也只是将不可知的问题转移到更小的时空尺度上。

更实际的选择策略应该是将达西方程应用在其合适的尺度上，即所谓的"代表单元体积"(REV)。在该尺度上，可以假设孔隙水势能是局部平衡的，这样包括势能梯度在内的连续描述可以被接受，而这将需要比目前分布式模型的网格小得多的尺度，尽管我还不知道有谁曾对实际土壤确定过 REV 这样的尺度。如此一来，达西-理查德方程就可以和其实际应用的尺度相协调。这种比目前分布式水文模型的网格小得多的 REV 尺度，需要确定更多的关于土壤异质性的参数，而且在计算机上的运行时间也会长得多。当然，不破坏所研究的系统而得到所有的参数值是不可能的，因为目前的观测技术大部分具有破坏性。即使对于静态系统，其参数值仍然未知，时间上的改变只能使问题更加恶化。因此，分布式水文模型基本上是跨学科问题(Weinberg，1972；Philip，1978)。

对于地下水，最好的方法可能是某种小尺度测量的样本统计。对于这样的一个样本，需要某种理论可以使其从 REV 尺度的统计学描述过渡到预测结果所需的网格尺度。尺度理论已成为地下水系统研究的主要目标。已有研究表明，网格尺度所需的有效参数值可由达西参数的小尺度异质性统计模型得到，这需要一系列假设，其中包括不规则多孔介质。结果表明，有效参数与尺度有关，并具有不确定性。

非饱和系统的研究成果要少得多，即便对所谓的"达西"异质性，也没有考虑导致优先流的土壤结构类型(Mantoglou 和 Gelhar，1987；Nicholson 等，1989；jensen 和 Mantoglou，

1992)。结构化系统水流模型往往涉及两个或更多的水流成分，均为来自前面假设的理论结构，并且引入了更多的参数，但如何在大尺度范围内确定这些参数却没有明确说明(Beven 和 Germann，1981；Hoogmored 等，1980；Beven 和 Clarke，1986；Steenhuis 等，1990；Jarvis 等，1991；Booltink，1984)。

水文过程的耦合问题同样存在。Binley 等(1989)的研究表明，对异质性流域地表水和地下水耦合，可能没有可以通用的有效参数值。异质性在控制耦合响应方面很重要。实际上，Binley 等(1989)没有考虑使问题更严重的连续下渗影响。

尽管存在着上面所谈到的种种问题，但目前有许多已发表的论文指出这些物理基础模型的应用很成功。这怎么可能呢？也许只是因为评估模型表现的大多是流量预测，对模型而言，流域尺度的流量响应对水文系统相对简单(这也是单位线技术虽不够好，但经过半个世纪的使用和批评仍然存在的原因)。降雨过后，河流流量增加，经过一段时间后又减少，这一切都是流域内各个复杂过程的综合效应。单次暴雨的径流量预测要困难得多，部分原因是其与流域特性非均匀性和前期条件的复杂关系，部分原因是输入数据的精确度有限。

这样即便很小的水文模型，也需要某种可预测径流系数和前期条件之间关系的方法，以及对预测径流进行时程分配的方法。通过使用基于数据分析的相对简单的非分布式模型，可以得到有合理精度的结果(Jakeman 和 Hornberger，1993；Young 和 Beven，1994)。物理基础的分布式模型通过参数也可实现这两方面的功能，这些参数通过拟合实测资料进行率定。分布式模型的主要不同在于，虽然分布式模型也能在网格尺度对内部状态变量进行预测，但却很少能和其观测值进行验证比较。事实上，由于可测量的状态变量的尺度比网格要小得多，所以对模型参数也存在类似问题。

总之，不能保证在以网格尺度描述水文实际时分布式水文模型基于正确的方程。在单元尺度上估计模型方程有效参数值即便可能也是很困难的。对于以估计流量为目标的整体参数化，也不能对内部静态变量进行验证。而对内部静态变量进行预测是其优于流域模型的主要特征。这些问题在其他地方也得到了广泛讨论(Beven，1985，1989，1993；Grayson 等，1992)。希望能通过对上述问题的讨论给分布式模拟指出一条前进的道路，因为毫无疑问，分布式模型对水流路径预测的实际能力是非常有价值的。

13(A).2　流域尺度分布式模型能否成功

目前，对这些问题的反应不像开始时那么糟糕。前面已经讲过，已有许多这类模型投入使用，如 SHE 和 IHDM 模型。这两个模型在预测流域流量时是成功的，这表明这些模型对水文预报专家来讲是有效的，至少是可接受的(Bathurst，1986；Calver，1988)。通过预测水文状态内部变量验证降雨径流模型的研究还很少。近几年来，在水文学方面尤其是地下水方面，模型验证吸引了很多专家的注意。关于垃圾场和地下水污染的公众调查和诉讼研究项目、公众调查、法律诉讼都强调建立地下水模型。两位德高望重的地下水文专家曾讲过，地下水模型是不可能被验证的(Konikow 和 Bredehoeft，1992)，许多地下水模型与最初的估计相去甚远。关于这方面的争论还吸引了许多哲学社团的注意。

例如，Oreskes 等曾讨论了在地下水模拟语境中 validation 和 verification、confirmation 和 falsification 等术语的意义和应用或误用。另一方面，对水文模型有所了解的专业人员，当在法庭上遇到这些词的时候，可以解释说明，使陪审团能够接受它。

在流域水文模拟的文献中，这类争论仍在持续，其最先是由 Beven(1989) 和 Grayson(1992) 等引起的。这两个人指出了目前分布式模型的局限性，强调需要借助率定才能使其完善。后来还有其他各种反应。例如，Smith(1994) 等认为区分一类模型和二类模型是很重要的：一类模型是基于基本的水动力学概念对所观察到的自然现象进行数学抽象，其在可控的试验条件下是可验证的；二类模型是指对一类模型的概念通过数值逼近和对边界条件及其他附属条件的误差和其他"可能的编码误差"的概率分析的计算机实现。他们指出，二类模型在异质性和不确定性方面的困难和失败不应该和一类模型的失败相混淆，对二类模型而言，不能指望其预测精度比自然本身的重复性高。Hjelmfelt 和 Burwell 对 40 个接近 $0.01\ hm^2$ 小区域的研究表明，当降雨量变化范围是 6 ~ 96 mm 时，径流变差系数为 0.071 ~ 1.09，水文响应的不均匀性很大。这可能是由于不同的土壤条件和雨量输入引起的，根据现有的土壤和降雨资料水文响应基本不可预测。

有足够的证据表明，文献给出的许多一类模型不足以描述实际的水文过程。即使可以，如果不进行昂贵的和破坏性的试验就不能得到流域所有位置的模型参数，就不知道一类模型能否应用。作为一类模型的近似，二类模型通过某种方法率定参数。但即便有输入和其他边界条件，也不能指望二类模型能精确地模拟实际反应变化，也不可能在任何细节上验证模型，应该允许误差存在。

Stephenson 和 Freeze 早在 1974 年就认识到了模型验证的这些问题。受当时计算机能力的限制，山坡尺度的有限差分模型只运行了几次，水位和流量的拟合结果很差，其中部分原因是坡面和参数初始和边界条件的不确定性。他们注意到，任何验证都要依赖初始和边界条件，但这些条件在某种程度上又总是未知的。因此，这类模型就不会有真正的验证。

已报道的一个更为成功的分布式模型的验证(Jensen 等，1993)是丹麦 Jutland 的沙质含水层的示踪试验模拟，使用的是 MIKE-SHE 模型中三维地下水流量和输移部分。水力传导度通过现场钻孔试验估计，扩散系数通过率定得到。其中一次模拟的水力传导度随机生成，但大多数用的是流域的三层表示，即不同层具有不同的水力传导系数。这是为数不多的、公开发表的对模型预测和流域内部状态观测比较方面的研究之一。他们发现一个很好的关于几个月内水位预测的方法，即用一维达西非饱和流模型的补给估计水位(非饱和流模型的参数怎样获得还不太清楚)。输移模型的结果同样不错，尽管对于不同的井，经过拟合的纵向和横向扩散系数以 10 的数量级变化。股流扩散通常用各向同性的扩散系数进行模拟，但部分井的浓度变化曲线拟合很好，部分井的模拟又存在一定差距。较小的扩散系数表明介质相对是各向同性的。

这些结果与 Binley 和 Beven 的成果相矛盾。Binley 和 Beven(1991) 对一个具有各向异性土壤深度和水力传导度的凹陷山坡的三维饱和-非饱和有限元模型和同一地区各向异性的二维平面山坡模拟结果进行了比较。两种情况下的地下水解法是相同的，其中简单的模型应用了几何近似和有效的参数值。在这里，"近似"导致三维模型的模拟结果很差，可能是因为 Jutland 地区实际各向异性的程度要比假设的低得多。

以上例子说明，对于模型的验证、肯定和可接受性还没有明确的答案。其本身受到模型离散化、参数估计和率定以及初始和边界条件等问题的限制，更深入地讨论还将产生其他问题。Beck(1995)等指出，除了模型本身的特性以外，关于模型验证还有两方面的问题，即预测任务本身的特性和基于模型预测作出一个错误决定所要承担风险的大小。他们认为，如果目前要进行的任务和以前的研究很接近，同时风险也很低，对模型的验证或可接受性作出判断相对来讲就比较直接。反之，如果任务很陌生，风险很高，则其验证就应该更严格，对可接受性作出判断就更难。严格的验证虽然可以减少接受虚假模型的机会，但也可能因此而拒绝了一个好的、可接受的模型。最后的决定或许可以借助模型结构的整体评价和流域概念模型等定性信息。这方面的例子有美国 Yucca 山和英国 Sellafield 的废物处理场潜在的放射性评价。对于不同模拟方法的合理性，不同专家的观点可能有很大的不同。最近的研究表明，专家在用不同的资料建立用于现场评价的流域概念模型所用的方法并不很让人信服。

13(A).3　改进过程参数化描述的可能性

如果像上面所说的，目前物理基础的分布模型中的小尺度(REV)方程在各向异性和结构化流域上很难同比放大，那么可能找到完善的参数化方法吗？这里至少有两个问题。其一与尺度变化问题和参数各向异性有关，即使小尺度方程适用局地尺度同样如此。如果这只是惟一的问题，那或许可以得到一个关于尺度的理论，这样就可以使依赖尺度的参数问题在各向异性统计模型的基础上得到解决(Dagan，1986)。但是，这不是惟一的问题。第二个问题是小尺度方程在局地尺度上并不一定正确(剖面到试验区)。

本章第一节中的一个例子，就是描述达西定律如何应用于结构土壤流的。在结构土壤中，水流与势能梯度有关，在流速和梯度之间并不是简单的线性关系。对于地形复杂和有植被的地表径流也需要更实际的描述，还有土壤水分对植物用水的控制(或当植物根系生长快于达西水流的运动时，植物用水对土壤水分的控制和对蒸(散)发的基本控制)、土壤分层对坡面流的影响等。现有的输移和地球化学模型也需要进一步完善。

在大多数情况下，正如结构土壤的水流已得到改善或至少更为复杂了那样，过程描述也已有了进一步的成果，但应用起来较为困难。如通过考虑土壤水分的滞后特性(Mualem，1976)已对达西定律进行了简单修正，但在分布式模型中却很少实现。过程描述具有一些共同特征。由于更为复杂，所需的计算机运行时间更长，当然也需要更多的参数和状态变量。这些参数除了可通过某些资料进行率定外很难估计。模型率定已经是一个很难解决的问题了，增加参数只会更糟。

因此，物理基础的分布式模型似乎就有这样一个基本矛盾：如果认可描述方程的局限性，引入更多复杂参数就十分必要；这些参数不易通过直接测量得到，而且同样存在非均匀性问题，因此需要大量的实际观测来估计参数的重要性及空间变化程度。当然，对降雨的响应并不这么复杂。当降雨发生时，地表水和地下水流速增加，形成水文过程。在流域尺度模拟响应并不十分困难，只需要相对简单、参数较少的模型。但这对分布式模型适合吗？描述分布式响应的最简单的模型是什么呢？这种模型真的比现在的分布式模型简单吗？

我认为上面最后一个问题的答案应该是肯定的，但如果没有合适的分布式观测准则很难。矛盾的解决当然不在于更为详细的过程描述和收集更多的资料以确定参数和状态变量，而在于根据收集的资料，寻找更简单的分布式模型。在将水位和上坡或是点周围的分布式水位响应相结合时，沿该路径的基本分段可看做是水位对时间的响应。但即便给出这些资料，怎样建立一个最合适的模型仍不明确，因为额外增加的观测点应能对模型进行进一步的局部率定，以考虑系统的局部不均匀性。增加的内部观测是否提供足够的信息进行这样的率定尚不清楚，当观测尺度小于网格尺度时(有时会小得多)尤其如此，而模型的结构误差能否和局部的率定误差分离同样不清楚。这些资料反映局部对系统的响应，或许可导致分布式模型的分布处理。这种方法肯定比现在大多数水文理论所强调的小尺度参数信息的集总化处理更有前途。

13(A).4　子流域尺度分布参数化的可能性

1995 年，Beven 对分布式模型的分布处理进行了讨论，并就该问题提出了一系列基本的目标和原则。目标非常简单，所有这些都是为了正确地为所选单元尺度(子流域、山坡、小区等，尺度越小问题越复杂，一般以子流域较为合适)确定输入通量和其他边界条件，以及正确分割流量、蓄量和潜热通量等。对于某些问题或许还需要辅助或补充的目标。有时流量和蒸发通量的时间选择可能很重要，有时尤其是进行输移和水质预测时，水流路径很重要。总之，最终目标就是估计预测模拟中的不确定性。

参数化所依据的原则包括满足质量守恒定律、水流服从控制势能梯度(大尺度上表现为重力势能，但不一定是线性关系)、不同尺度的参数化方程不同、参数化的形式取决于资料并随环境和目标而变、所有尺度均存在优先流、水文系统中最重要的非线性源自不同水文过程的耦合、在任何尺度下子单元响应分布的极值对控制水量平衡的划分(流量和蒸散发通量)十分重要、当前和未来的单元响应可从过去的响应中体现。根据具体要求还可增加其他原则，但据作者所知，目前尚没有充分应用这些原则恰当地进行参数化的模型。

目前有人正进行响应式分布研究，而非尺度单元的集总式描述，但这意味着现有资料能够满足要求。例如，TOPMODEL(Beven 等，1995)利用地形资料(目前可完全得到 50 m 或更好尺度的资料)，基于一种地形指数进行分布式描述。然而，不仅地形指数的计算方法不同(Moore 和 Hrayson，1991；Quinn 等，1995；Costa-Cabral 和 Burges，1994；Wolock 和 Price,1994；Bruneau 等，1995)，而且这些地形指数在干旱环境下需要动态更新(Barling 等，1994；Durand 等，1993)。

全球循环模型(GCMs)过去在高达 300 km 尺度的单元内进行集总地表水文描述。为使地表水参数化得到改善，分布函数已成为研究的目标之一。将单元内水文响应变化小区化表示的模型已有很多(Avissar，1992；Koster 和 Suarez，1992；Blyth 等，1993；Quinn 等，1994)，宏观水文模型也开始用河道演进连接单元分布(Jolley 和 Wheater，1993)。这些模型"物理基础"的程度取决于对"物理基础"的定义，但至少比目前的集总式描述更具"物理基础"。

与子流域参数化相同，这种描述的可接受性主要取决于描述所依据的资料。这里可用资料是关键，例如 TOPMODEL。用地形指数来衡量水文相似的思想早于数字化地形模型的大范围出现(Kirkby，1975；Beven 和 Kirkby，1979)，但目前这种方法的流行与数字地形资料普及的关系更大，而与模型所依据的基本概念关系不大。我们甚至连验证这些概念的积极性都没有。

给定尺度下可用资料和参数化之间相互作用的另一个例子是河流溶解质输移。用示踪试验确定各种尺度的混合特性实际上相对较为简单。这种试验也可提供建立和验证参数化所需的资料。资料表明，在很多情况下，基于简单 Fickian 扩散描述的平流—扩散方程(ADE，大多数一维输移分布式模型基于该方程)并没有充分应用已有资料，因为在大多数示踪试验中会产生较长的拖尾现象，而该方程对此无能为力。产生拖尾现象的主要原因是"静区"作用或经过较长距离后仍未达到全面或有效混合。这意味着对于输移过程来讲，有效"混合长度"显然要 ADE 方程所涉及的尺度大得多，而 ADE 只有在超过混合长度时才有效，所以不该应用(见 Young 和 Wallis，1993)。增加"静区"可改进 ADE 方程使其与以实际资料相符(Bencala 和 Walters，1983；Hart，1995)，但这将引入额外的存储和混合系数，这些系数是不易确定的，除非对示踪数据进行拟合。扩展到二维或三维描述不仅需要更多的计算时间，而且需要更多的几何数据和参数。当然，基于简单平流滞时和线性存储扩散的许多简单模型可以很容易地表述示踪曲线，集总静区模型(ADZ)正是这样的(Wallis 等，1989；Green 等，1994)。但这实际上意味着扩散受静区控制而不是受 Fickian 剪切控制。ADE 模型在教科书中可以找到，但却是错误的。更为简单的 ADZ 描述可以很好解决问题，在其运用的尺度上难道 ADZ 缺少"物理基础"吗？

ADZ 模型与 Jakeman 和 Hornberger(1993)所用的流域尺度模型之间有直接的相通之处，其参数化均直接基于模拟尺度的资料。结论表明，分布式水文模型的参数化必须基于分布的资料，这些资料的采集尺度必须与预测尺度相适应。例如，如果可以直接测量块或山坡的蓄水量，那么在该尺度上有关水文理论将会使蓄量与泄量关系的形式得到很好的发展，而不是 REV 尺度上的土壤含水量—水力传导度关系。当然，我们期望这样的大尺度关系可以表述干化过程和湿化过程的不同。这在 REV 尺度上已经是理论上可接受的了，那为什么在更大的尺度上不能呢(如果分布式测量技术可以实现的话)？

对这种"数据基础"机理方法的一种强烈批评是其在某种意义上是纯经验的，即虽然这种方法可以很好地表述当前的状况，但在外推到其他条件(或许是极端情况或想象的系统变化影响)时将很困难。但更"物理基础"的参数在这种情况下有什么优势尚不清楚，不知道该如何想象变化气候中不同的土地利用、地下排水或与森林破坏、植树造林等有关的机制作用等相应的网格单元有效参数变化。显然两种方法预测不准确的可能性都很大，预测要对不确定性作出估计判断。

13(A).5 估计分布式模型预测中不确定性的可能性

如果有足够的计算时间，该问题的答案是肯定的。但评价预测的不确定性有两种不同的解决方法。其中更为传统的方法认为这种不确定性来源于参数值(有时是边界条件)

围绕所谓的"真值"的偏离。这种方法用的是经典的数理统计估计理论。对于给定的样本 Y，往往用最大似然法或其他参数估计方法推求参数的最优无偏估计。这里参数被看做随机变量并且符合正态分布(至少对线性模型如此)，预测中的不确定性可以通过对参数变量进行积分或作似然矩阵雅可比函数进行率定。这种方法对非线性模型也是可行的。应用实例参见 Jensen 和 Mantoglou(1992)、Destouni 等(1994)、Zhang 等(1994)。

然而，如上所述，分布式水文模型既不是线性的，也不存在参数值的最优集。如果参数集(和模型)的等效性概念可以被接受，那么就需要研究不确定性估计的新方法。该问题在许多领域都被认识到(O'Neill 等，1982；Freeze 等，1990；van Straten 和 Keesman，1991；Patwardhan 和 Small，1992；Dilks 等；1992；Klepper 和 Hendrix，1994；Brooks 等，1994；Draper，1995)。Beven 和 Binley 对这种情况下的不确定性估计给出了一个基本框架，即"通用似然不确定性估计"法(GLUE)。GLUE 基于蒙特卡罗模拟，随机选取参数集。该方法通过计算似然值，将每一个参数集的模拟结果与观测值进行对比，是对通用灵敏度分析(GSA)的一种发展。对观测值拟合最好的参数集似然值最高，无效参数集的似然值赋为零。

通过更为传统的搜寻算法找到一个最优集(或至少接近最优)，该参数集赋予最高的似然值。然而在参数空间内许多参数集的似然值通常差不多。同样，如果给定另一个时间段的观测值，拟合的结果将发生改变，第一阶段最优拟合参数在第二阶段并不一定有最大的似然值。如果再取一个时段，将会产生另一组具有最大似然的参数集。由于模型概念和边界条件、观测值存在误差，出现这种现象并不奇怪。本质上，似然值的分布取决于率定时段。

GLUE 方法不存在该问题。该方法的思想是将似然值的分布作为一个加权函数用于有效参数集的全部空间，以确定不确定度。这样，具有最大似然值的参数值给予最高的权重。有更多的观测资料可用时，可以极方便地用贝叶斯方程时调整似然分布。由于每一个参数集都按集合对待，可按如下方式独立地将贝叶斯方程应用于相关似然值

$$L_p(_i|Y) = L_0(_i) \ L_y(_i|Y_j) \qquad (13\text{-}1)$$

式中　$L_0(_i)$——参数集 i 的初始似然值；

　　　$L_y(_i|Y_j)$——在 j 阶段对于给定的观测值 Y_j 用参数集 i 进行模拟计算得到的似然集；

　　　$L_p(_i|Y)$——后期的似然值。

对于似然方法有多种不同的定义，包括水文学中传统的拟合优度指标(Beven 和 Binley，1992；Beven，1993；Freer 等，1996)。也可能存在显示出每次模拟残差的模型函数(van Straten 和 Keesman，1991)，如模糊似然或概率方法(Romanowicz 等，1994)。不同类型预测变量的似然估计也可以结合在一起。

许多关于分布式模型不确定性估计的 GLUE 和类似的基于蒙特卡罗方程的应用已公开发表。Binley 等(1991)用多次实现方法(但没有根据观测值调整)利用研究院分布水文模型 IHDM 估计土地利用变化影响预测的不确定性。同样，Binley 和 Beven(1991)用有限元山坡分段模型将流域表示为变宽两维垂向切层，对内部水深进行研究。结果表明，即使调整流量和观测水位，其不确定性依然很大。该研究的"观测"值来源于模型：同一描述方程(理查德方程，不考虑迟滞现象)的完整的三维解，用的是相同的有限元算法，

但考虑土壤特性和深度的不均匀性。

Beven(1993)、Romanowicz 等(1994)、Freer 等(1996)曾将 GLUE 法用于准分布式模型 TOPMODEL(Beven 等，1993)。Freer 的论文探讨了用不同的似然方法对流量预测结果不确定性进行估计的效果。但在调整预测结果时均没有用到内部状态观测。Lancaster TOPMODEL 小组正在进行这方面的研究。

显然，因为分布式水文模型中蒙特卡罗模拟的计算要求较高，这类模型的应用受到限制。但在并行计算机系统下这很容易实现，并且也很灵活，很容易理解，将来可得到进一步发展。例如，可用该方法选择模型和参数集、设计似然方法等。

13(A).6 分布式模拟的发展前景

为概要地对上面争论下一个结论，笔者认为，目前的物理基础分布式模拟方法(将小尺度物理方程应用于更大尺度，假定尺度的改变可以通过使用"有效"参数值进行处理)必须被一种可以更明确辨识模拟过程局限性的方法所代替。一种方法就是在不确定性框架下进行研究，这种框架应像 GLUE 那样允许在对有限的观测进行模拟研究时众多模型的内在等价性。这意味要考虑众多的模型和功能强大的计算机。

当然，自从 1969 年 Freeze 和 Harlan 提出物理基础模拟方法框架以来，建模者使用的计算机的性能已有了极大的提高。目前较为便宜的并行系统为将来进一步提高工作站的能力奠定了基础，模型大小及模型运行次数将不再成为障碍。这时有几种选择：这种计算能力用于和以前一样的分布式模拟，但网格尺度越来越细，流域越来越大，运行时间越来越长。这显然是一种将模型单元尺度和理论建立尺度联系在一起的方法。但是，必须认识到，这将增加参数的数量，但率定和验证这些参数的资料并没有增加，因为这与计算机能力无关。参数过多问题将会更复杂。

难道就没有可替代的方法吗？很显然，增强的计算机能力可以用于多次运行简单概念模型以得到模型的不确定性估计，而不是单个模型更长或更详细的运行。如果同意所有的分布式模型(包括最物理基础的)都是集总概念模型，则概念化就有其他的选择，即在参数问题上不去花费过多的时间或精力，而保留特定模型对问题的真实描述。这样的模型明确依赖于尺度，可以直接反应尺度变化及调整模型参数的资料所产生的水文响应。

本质上，这样的概念化可以反应地域或流域不同部分的水文功能(Beven，1995)，物理基础模型通过结构方法做到这一点。但如果水文特征空间差异的指标和量度可观测，可能会有更有效的方法。在某种程度上遥感已经在这样做(Bastiaanssen 等，1994；Moran 等，1994；Goodrich 等，1994)。在这种意义上，这种概念化的方法依赖于数据而不是理论(我们已有的理论也是如此，除了在小尺度上。但小尺度理论也只是资料的近似。参见 Davis 等 1992 年关于达西定律的讨论)。

模型等效性和在不确定性可预测框架下估计模型允许用多种方法建立模型概念、参数和数据之间的关系。如果像 GLUE 模型那样，能直接将标准用于模型不确定性估计，则可以颠倒模型率定和验证过程，不将模型估计用于肯定模型，而是反过来，用于拒绝"无效"模型。

考虑下述关于未来的假设方案。大型并行工作站的使用意味着计算时间将不再成为问题。既然必要时可以重复运行，则计算结果的存储也不再是大问题。考虑对无资料流域进行模拟，土壤和土地利用类型 GIS 数据库可以和雷达测雨、地表降雨观测、气象资料、Landsat、SPOT 和太空雷达图像等结合在一起，所有的分布式水文模型及其参数集都需要模拟。为保证质量，不再考虑自己模型的先验值是否被国际水文标准局接受，所有其他模型的先验似然值为零。先验判断和专业经验可以用来限定模型和参数的研究空间，但必须认真研究和推敲这样做是否会拒绝本应接受的模型。用不同的参数集对模型进行多次运算并与预定义的性能指标或似然分析结果进行对比。

最重要的采取措施拒绝无效模型(这和用基因法或进化法进行研究的情形类似)。保留的模型在某种程度上认为是有效的，尽管有些模型比另一些更有效。进一步的观测可拒绝更多的模型并减少可行集合。资料的价值在于其区分可行和不可行(或有效和无效)模型的能力。这种有效模型范围的调整是模型率定的一种形式，具有两个优点。一是它指出了不可能将与可用资料相应的有效模型最终区分开来。另一个优点是其将重点放在数据上，并允许数据用在假设验证中。如果给定有效模型的范围，收集的资料应能最有效地缩小范围，即证明部分模型或参数集无效。

回头看无资料流域的可用资料，实际上能用于这种验证的数据非常有限。土壤和植被类型可以适当地用来确定参数范围。希望控制水文响应的剖面导水率和植物参数将来能对此有所改善，但这样的范围可能相对仍不精确。降雨量和气象资料用做输入。主动和被动微波遥感数据可能为土壤表层含水量提供一个衡量指标，但这也只是对水文特征的一个相对模糊的量度。很显然，在这种情况下，模型间的区别将不再明显，将来特征的预测成果变化范围会很大。这样，如果考虑经费的话，应该采取什么措施进行可行模型估计？在拒绝那些实际无效模型时，什么样的数据又最具有鉴别力？

这些问题的答案还不是那么清楚。这当然也不是为了模型率定而简单确定一个参数测量计划(尤其是如果这些参数的测量尺度很小的时候)。答案应该部分取决于模型的概念化、所模拟的水文响应以及模拟的目标。一组模型应该能预测流域内的饱和土壤产流区和回流区。这一点相对容易，代价也不高。同时，只要安装一个或多个水位计并进行一个或多个过程观测(或许将来可用超声波法测量横断面流速分布)，即可花费不高的代价有效区分模型。

与其他的参数相对简单的概念模型相比，目前这一代的分布式水文模型在这种分析过程中，能经得住考验吗？或许二者可以进行等价的"有效性"模拟，除非收集的数据与所用验证相差太大，此时要一丝不苟地遵循假设验证方法则可能有困难。如果"有效"标准过于苛刻，那么所有的模型和参数集均可能将被视为无效。事实上，就目前而言，这种情况下验证不应该过于严格。水文模型不单单是验证。如果应用目前的区域尺度气候预测标准，则目前所有用于预测全球变暖问题的全球水文循环模型将都被拒绝。大多数环境模型、地球化学模型和生态模型在这方面都很脆弱(Beck，1987；van Straten 和 Keesman，1991)。当然，随着时代的发展，当对过程的理解有助于改进参数过程时，更大、更好的计算机将改善这类模型的精度。

但在所建议的框架下，模型拒绝不应该也不必要看做是一个问题。如果现在进行预测，则在目前的理解范围内，可放松拒绝标准以使部分模型"有效"。预测的范围应该考虑目前对水文过程理解的局限性。可以按下述视角重新审视拒绝原因：为建立新的概念体系在数据收集和模拟之间建立一种恰当的协同关系。事实上，已有人在进行基于改进模型的学习算法利用计算机生产新参数的研究工作(Babovic 和 Minns，1994)。但这种研究强烈依赖于数据和数据收集技术，而不是先验理论。

事实上，前面已讨论过(Beven，1995)水文科学及水文理论的发展正在等待着新的测量技术的发展，尤其是可以快速估计水文响应空间非均匀性的测量方法，该方法应该比现在的遥感技术还要好。对待验证的假设进行阐述是促进这种技术发展的良好机制。

这里所建议的方法是直接从模型描述之间的不确定性和等效性概念衍生出来的。在众多为建模寻找科学方法的哲学框架和理论生成之间得到平衡并不太容易。大多数水文学者都同意，模型或理论的确立是经验的适用程度问题(van Fraasen，1980；Oreskes 等，1994)。然而，我们好像有必要接受这样一个事实，即在某种意义上，有许多不同的描述都是适用的。在这里，适用本身可能受到限制或是有条件的，当有更多资料时，需要对附属条件作进一步的调整或修正。根据某种似然方法对现有模型分档的思想似乎可能导致对水文系统模拟问题的一种纯粹的相对论态度，这和 Feyerabend(1975)的科学思想发展观点正好不谋而合(参见 Beven，1987，关于水文学的讨论)，这种观点不强求理论和现实相对应。然而，这并不为大多数水文科学家所接受。

换句话说，无效模型的拒绝也是处在逻辑经验主义者和理性批判主义者的传统哲学观点之间。这两者传统上都不允许多重描述，即在经过拟合、假设验证或理论合理性评估拒绝后仍保留"可接受"身份。和拒绝或伪造相关的问题在有关哲学文献中已有很好的描述(见 Bhaskar 的例子，1989)，但在面对水文模拟内在的固有困难来讲，这似乎是一种可行的有用方法。如上所述的诸多困难表明，一个纯粹的理性批判主义者的方法对分布式模型来讲很难站得住脚，因为这样会拒绝现在的所有模型。即使是逻辑经验主义者的方法，也需要有相对宽松的可接受标准，尤其是在系统内部状态预测方面，这样可使一些模型被接受。

然而，如果"可接受性"可根据一些定量指标或如上述 Bayesian GLUE 过程中的似然性来实现的话，很显然，"可接受性"必须是一个相对指标。图 13(A)-1 给出了似然值与参数值的关系,这一组图是 TOPMODEL 在法国 Vosges 的 Ringelbach 小流域的应用结果。图上的每一个点表示随机选取参数值的一次模型运行结果，参数从事先选好范围的均匀分布中选取。这些图和在 Lancaster 运用不同模型、进行不同应用的计算结果相似。其共同之处是，任何一个特定的参数值都可能有好的或坏的似然值(取决于其他模型的参数值)，每个参数相应的高似然值表现为很宽的带状，在较好的模拟和较差的模拟之间不存在明显的分界线。因此，可接受点的选择具有主观性及相对性。

但有争论说，如果基于预测结果不能区分模型之间或理论之间的差别，那它们就是不好的模型。因此，水文学家应该提出观测和假设验证方法以使模型、假设或参数值可以被接受或被拒绝(Haines-Young 和 Petch，1983)。这种观点有悖于上面所讲的拒绝是限制预测不确定性和改进模型结构的基本方法这一思想，但是，我相信等效性将被证明是模拟环境系统所固有的，这是由目标系统的不可知性和不确定性所决定的，我同样相信水文学家可以找到解决这个问题的方法。

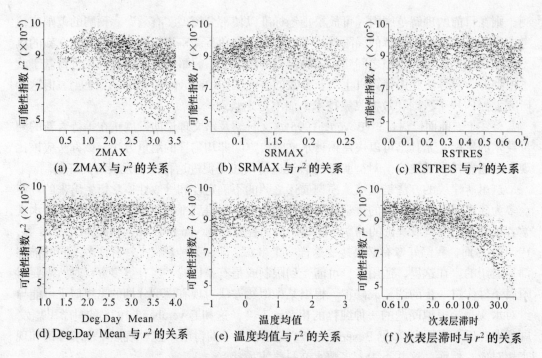

图 13(A)-1　用 TOPMODEL 译本蒙特卡罗试验点绘的可能性指数
与模型中 6 个不同参数值的高相关性关系图
（每种情况都以一年的模拟时段为基础，每一个点代表不同参数值的随机选择）

13(A).7　结　论

在水文学中对分布式预测一直有需求，这里讨论的基本主题在进行分布式水文模拟时要谨慎。已经证明，现有模型中用到的过程描述可能并不很恰当，网格尺度的有效参数值并不总是可接受的，有效参数值可能随网格的尺度变化而变化，参数估计技术也往往应用在不恰当的尺度上，同时在实际应用中模型结构和空间离散化的不确定性使这些模型很难验证。由于这些原因，建模者应该预料到有多种模型可以代表所研究的流域系统，这些模型的结构和参数值可能有显著不同，但所有这些模型都能在可接受的水平上拟合流域特征的观测结果。模型的这种等效性将导致预测的不确定性，这种不确定性可由诸如 GLUE 程序的技术来估计。

区分这些模型需要资料，以使一些模型被拒绝(不可接受)。在这方面，一些反映系统大尺度分布式响应的数据收集技术比其他尺度的测量方法(这些方法的尺度要比模型网格尺度小得多)要有价值得多。

最后，一个推测性的建议就是，分布式模型的未来发展更在于直接基于大尺度测量的子网格参数化，而不是小尺度集总理论的改进及目前所用的分布式模型的参数值的改进。在这方面，进步的方向是更简单、更可靠、更容易率定的分布式水文模型，而不是引入更复杂或更多的参数。分析可得出这样的结论，即分布式模型的显著进步将取决于可恰当反映所研究尺度响应变化的新的测量技术并形成新的理论公式。

第13章(B) 对 K. BEVEN "关于分布式

水文模型的讨论" 的评论

13(B).1 引言：评论的术语和内容

在评论 Keith Beven 的问题之前，我们想强调与术语和对分布式水文学模拟关键目标评估有关的两个问题。事实上，由于 Beven 所用的术语与本书其他章节所用的术语有很大不同，我们希望首先对下面要用到的几个关键词进行定义。我们先从区分模型和模拟系统开始。模型定义为某特定流域建立的特定的水文模型；模拟系统或模型代码被定义为一个通用的软件包，它可以在不改变程序的情况下用基本方程(其参数值可以改变)对不同流域建立模型。模型验证针对某具体地点的模型，代码验证针对算法等。我们的术语在本书第 2 章和第 3 章中已经详细定义和讨论。

分布式水文模拟的目标主要有以下四种：

(1)流域条件不变化时的流量模拟。

(2)人类活动(土地利用、地下水开发、灌溉)引起的流域变化响应模拟。

(3)水质和土壤侵蚀模拟。

(4)水文过程研究。

对目标(1)来说，用更简单的模型可以做得同样好，如集总概念模型，但就目标(2)和(3)而言还没有可行的替代方法。另外，分布式物理基础模型对于许多研究而言最为合适，因为这些模型允许直接引入新的过程描述假设并进行验证。由于分布式模型不必要的复杂，在过去十年受到很多批评，其中很大一部分与流量模拟(目标(1))有关。正因为如此，尽管我们同意 Beven 在第 13 章(A)中概括的许多基本问题，但我们认为对于很多重要的模拟目的而言，目前还没有能真正替代分布式物理基础模型的方法，而认识到这一点很重要。

由于我们的背景涉及工程水文(顾问和咨询)和水文研究两方面，所以希望工程部分只用到简单的方法(在咨询工作中通常如此)。但是经验告诉我们，虽然我们有全部的模型代码(包括最简单的传统模型)，但许多环境项目需要用分布式模拟。因此，我们选用分布式流域模型，因为我们相信，尽管有科学假定、错误和局限，这些工具依然能提供最好的信息来支持水资源管理决策。

13(B).2 分布式水文模型的基本问题

Beven 认为，目前可用的物理基础分布式模型实际上是集总概念模型方法。这种说法的依据是诸如地表径流和非饱和带优先流等过程描述缺乏物理实际。

但我们认为典型的集总概念模型(如 Sacramento 模型)和典型的物理基础分布式模型(如 MIKE SHE)在过程描述、水文变量的空间变化、参数值的物理实际性及适用性等方面有明显的基本差别。作为不能被归为集总概念模型的例子，我们可以考虑 Engesgaard 的地球化学模型(第 4 章)和 Sorensen 等的耦合 MIKE SHE-MIKE 11 洪泛区模型。如果认为在分布式物理基础模型和集总概念模型之间没有区别，将使问题变得更加复杂。

我们同意在许多应用中物理基础分布式水文模型被用来建立具体地点的水文模型，此时可将这些模型归类为集总概念模型，虽然是很详细的集总模型，如 SHE 在印度河流域的应用，其网格大小为 1～4 km(Refsgaard 等，1992)，但这并不说明这一方法不能用来建立物理基础分布式模型。

我们承认，现在关于水文过程的知识要求我们去建立比 Freeze 和 Harlan(1969)的蓝图更复杂的物理基础水文模型，并且这方面的工作已经开始进行。Lorup 和 Styczen(第 6 章)所描述的复杂的土壤侵蚀过程是这方面的一个很好的例子。但是，这并不是说对这种模型的需求有所减少，而只是增加了建立通用模型的难度。我们认为，改进模型的过程是一个持续的、无止境的过程，关于过程的新知识和获得新类型数据的能力不断地被加入到模型之中。实际上，从这个观点出发，这种模型的发展可以提供一个积累和融合大量专家在不同学科领域所得到的新知识的框架。这种模拟系统也可以为水文学领域最大范围的共同发展提供技术手段。

因此，虽然我们在很大程度上同意 Beven 的总结："不能保证在以网格尺度描述水文实际时分布式水文模型基于正确的方程"，但我们认为这是一个非常悲观的观点。什么是"正确"？什么是"实际"？我们又必须如何"正确地"描述不同情况下的"实际"(水文信息学中的术语"实际"和"真实"见 Abbott，1994)。当然，我们可以确定严格的没有模型可以通过的有效性验证标准，但我们认为在已有知识的基础上研究模型规则和建立模型才更有意义，而这个基础在将来可以被改进，并且在任何时间都可以用做决策的依据。

此外，Beven 认为"由于为达到估计流量的目的，分布式模型设置了过多的参数，而就模拟内部状态变量而言，分布式模型还没有通过验证"。虽然我们同意在一些具体应用中经常有这种情况，但我们不明白 Beven 怎么能将个别案例推广到普遍状态。而重要的事实是物理基础分布式方法能够通过内部状态变量验证模型，并且允许使用严格而明晰的参数化方案。确切地说，模型能否被正确地使用，或使是非难辨是模型使用者的责任，而不应该与模型方法的可行性及其一般特征相混淆。

13(B).3 流域尺度成功验证分布式模型的例子

与 13(B).1 节所定义的术语相一致，我们把模型的有效性与具体地点的模型相联系。一个一般的模型方法被确认，指其数学算法和程序代码是成功的。另外，给定模型的有效性应与预先设定的性能指标相联系。在这个框架内，有许多模型成功确认的例子存在，虽然性能指标经常没有明确给出。Refsgaard(1996)基于在 Zimbabwean 流域的研究成功地对集总模型和分布式模型有效性进行了验证，并使用了严格的测试标准。Jensen 和

Jorgensen(1988)对 Refsgaard 和 Hansan 十年前在 1 000 km^2 的 Danish Susa 流域开发和率定的分布式地下水和地表水模型(Refsgaard 和 Hansen,1982)进行了成功的后期审核研究。最初，Susa 模型根据 4 个小区的土壤湿度数据、大约 40 个观测井的地下水位以及 6 个观测站的流量数据进行率定。在后期审核阶段(1981～1987)，地下水损失与最初阶段(1951～1980)稍有不同。后期审核阶段的有效性验证基于 38 个地下水监测井和 4 个流量站的资料，模型的模拟精度与率定阶段相同。

在 Beven 的术语中，模型有效性指模型的普遍有效。我们同意一个模型原则上不可能"放之四海而皆准"。由于在建立和率定时采用了一些假设和估算，每一个模型必须分别验证其有效性。因为一个模型使用者在某流域给定条件下建立并验证了一个模型，并不表明另一个使用者可以机械地用相同方法对另外一个流域建立有效模型。

模型有效性的这个问题对所有模型都是一样的。因此，同样没有一个集总概念方法是万能的。这里先不讨论模型的有效性，我们谈一个看起来不太严格的术语：给定模型的可信度。一个被成功地用来建立了许多有效模型(这些模型覆盖了较广范围的应用类型)的方法比另一个没有经过一系列验证和发展的方法有更高的可信度。

我们的观点是，模型有效性和方法验证问题在将来应受到更大的重视，而且统一术语势在必行(参见本书第 2 章和第 3 章)。

13(B).4　改进过程参数化描述是否可能

Beven 认为与过程描述(参数化)有关的问题主要有两个：① "尺度变化问题和参数各向异性问题，即使小尺度方程适用局地尺度同样如此"；② "小尺度方程在局地尺度上并不一定正确(剖面到试验区)"。我们同意 Beven 的这种说法和所举的例子。事实上，根据过去 20 年使用 SHE 和 MIKE 的经验，我们同意 Beven 所指出的分布式物理基础模拟的两难境地，即当描述过程的局限性被确认时，必须引入带有更多参数的更复杂的描述，而这并不容易被测得而且可能引入新的异质性问题。

同样，虽然我们同意 Beven 对问题的看法，但是我们关于解决这些问题的模拟策略的结论却有很大不同。

从研究的观点出发，我们并不认为这是一个问题，而是一种不便，即关于过程的更多知识和获取实地数据的更好方法要求更复杂的模型。如果研究的目的是改进对自然水文过程的理解，为了模拟自然和测试新理论，新的知识必须引入模型。如果我们走简单模型的路子，我们就不能利用水文资料中可得的所有信息，并且由于事先不知道哪些新数据包含的信息重要，我们很可能错过对水文过程更深、更细致的理解。

从模型实际应用的观点出发，我们同意 Beven 的观点，即如果主要目标是模拟降雨径流过程和预测流域出口的流量，则简单模型就足够了。根据我们在几项研究中的经验，如对比研究(Refsgaard,1996) Zimbabwean 流域的集总概念模型(NAM)、分布式物理基础模型(MIKE SHE)和半分布式概念(物理基础)模型(WATBAL)，结果过程描述相对简单的集总概念模型和半分布式模型与复杂的 MIKE SHE 模型效果一样好。

但是，正如上面所指出的，因为有很多模拟目标，如土地利用变化或地下水提取效应预测、模拟水质和土壤侵蚀，对这些目标而言，目前还没有更复杂的模型。

13(B).5 分布化和尺度问题

我们同意集总问题和尺度问题十分重要，事实上这是一个根本性的问题。因此，在某一尺度上有效的过程方程和参数值不一定在较大或较小的尺度上有效。而在较大范围的尺度上进行数据收集并不能使问题变得容易。所以我们需要确定合适的尺度变化处理方法。

在地下水水文学某些方面的随机框架内，已经进行全面研究，如地下水输移(Gelhar，1986)和非饱和带径流(Jesen 和 Mantoglou，1992)。在山坡降雨径流过程方面也有一些尝试(Freeze，1980)。最近几年，当该问题与大气和地表互相影响模拟(Entekhabi 和 Eagleson，1989；Famiglietti 和 Wood，1994)联系在一起时也受到广泛关注。许多同类问题在其他领域也进行了广泛研究。值得注意的是湍流理论(Leslie 和 Quarini，1979；Leonard，1974)，在这个领域中，对如何在现有连续方程中引入高级术语进行了相当充分的分析。

但是，水文学研究中只在特定情况下才强调尺度变化问题，并且最好的也只对这些情况提出了理论上的方法范畴。因此，目前还没有一般性的方法论，而且短期内也不会出现。

除了上述以局部尺度问题为特征的研究领域外，当我们在几百平方公里大小的流域上应用分布式模型时，我们也会经常遇到尺度问题(参见第 4 章)。在分布式模型的工程应用中，尺度问题经常与具体的模型率定有关。此时，参数值间接地匹配特定的尺度，并且很可能不适合其他尺度。因此，如果模型没有被率定，或者在率定和验证后用于不同尺度的空间离散情况，那么使用合适的测量尺度变化处理方法将变得非常重要。

13(B).6 模型预测不确定性的估计

Beven 强调把模型预测与预测不确定性估计相联系的重要性。我们也认为这是一个在将来值得更多关注的重要问题。

目前最普遍的估计模型预测不确定性的方法是灵敏度分析，但这经常以一种定性的和不系统的形式进行。更全面和更严格的方法论要求随机方法与确定性方法相结合的模拟方法，例如状态空间公式或 Monte Carlo 技术。Sacramento 模型(Kitanides 和 Bras，1978)已表明集总概念模型可以很容易地以空间状态方式重组，并且可嵌入使预测不确定性基于流量的 Kalman 滤波框架之中。Refsgaard 等(1983)和 Storm 等(1988)在 Kalman 滤波框架内使用 NAM 集总概念方法，分析了由降水输入和部分关键参数的不确定性所引起的不确定性传播。随机—确定联合模拟(包括预测由于对水力学参数空间变化缺乏全面了解所引起的不确定性)在地下水文模拟中也很普遍(Gelhar，1986；Kros 等，1993；Jesen 和 Mantoglou，1994)。

尽管随机—确定联合模拟在分布式水文模型中还不普及，我们和 Beven 都认为这是可行的，至少利用 Monte Carlo 方法是可行的。模型预测的不确定性估计与以下几种分布式模型的应用相结合时非常有用：①用模型结果支持管理决策；②应用传统监测网络点数据和遥感空间数据进行资料更新(数据吸收、同化)；③在更一般情况下的逆模拟。

在文献所报道过的所有方法论中，GLUE(通用似然不确定性估计)法到目前为止是最全面的方法，也是我们希望看到更大发展和应用的方法。

13(B).7   分布式模型的发展前景

正如 Refsgaard 和 Abbott(第 1 章)所讨论的，分布式模型可得到的数据通常比他们所需要的少。因此，我们同意 Beven 的观点，即水文科学正等待新的测量技术的发展，尤其在空间数据及其非均匀性(异质性)方面。

近几年的一些发展表明，这种情况在未来几年内会有较大的改观。首先，出现了新的数据源，例如来自新的主动传感器系统的数据遥感和作为地理数据补充的来自新传感器的地球物理数据，新的现场水质传感器正在迅速发展，并且天气雷达数据也逐渐可以得到。其次，GIS 和其他数据库系统的广泛应用，使得以前很难大量处理应用的已有数据现在可以很容易地加以利用。

在今天的水资源管理系统中，数据库在许多地方都得到发展，模型应用的范围更加广泛；但是，很少有分布式模型全部利用了可用的数据。我们预见，分布式模型作为决策支持工具，将与永久的全面数据收集系统和数据库系统结合在一起应用于水资源管理中。

Beven 认为，随着数据的增多，"参数过多问题将会更加明显"。正如 Refsgaard 和 Storm(第 3 章)和 Storm 及 Refsgaard(第 4 章)所讨论的那样，我们相信这不正确。这方面的一个关键问题是如何进行参数化。我们认为，应避免给率定程序过多的自由度。因此，几乎所有的分布式数据应该是不受限于率定的数据。

13(B).8   结 论

基本上，就局部尺度过程描述的不充分性、异质性、尺度问题以及对模型预测的不确定性进行估计的需要等而言，我们同意 Keith Beven 所列出的目前的物理基础分布式模型中存在的问题。另外，我们同意关于一般模型方法和特定的单个模型能力和总体有效性的不成文的说法。就基础和应用研究而言，我们认为这些问题值得更多的关注。

但是，虽然我们基本同意 Beven 对这些问题的评价，但是我们对分布式水文模拟前景的结论在许多方面与之有很大不同。

对径流预测而言，虽然我们同意复杂的分布式物理基础模型并不必要，但我们不同意 Beven 的一般性结论，即使用完备的物理基础分布式模型没有什么益处，分布式模型应该简化。在我们看来，物理基础分布式模型的主要目的是满足土地利用变化、地下水提取、湿地管理、灌溉和排水、气候变化等人类活动影响预测以及对水质和土壤侵蚀的结果模拟需求。由于这些重要的目的，只有对分布式物理基础模型进行改进，而没有其他可代替的方法。我们相信这方面所需的方法将会更加全面和更加复杂。

第 13 章(C)　对 J. C. REFSGAARD 等

"分布式水文模型的讨论"的评论的回应

13(C).1　关于模型表述

很高兴看到关于分布式水文模型问题的这一重要方面的讨论。作为对第 13(B)章所作评论的回应，我必须重申我的论述通常是善意的评论。我并不否认对分布式水文模型的需求，也不认为集总式模型或者简单模型必定能提供充分的预测。我涉足分布式模拟并试图在某种意义上"恰当"地进行分布式模拟已有 20 多年。然而，我确实感到，从推动科学发展的观点看，使分布式预测的不足充分暴露出来是必须的。

有一个观点看起来已经引起了特别强烈的反应，那就是我关于物理基础分布式模型在部分单元尺度上是集总式概念模型的观点。我认为这里可能存在一些误解，但是我确实感到这个观点需要再次强调。我并不认为"物理基础分布式模型和集总式概念模型之间没有区别"(见 13(B).2)，区别显然存在。分布式模型在比单元尺度更大的尺度上进行分布式预测，在单元尺度上使用的方程在本质上可能是集总的和概念性的，这是事实。被广泛应用于分布式模型的曼宁定律是被曼宁(1981)所拒绝的经验。他对比了大量不同的明渠水流方程，支持更加复杂的表述。水力半径指数 0.667 是一个折中的值，当时的试验数据表明其值在 0.65～0.84 之间(Chow，1959)。曼宁定律是稳态方程，却被广泛地用来进行渐变流估算。它也被广泛地应用于洪积平原或者坡面流计算，惟一的理由是可以依据各种尺度的试验数据反算糙率系数。计算的糙率系数依赖于尺度(即使对河道亦如此，Beven 和 Carling，1992)，但却没有适当的理论来处理从横断面"点"到河段或单元变化时糙率系数的变化。我还要继续强调达西定律和理查德方程在用于单元尺度结构化土壤中非饱和流时是概念性的。对这样的土壤，同样缺乏适当的理论处理系数从点尺度到模型需要单元尺度的变化。这些模型在单元尺度的有效参数是集总的概念实体。我使用"集总"一词是经过慎重考虑的，以强调理论所应用的单元尺度和理论能更适用的"点"尺度之间的不匹配。

Refsgaard 等在第 13 章(B)中提出 Engesgaard 的地球化学模型(见第 4 章)不能被认为是集总概念模型。它当然是一个能够作出分布式预测的模型，但是地球化学模型在当应用于环境通量(与严格控制的实验室相反)时同样是著名的概念模型。例如它在控制铝 pH 含量的地球水化学平衡模型中包含了三水铝石反应。像 PROFILE 这样包含三水铝石反应的模型(Warfinge 和 Sverdrup，1992)，在西欧被广泛用于估计酸沉积的临界荷载，尽管对西欧的大部分土壤而言实际上并不存在三水铝石。而更糟的是，三水铝石反应系数似乎是 PROFILE 中最敏感的参数(Jonsson 等，1995；Zak 等，1996)。三水铝石反应被用做模拟反应，但缺乏深入的理解。甚至还有证据表明，从地球化学平衡理论推出的模型形式在用于野外异质性物质相互作用的综合反应时可能不合适(参见 Neal 等 1990 年的讨论)。地球化学模型只是假定形式不变，正如水文学家假定达西定律在单元尺度保持形式不变那样，尽管各向异质土壤意味着在子单元尺度水力梯度将有明显变化。

我们都认识到，当认识和理解改进之后，过程描述将发生变化。但我仍不信会必然像 Refsgaard 等所建议的那样应变得更加复杂(见 13(B).2)。改进和建立对详细试验的理解可能确实需要模型的复杂性，但这同时也意味着需要确定更多的参数。只有当参数能很容易地根据已有特征估计或可与通用常量建立关系时，复杂才真正具有优势。没有证据表明会这样，实际上也不像是能给出我们所感兴趣的流场的几何和边界条件范围，但对特定位置似乎要求率定更多的参数，而当模型复杂度增加时率定问题会变得更糟。当需要将过程描述应用到其他地点或其他环境时，这可能会使过程描述方面的任何改进黯然失色。这里我强调"可能"，因为在该领域尚需作更多的工作。简单(但可能是模糊)的描述可能与更复杂但具有过多参数的描述在吸收过去的试验成果方面(毫无疑问在这方面还有极大潜力)及在预测分布式土地利用变化方面具有同样的价值。

13(C).2 关于模型验证

Refsgaard 等(第 13 章(B))区别了模型系统编码有效性、模拟系统概念有效性和模型系统对于特定问题应用的有效性等过程。我在前面确实陈述了这三个问题，但是没有清楚地区别它们。验证编码本身是验证真正可能做到的情形，我没有对此进行讨论，但是假定所有的模型开发者至少试图确保他们使用的编码经过了正确的验证。这可能不是一个好的假设，因为正式的编码验证和质量保证技术还没有渗透到模型研究的大部分领域。众所周知，即便经过大量的应用测试，最大的软件机构也仍可能发布带有缺陷的编码。但是我们仍然可以假定新的数值算法的不断使用和测试会导致模型系统同其所依赖的方程相一致。

然而，我在第 13 章(A)中主要关注的是在模型概念和特定应用验证方面的科学概念。而且我仍然觉得分布式流域模型在这两个方面都还缺少足够的验证。前一节又对模型验证的一些概念进行了讨论。我愿意向读者提及 Morton(1993)的调和模型分析。我不认为认识到目前水文过程物理描述的局限性并声明我们知道它们的错误是件无益的事情。相反，只有这样，科学才会进步。

然而，这的确限制了对目前分布式模型系统的总体有效性的信心。但正如第 13 章(B)章指出的那样，这并不意味着在基于这些系统开发的特定模型应用得不到有价值的结果，特别是在经过实际资料率定之后。只是有效的模型仍然很少，特别是在内部状态数据有效性方面。根据我自己的经验，因为基础(第 13 章(A))和实践两方面(Lamp 等，1996)的原因使内部状态变量的再现十分困难。地下水文献中的分析认为这些困难并非不寻常(如 Anderson 和 Woessner，1992)，尽管区分模拟系统的局限性和系统应用过程的限制性显然十分困难。

这里需要的是一些基于特定数据集的对比研究，包括实地测量数据和假定数据，与INTRAVAL 地下水输移的数据集相似(Larsson，1992)。对 INTRAVAL 的经验表明，这将导致对模型系统预测能力产生更加慎重的态度。流域水文学是一个更为复杂的问题，因为过程的相互作用和非饱和区的非线性使得具有足够内部状态测量的数据集几乎不存在。许多流域，包括中国的人工 HYDROHILL 流域、Pennsylvania 的页岩丘陵流域实施的人工喷水器试验(Corbett 等，1975)(包括一些有趣的不同输入类型的试验)、挪威的一个 7 500 m² 的带有 105 个气压计的 MINIFELT 流域(Erichson 和 Myrabo，1996；Lamb 等，1996)、英国 Nires 支持的在英国德文郡的 Slpton Wood 流域试验(Ragab 和 Cooper，1993)以及处于半干旱环境下的美国亚利桑那州 Lucky Hills 流域(Goodrich 等，1994；Faures 等，1995)，尽管都不十分理想，但是仍能通过一些额外的努力来增加验证和数据集增加的价值。

Slapton Wood 流域目前用来通过"盲检"(例如事先不接触所预测流量和地下水位变量的观测值)来验证 SHETRAN UK 模拟系统的水文成分，以预先设定的阈值判别其成功或失败。过去曾在法国南部 Real Collobrier 的 Rimbaud 子流域进行过"盲检"，并在流量预测方面取得了成功(Parkin 等，1996)。需要注意的是，这些研究使用基于估算的参数值范围的多次模拟，并产生模拟变量的范围。

但如果有观测数据可以利用，通过率定可修正参数，进而可改进对流量和内部状态变量的预测。正如在第 13(A)章所讨论的那样，由于需率定的参数较多，这个问题尚需进一步讨论。局部数据可用以局部的验证，但如何最好地利用这些数据并不清楚，因为这些数据通常是"点"尺度数据。确实，可用的局部数据越多，模型的局限性就会更加暴露。需进一步理解不同类型数据的价值以指导将来的观测，在这方面一些得到较好证明的特定数据集将非常有用。

13(C).3　关于数据的价值

分布式数据正得到越来越广泛的应用，并且 GIS 系统正在与模型系统集成在一起，但是这些数据大多只是直接与水文有关的数据。植被类型、土壤类型和遥感图像信息的水文价值取决于中间解译模型，它们有自己的参数和简化假设。在遥感图像中对地表土壤含水量进行估值显然十分困难，Wang 等(1992)、Merot 等(1994)和 Lin 等(1994)进行的研究说明了这一点。将土壤水力学参数同土壤质地变量相联系的模型也得到越来越多的应用，如 Rawls 和 Brakensiek(1989)的回归关系或 Ragab 和 Cooper(1993b)的研究。这是因为土壤质地可以从土壤图中得出，而观测土壤水力参数的经济代价较高，同时花费时间也较多。使用这些模型时应注意两点：模型的优劣取决于它所使用的数据(例如 USDA 数据库中的水力传导度数据依赖于拳头大小的样本，而不考虑结构孔隙度)，模型(参数)估值的标准差可能较大。在模拟实践中，我们必须将不确定性作为常规部分加以考虑。只有这样，才能开发适当的研究程序以在不确定条件下获取最优经济效益。

我们对分布式水文模拟中不同种类数据的价值知之甚少，这是我们尽可能建立试验流域数据集(包括动态水储藏量观测数据和参数值)的另一个原因。这对假想流域来说相对容易实现，而对于真正的流域则十分困难，并且耗资巨大。但只有这样，才可能评估数据采集投资中的不同策略。

如果你已经坚持读到这里，我希望你会同意这种讨论十分有益，它可以引发你对分布式模型的未来发展和应用进行思考。在第 13 章(A)中我并没有像 Refsgaard 等所说的那样得出"使用完备的物理基础分布式模型毫无益处"的结论，我只是建议将这种模型看做认识模拟系统及其参数集最终等价性分析的类型之一。在某些情况下(如预测土地利用变化影响时)，这种模型很可能是在一定的拟合标准和重现已有资料的可接受性等方面惟一不被拒绝的模型。但现有分布式模型的缺陷必须被认识到，尽管其有高度集成的先进 GIS 和图形用户界面，其他具有竞争性的模拟系统(如基于模糊逻辑处理土地利用作用的方法)也应该考虑。同时，对外业水文工作者来说，用前面提到过的业已得到很好证明的分布式数据集去验证各种可能性是非常有价值的。

如果我主张更简单的过程描述，那是因为简单的过程描述可以使用户更仔细地考虑模型表述流域过程的方法。而更重要的是，在目前的计算条件下，简单模型对预测不确定性来说更容易实现(Freer 等，1996)。我毫不怀疑，如果我们有不同的、大尺度的观测技术，如能快速、精确、连续观测山坡或网格尺度蓄水总量或实际蒸(散)发通量的技术，那么我们水文的"物理基础"理论将会以全新的面貌出现。但今天看来，要做到这一点还有很长的路要走，我们在进行分布式预测时要小心谨慎，同时需要认真地思考。

第 14 章　水信息学中的水文模型

14.1　水信息学简介

最近 30 年的信息革命已经从根本上改变了水科学和水利技术中传统的规划、模拟和决策的方法论。信息技术(IT)正在水资源可持续发展和水环境管理方面起着重要作用。功能不断增强的高级计算机使其计算能力和信息流的存储、检索和处理方面更加复杂。水信息学研究的是水流信息及其运动和迁移过程。

从某种观点来看，水信息学起源于非常完善的计算水力学技术。计算水力学技术使用数值模拟技术和多组数值描述物理系统，并通过对这些数值进行不同运算，来模拟作用于这些系统的规律。大约 20 年前，随着计算水力学的引入，针对经典水力学引发了的一场具有相对意义的革命，对规律和概念重新进行了阐述，以适应数字计算的离散、连续和回归处理所体现的新特征。现在，随着水信息学的引入，正在再次发生更根本性的变化。

除水量和水质数据外，描述和评估给定水体状态的信息还包括社会、法律和环境因素。水信息系统中的典型信息包括国际和国家法律、地方法规、物理、化学及生物参数、计算和测量的水流、泥沙、化学物质以及其他的水生物、水质参数以及热量、化学和生物污染的位置和生产率以及抽水机、储水池和处理厂位置和容量等。

水信息系统的重要特征是允许用自然语言描述数值模拟的约束条件(如法律、合同和条约)。然而，产生准确的预测要求有丰富的知识，其中大部分只能从前期相似情况下的经验获得。水信息学将专业知识和经验用信息的形式表述，使其可为水科学家和工程师所用，从而提高其专业能力。

水信息系统可通过 SCADA(监视控制和资料获取)系统同测量设备联在一起，它可能包含定量化水体运动和变化的数值模型，并通过图形界面以表格的形式表现运算结果，以便于广大读者理解。它能通过专家系统在瞬间提供帮助并对结果进行解释，能以数据库或知识库形式存储信息。系统的大小和复杂性如图 14-1 所示(Abbott，1993)，该图是 1989 年构想的意大利威尼斯泻湖的水信息系统的相对完整原型框架。这种系统已用于城市排水系统的实时控制，在海岸管理系统中也得到实现，并准备应用于流域管理和灌溉系统的实时控制。

水信息学及其组成部分会加速测量设备发展，产生更先进的 SCADA 系统，增强模拟能力，并通过数据同化、基本方程的自动生成、率定等方法将观测和模型联系在一起。同时，还将更新数据库技术、用户界面，并带来其他的发展。

尽管水信息学已经开创了新的领域，但是这些系统远没有起到它们应起的作用。水信息学的研究不能只局限于水文学和水力学领域，还应借助于人工智能领域的信息技术的最新发展(机器学习、进化算法和人工神经网络)、人工生命、细胞学、自动机器人以及其他的科学和技术。

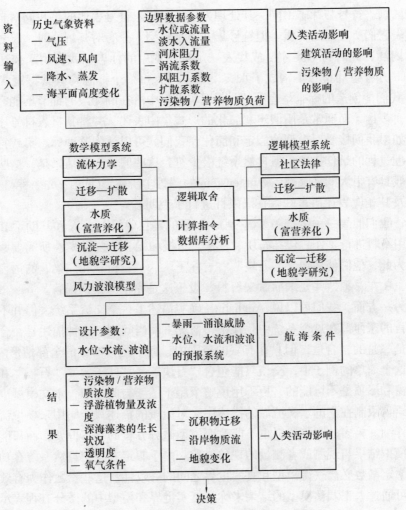

图 14-1 意大利威尼斯泻湖相对完善的水文信息模式

通过研究和探索这些看起来并不相关的科学，水信息学带给我们的是解决水力学和水文学问题有创造性的全新方法，如实时控制和诊断、实时预测、数值模型率定、数据分析和参数估计等(Verwey 等，1994；IAHR，1994；Babovic，1995)。特别地，这些新方法可使我们依据观测资料研究描述单个物理过程的模型或子模型，使其成为物理基础的分布式水文模拟系统的重要组成部分。这些模型(子模型)可以代替复杂的非线性微分方程，而后者则要求较高的率定技能和功能强大的运算设备。

本章将介绍水信息学的部分研究成果，包括水文循环特定侧面的模拟以及水资源系统的分析和控制。这些实例不可能涵盖水信息学在水文学中的所有应用，但可以揭示这些新方法在解决水文模拟中长期存在问题的有效性。

14.2 符号和亚符号

为了更全面地理解本章所述新方法的功能，需要引入一些符号来描述其与传统模拟方法的区别。符号与标志不同，其处理方法也不同。符号表述的是我们对自然世界的认识，代表它们所表述的物质。但符号集并不是模型，只有对其解释时，符号才有意义或语义学内涵，此时符号集才变成代表一定自然现象的标志。我们用来描述非饱和流的 Richards 方程组的符号集构成了水文模型，因为每一个标志均有其特定含义(Abbott，1992)。我们能创造的标志是有限的，而现实世界中潜在的无限的细节不能完全用有限的符号语言表达，而通常是用假定和简化的形式集中表述，并将其贯入符号序列即微分方程中。如果我们接受对模型的假定和简化，我们就可以认为这种标志集或符号语言是所关注物理过程的最佳描述。但自然系统极少符合这些假设，其结果是，这些符号语言对创新一般具有很大的局限性。Wittgenstein 的"哲学研究"(见第 2 章、第 3 章)对传统模拟方法及其相应表述语言的内在局限性进行了说明：

"让我们假想一种语言……(它是)……目的是在建筑工人 A 和其助手 B 之间进行交流，A 用石料进行工作，包括石块、柱子、石板和梁。B 必须按 A 所需要顺序传递这些材料。为此，他们使用包含"石块"、"柱子"、"石板"和"梁"的语言。A 说出他的要求，B 在熟悉这些要求后拿来石料。设想这是完全原始的语言。"

"另一方面，我们可以说 Augustine 确实描述了一个交流系统，但并不是所有我们称为语言的东西都在这个系统中。在很多情况下，当问到'这种描述是否合适'时，答案通常是'是的，合适，但只在有限的范围内，而不是你所说的全部情形。'"

在这个简单的例子中，交谈只能包含"石块"、"柱子"、"石板"和"梁"，谈论门、窗和屋顶是不可能的，更不用说整个屋子了。与此相似，水文模型也被有限的计算水文语言限制在它的水文流域的描述中。对流域的描述只能同用来模拟流域过程的模型那样详细。再多的观测资料也不能改变模型微分方程的基本框架，而只能调整参数使模型的模拟结果与观测或者测量的现象一致。由于假定方程与自然系统在功能上具有相似性，率定参数必会获得模型和真实世界之间的一致性。这些参数作为有效的误差补偿手段，可通过人工调整模型的结果来弥补真实世界和模型中的微分方程表示存在的基本矛盾。

然而率定参数通常在本质上意义并不清晰。有人会问："这些参数的物理意义是什么，它们的基础可靠吗，它们确实有根据吗？"。我们能给率定参数赋以一定的物理意义，但事实上它们并非如此，它们与其所要模拟的真实世界是分离的。

微分方程和率定参数构成了水文模型语言，水文模拟的传统方法是操作和调整这些符号，以最大程度达到模型输出和观测数据之间的一致性。现在许多商业软件包就宣称如此(如 Mathematica，Matlab 等)。对模型开发者来说，在这种语言中创造和融合一些新的符号或与之相联关的标志几乎是不可能的。符号方法深受这种相当难解决的"符号基础"问题之害。

在本章中介绍的新方法的最强大的功能之一是建立观测数据之间的关系并归纳模型，而不需要物理水文特征的详细知识。原因之一是大多数这样的方法在计算机数字表示的水平上处理数据。也就是说，数据在我们的计算机中以"位"的形式表示，对数据上的操作也以"位"为单位。在这种情况下，模型开发者不能直接影响传送信息的位。在将描述自然世界的符号翻译成"位串"后，原先的符号同后来的位操作便没有关系。

算法在位的水平上执行，被称为是亚符号方法。

计算机可以自由地操作位串，在不同的位置将它们分开或合并，以随机或者有控制的方法进行变址浮点运算。在这个过程中系统的所有表现都能被观察和评估，包括将位信息转换成数据并再作为标志被解释为自然世界现象的答案。求解过程在"位"水平上进行，而不受符号世界语言的约束。但计算机自己并不解释这些以亚符号水平表示的结果。

在这个过程中，模型开发者最重要的影响是翻译或者解释计算机产生的结果。这些结果应该能让模型开发者理解。亚符号方法的优点是出现答案的信号指向自然世界中的其他物体，而不包含在原始模型的初始符号集合中。

14.2.1 符号方法

对服从某种形式系统规则的符号串进行处理是可能的，这些符号串被人类解释为观点或者概念。将所有的知识用这种方法形式化是早期人工智能研究者的希望。然而，这种方法要求选择一组充分的、受规则集控制的符号集，规则集合要充分大，能够包含所有可能的情况，所有这些又要由某些算法联系在一起，这些算法应足够简单以至能够在现有的数字计算器上实现。人们不久便会发现，即使是最简单的任务用这种方法进行形式化也及其困难。

专家系统或者"基于规则"的系统显然属于符号系统。专家系统本质上包括两个主要部分：知识表达和推理引擎。知识表达部分是关键部分，其将真实世界翻译成有限的符号结构集合。在专家系统中知识以规则的形式出现。就是这些规则根本上将现实世界离散化，并将其简化为有限数目的结构，并以树状排列，如图 14-2 所示。

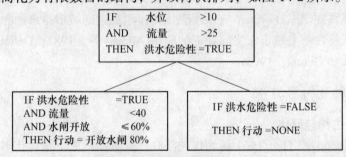

图 14-2　专家系统知识树

在这种形式体系下给定要表达的知识，推理引擎的任务是发现最接近给定状况的实例。推理引擎的目标同任何搜索问题相似。大多数专家系统使用横向优先或者纵向优先的搜索策略，如图 14-3 所示。图示说明了推理引擎在知识库中访问特定规则，以获得与给定输入最匹配位置的顺序。

从认知的观点来看，专家系统是模拟人类逻辑化智力活动的最佳程序环境。它提供了自动的推理过程，知识域(知识库)与智力操作(推理引擎)明显分离。Bavovic(1991)描述了专家系统的几个复杂系统中特别有用的特征，包括：

(1)知识以高度清晰的方式表达。模型的符号外观可以被大多数的使用者解释，模型的逻辑可以被理解，内容也可以改变。

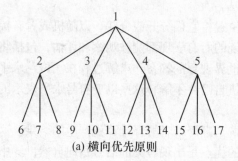
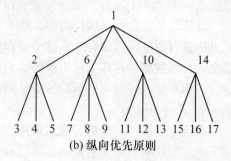

(a) 横向优先原则　　　　　　　　　(b) 纵向优先原则

图 14-3　专家系统中的搜索原则

(2)除了正式知识和既定理论外,还可对零碎的、无组织的、近似的、不完全的、不确定的、推理的和判断的知识进行编码和使用。

(3)可以使用非确定性控制策略。模型可能不按预定的顺序执行,可以使用各种推理形式。

(4)系统是透明的,如能对特定的思维和推理程序行进行自然解释和判断。

(5)可通过创建、调试和更新知识库增加其适应性。

另一方面,专家系统还存在几个缺点。除了符号基础问题以外,还有所谓的完整性问题。在图 14-2 的例子中,知识库中没有包括水位高于 10 和流量等于 55 的情形,这将导致推理引擎在搜索匹配时失败,也不能得出相应的结论。由于存在这个问题,专家系统被认为是脆弱的系统。在此意义上,只要每个问题有一个明确的编码答案,它们就能很好运行,但遇到知识库中没有明确表述的状况时,它们会突然发生故障。

符号方法的应用可以用几个最近的出版物来说明,例如 Almeida 和 Schilling,其描述了水信息系统知识库 if—then—else 规则结构。而最近的城市排水国际会议论文集广泛介绍了专家系统在解决城市水文问题上的应用(Ahmad 等,1987;Delleur 和 Baffaut 等,1993;Martin 和 Garcia,1995)。

14.2.2　几种亚符号方法

14.2.2.1　人工神经网络

被 Amorocho 和 Hart(1964)认为仅关注在已有数据约束下直接技术问题而不考虑物理背景的系统研究最近通过适应人工智能技术(如人工神经网络(ANNs)和进化算法(EAs),Babovic 和 Minns,1994)最近得到了复苏。人工神经网络的特殊优点是即使输入和输出数据组的真正的关系不知道,但只要这种关系存在,就能够经过训练而学习这种关系。

大脑执行复杂操作和认识复杂事物的能力已经成为认知心理学学科的主题,即使这些事物因噪声而失真。而这些主题又强烈影响了人工智能(AI)的研究。在预先未知物理关系的条件下,大脑能从经验中学习的特殊能力使其成为 AI 研究者长期试图模仿的具有特别适应能力和计算能力强大的"装置"。

同时,其他的研究者致力于使用电子计算机求解日益复杂的偏微分方程和相关的经验联系以再现或模拟物理现象。支持这些研究的是现代计算机快速增长的计算能力和大型并行计算(并行分布处理)日益增长的计算速度。并行计算的硬件设计和制造相对容易实现，但使用并行结构有效求解偏微分方程和其他此类方程的软件仍相当有限。

虽然这两组研究者追求的目标看起来有很大不同，但他们在人工神经网络领域已经发现了共同的基础。人工神经网络的主要应用是模式识别和分类，或更一般地说是系统识别。概要地讲，人工神经网络由处理单元层(代表生物神经，参见 Hopfield，1994)组成，每层中的每个处理单元与临近层中的所有处理单元相联系(代表生物的)。许多出版物中更详细地描述了各种不同神经网络的结构(Beale 和 Jackson，1990；Aleksander 和 Morton，1990；Hertz 等，1991)。图 14-4 为一个典型的多层前向反馈神经网络的框架。

神经网络可用下述训练和计算说明。输入信号(一组数 x_i)被输入到处理单元或节点的输入层中。这些信号通过联结传送到临近层的每个节点，并通过联结的权重被放大或抑止。临近层的节点充当输入信号(加权)的累加器(见图 14-5)。输入信号在处理单元中经过阈函数转化为输出信号 O_j。图 14-4 所描述的神经网络的阈函数一般是 S 形函数，可定义为

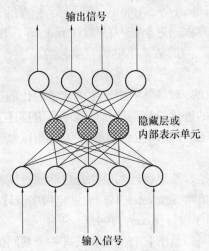

输出信号

隐藏层或
内部表示单元

输入信号

图 14-4　多层前向反馈人工神经网络示意(ANN)

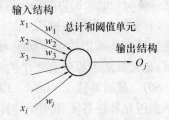

输入结构

x_1 w_1　总计和阈值单元

x_2 w_2

x_3 w_3　　　　　　输出结构
　　　　　　　　　　O_j

x_i w_i

图 14-5　典型的 ANN 节点

$$f(x) = \frac{1}{1+e^{-x}} \qquad (14\text{-}1)$$

输出结果为 $0<f(x)<1$，处理单元的输出结果为

$$O_j = \frac{1}{1+e^{-\sum x_i w_i}} \quad (0<O_j<1,\ \forall j) \qquad (14\text{-}2)$$

输出信号再通过不同权重联结传送到下层节点并进行处理，如此重复进行，直到信号到达输出层。输入层和输出层之间的一个或多个处理单元同外界没有直接联系，被称为隐含层。输出信号被解释为人工神经网络对给定输入刺激的响应。

人工神经网络通过训练对于给定的输入刺激产生已知的或想要的输出响应。ANN 通过对联结权重分配随机数来进行初始化。输入信号被输入到输入层中，结果输出信号同预期的输出信号相比较。然后计算误差函数或者能函数以表达这两种信号之间的差距。

误差函数定义为

$$E = \frac{1}{2} \sum (D_j - O_j)^2 \tag{14-3}$$

式中　O_j——网络输出；

　　　D_j——预期的输出。

接着调整联结权重来减小误差。对多种不同的输入输出多次重复处理过程，直到对所有的数据组都得到足够的精度。学习规则，如通用德尔塔法则，按信号强度和总误差的比例来调整联结权重(Rumehart 和 McCleland，1986)。将误差反向分配到各层，直到输入层，这样输出层的误差就会降低。因此，这种方法称为误差反向传播法。应用下一组输入输出，重新调整联结权重，以使新的误差最小。重复该过程，直到所有的训练数据组都被应用。然后重复整个过程，再次从第一组数据开始，直到所有数据组的总误差足够小。通用德尔塔规则实际上是梯度下降法的一种形式，计算能函数式(14-3)，在最陡的下降方向改变。虽然由于存在局部最小值，这种方法不能保证收敛到最优解，但实际上后馈算法看起来几乎能够解决每个案例(Rumelhart 等，1989)。实际上，标准的、只有一个隐含层的前馈网络已经能够将任何可测的方程逼近至任一精度(Hornik 等，1989)。误差看起来仅是由于隐含层单元不足或者它们之间的关系不够确定引起的。

14.2.2.2　进化算法

进化算法(EAs)是由计算机等人工媒体完成的、对自然界中发生的非常简化的过程模拟机制，其基本思想是借用自然过程。达尔文的进化论将物种对环境的适应描述为一种自然选择(Darwin，1859)。按照这种观点，我们这个星球上目前的所有生物(以及曾在这里生存过的物种)都是这种适应过程的结果。

进化算法实际上给出了解决问题的可行途径，其对问题的解法是自然演进而不是直接求解。进化算法的家族有四个主要方向：进化策略(Schwefel，1981)、进化程序设计(Fogel 等，1966)、基因算法(Holland，1975)、基因程序设计(Koza，1992)。

虽然进化算法各不相同而且其目标也不相同，但所有的进化算法有一个共同的概念基础。在计算机上生成初始种群个体，然后按遗传原则(子代同父代相似)、变异原则(子代形成过程不完备——发生变异)和选择原则(更适应或更好的个体允许繁殖更多，不适应的个体繁殖更少并在后来的系统树中随着时间灭亡)进化。

图14-6描述了进化算法的主要过程。从随机生成的初始个体种群中，选择出最适合的实体，并通过交换(相应于有性繁殖)和变异等遗传操作进行改变。按照一定的指标来选择个体，越适合的个体被选择得越频繁。交换通过在随机选取位置交换子串来联系两个遗传型。变异则简单地改变随机选择的位。

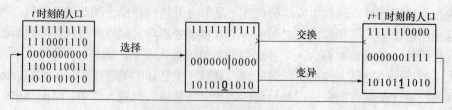

图 14-6　进化算法示意图

同自然过程相似，应该辨别进化实体的基因型和表现型。基因型是被执行的代码(如人类 DNA 束中的代码)，而表现型表达了代码的执行结果(如某个人)。进化实体(父体)之间的信息交换发生在基因型水平上，但我们真正感兴趣的是表现型。

表现型实际上是问题域内对基因型的解释。这些解释表现为任意可行的映射。进化算法的主要优点之一是域的独立性。给出一个合适的进化结构描述，进化算法可以演化大多数事物。例如，为了优化和满足约束，基因型被典型地解释为优化函数的一个变量。Babovic 描述了基因算法(GAs)的几个应用，它们使用这种映射，并特别强调水资源。

在 Holland 介绍的称为学习分类器系统(LCSs)中，表现型在进化知识库中以规则的形式出现。LCSs 实际上建立在一般的基因算法之上，并不断用新的表现较好的规则扩充知识库，以避免僵化和静态的树形结构出现。通过机器的学习过程，LCSs 打开了通向自动增强模型的道路。

在基因程序设计(GP)中，进化力以符号形式指向模型的形成。在进化范畴中，进化实体用一组数据来表现，进化过程的结果是产生描述数据的闭合符号表达式。GP 进化用反向波兰表示法来描述符号表达式的结构树。树结构的节点由用户定义。这表示它们可以是代数运算符如 sin、log、＋、一等，或者是 if—then—else 形式的规则，它使用逻辑运算符如 OR、AND 等(参见 Walker 等，1993)。

在如此有限的篇幅中说明进化算法的全部潜力和它们的意义，即便不是不可能，也是极其困难的。读者应参看详细描述进化算法内在过程及其应用的原文。而在这里，我们要着重强调进化算法的两个重要特点：

(1)进化算法是亚符号计算模型。如上所述，进化实体之间的信息交换发生在基因型水平上。表现型代表或包含基因的含义。这些含义(或语义学内涵)通过映射函数(从基因型到表现型)或表现型同其环境的相互作用而获得。整个 EA 家族均如此。以其最根本形式存在的 GP 被理解为进化树的一种方法，进化树只有当面临问题域时才有含义。

(2)同 EA 性能相联系的最重要现象是它通过与环境相互作用而获得有关环境的知识。问题求解过程(如进化)初始化之前，关于被求解问题的知识并不明显地存在于基于EA 的求解程序中。知识通过适者生存的过程而获得。其结果是，解决问题的过程转变为适当描述问题并使问题的解自我进化出来的过程。

14.3　应　用

14.3.1　降雨径流模型

对降雨径流模拟，对给定的前期条件，流域的降水深度同流域的河川径流量存在明显的关系。Hall 和 Minns(1993)确认对于简单的试验流域和小型排水区，即使输入只限于前期降水深度和前期流量，人工神经网络也能够以非常高的精度学习降水和径流之间的关系。图 14-7 显示了 ANN 模型用英国的一个小城市流域实际资料进行训练的结果。ANN模型的结果也同简单的概念性非线性水库模型 RORB 的结果进行了对比。

Minns 和 Hall(1995)继续他们对于更加复杂的理论流域的应用研究，流域特征从线性

到高度非线性变化很大，其输入为前期降雨深度和前期流量(见图 14-8 和图 14-9)。ANN
模型提供了优越的结果，而不受输入输出连续性约束条件的阻碍。实际上，简单资料的
选择仅以方便测量和表述为原则。此外，简单的非水文参数，如不透水区域的百分比，
可以在模型制作者的鉴别下容易地融合到模型中去。这些类型的参数可从简单的测量中
得到，或者甚至高度凭直觉得到，不受量纲或水文物理一致性条件制约(Minns，1996)。

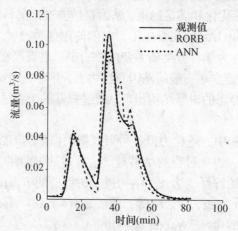

图 14-7   ANN 模型和概念模型 RORB 比较

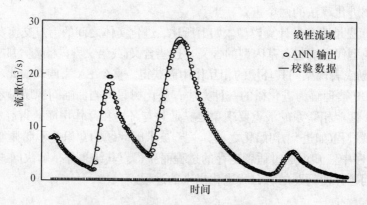

图 14-8   线性流域 3 层 ANN 模型的验证

Babovic(1995)应用 GP 技术用 Minns 和 Hall 的数据中推出了符号表达式。线性流域
模型的最佳表达式为

$$q[t] = q[t-1] + 0.3r[t-1] - 0.29\sqrt{r[t-14]} \qquad (14\text{-}4)$$

对非线性模型，则为

$$q[t] = q[t-1] + r[t-2] - r[t-8] \qquad (14\text{-}5)$$

式中　　$q[t]$——t 时刻的流量，m^3/s；

　　　$r[t]$——t 时刻的降水量，mm/h；

　　　t——时间，h。

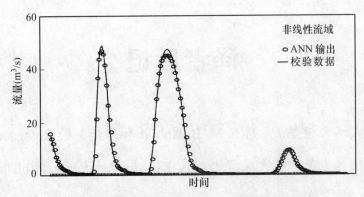

图 14-9 非线性流域 3 层 ANN 模型的验证

对于相同的数据，式(14-4)和式(14-5)同 ANN 模型具有相似的精度。虽然我们不试图在物理上解释这些方程，但显然可以看出，由 GP 导出的表达式中出现的相关变量可能与流域的滞时有关。但从 ANN 模型中提取语义内容并不那么容易。

总体上，ANN 和 GP 模型在水文模拟中的潜在作用是巨大的。最简单地，它们可以作为灵活的、易实现的集总概念性模型，在单个流域可将降水数据和径流数据联系起来。在另一方面，它们可以用来生成物理基础的分布式水文模拟系统的组成部分，并只依据观测的数据推导单个物理过程(如非饱和带水流动态)的亚模型。这种亚模型可代替复杂的非线性微分方程系统，这种系统要求较高的率定技能和强大的运算设备。

14.3.2 模型率定和系统优化

利用传统的概念水文模拟技术，建模者要应用观测的数据和他的水文洞察力手工调整模型参数和方程，最后来率定模型。Babovic 等(1994)描述了基因算法在模型率定问题中的应用。GA 的基因型被解释为自由表面管流的糙率系数。进化的目标是模型输出与观测水位和流量的误差最小，这样可自动率定水动力学模型的糙率系数。

Solomatine(1995)认为水文模型的率定过程实际上是最优化问题的一种形式，其目标函数是使计算输出变量和在物理系统中的相应测量值的误差最小。优化问题的独立变量是未知的模型参数。他又将 GA 的性能同更多的传统优化技术相对比，确认这种方法在全局优化中的能力。

在多目标水资源系统中优化控制策略的迅速选择对于这些系统的实时控制极为重要。Masood-UI-Hassan 和 Wilson(1995)描述了如何应用 ANNs 和 GAs 来提高系统的性能，以及如何面对实时限制条件对现实世界的过程做出反应。他们阐述了 ANN 在洪水控制方案中如何离线训练来优化闸门位置。用来训练 ANN 的优化闸门位置通过使用传统的梯度下降法的数值优化法生成。优化控制策略数据的生成和 ANN 对这些数据的训练相对费时。但训练完成后，ANN 能立刻回忆起用任意给定系统状态相应的最优闸门位置。本文进一步介绍了学习分类器系统在排水系统网络实时控制中的实现。在一个分类器系统中，对应于给定系统状态的处理从基于规则的系统中获得。学习分类器系统通过基于经验产生新规则而随时提高系统的性能。GA 通过重组使表现较好的分类器替代表现较差的分类器而产生新的规则。

译者后记

《分布式水文模型》是荷兰 M. B. Abbott 和丹麦 J. C. Refsgaard 两位博士撰写的一部经典专著，英文原著由荷兰 Kluwer Academic Publishers 于 1996 年出版发行。

作者以博深的知识和深入浅出的措词，介绍了分布式水文模型的理论框架和概念，同时结合实际案例分析了其优势和存在的问题。

本书由北京师范大学环境学院和水利部黄河水利委员会水文局组织翻译。其中第一章至第三章由郝芳华、张雪松翻译，第四章至第七章由郝芳华、杨桂莲翻译，第八章、第九章由王玲翻译，第十章、第十一章由王芳玲翻译，第十二章至第十四章由巩元录翻译。全书由郝芳华、张雪松、郑玲芳统稿，赵为民、程红光校核。张建永、孙峰、马晓波、崔磊、常影、毕许静、任希岩、赵鹏、步青松等同志也参与了本书的部分译校工作。

感谢 M. B. Abbott 和 J. C. Refsgaard 两位博士允许翻译出版此书；特别感谢刘昌明院士在百忙之中对全书翻译工作的关注与指导，并给译著写了序。同时，尽管译者十分谨慎，全书几易其稿，但由于水平所限，错误和疏漏仍在所难免，敬请读者批评指正。

译 者

2003 年 9 月于北京